U0443694

商务馆对外汉语教学专题研究书系
总主编　赵金铭
审　订　世界汉语教学学会

对外汉语计算机辅助教学的理论研究

主　编　郑艳群

商务印书馆
2006年·北京

图书在版编目（CIP）数据

对外汉语计算机辅助教学的理论研究/郑艳群主编.
—北京：商务印书馆，2006
（商务馆对外汉语教学专题研究书系）
ISBN 7-100-04859-1

Ⅰ.对… Ⅱ.郑… Ⅲ.多媒体—对外汉语教学—计算机辅助教学—文集 Ⅳ.H195-39

中国版本图书馆 CIP 数据核字(2005)第 158525 号

所有权利保留。

未经许可，不得以任何方式使用。

DUÌWÀI HÀNYǓ JÌSUÀNJĪ FǓZHÙ JIÀOXUÉ DE LǏLÙN YÁNJIŪ
对外汉语计算机辅助教学的理论研究
主　编　郑艳群

商务印书馆出版
（北京王府井大街36号　邮政编码 100710）
商务印书馆发行
北京瑞古冠中印刷厂印刷
ISBN 7-100-04859-1/H·1194

2006 年 7 月第 1 版　　开本 880×1230　1/32
2006 年 7 月北京第 1 次印刷　印张 14½
印数 5 000 册

定价：26.00 元

总主编 赵金铭

主　编 郑艳群

作　者（按音序排列）

陈　申	陈小荷	陈　昕	储诚志
丁玉华	方向红	傅敏跃	谷　虹
洪　芸	胡　翔	黄建平	黄勤勇
靳光瑾	柯彼德	李德钧	李吉梅
刘　杰	卢　伟	陆汝占	孟　国
宋继华	宋　柔	隋　岩	孙德金
孙宏林	王方宇	王韫佳	吴志山
谢天蔚	信世昌	邢红兵	徐　娟
杨惠芬	杨惠中	袁志芳	张春平
张和生	张建民	张　普	赵金铭
郑艳群	仲哲明		

目 录

从对外汉语教学到汉语国际推广（代序） ………… 1
综述 ……………………………………………… 1
第一章　汉语计算机辅助教学总论 ……………… 1
　第一节　信息处理与汉语教学宏观思考 ………… 1
　　壹　汉语信息处理与汉语教学的结合 …………… 1
　　贰　汉语信息处理与汉语教学的形式化 ………… 20
　第二节　汉语计算机辅助教学构想与
　　　　　技术手段 …………………………………… 22
　　壹　计算机辅助汉语教学的一些构想 …………… 22
　　贰　多媒体技术是语言教学的重要技术手段 …… 29
　第三节　多媒体和互联网汉语教学探讨 ………… 40
　　壹　新时期的数字化汉语教学 …………………… 40
　　贰　开创多媒体汉语教学的新路 ………………… 49
　　叁　基于互联网的汉语教学简说 ………………… 55
　第四节　现代教育技术与汉语教学的改革 ……… 64
第二章　汉语信息处理与汉语教学 ……………… 76
　第一节　语料库的建设、加工与检索 …………… 76
　　壹　汉语语料库建设与发展 ……………………… 76
　　贰　分词规范问题探讨 …………………………… 107
　　叁　语料检索方法的研究与实现 ………………… 111

第二节　现代汉语语料库与中介语语料库 ……… 127
　　壹　"现代汉语研究语料库系统"概述……………… 127
　　贰　建立"汉语中介语语料库系统"的基本设想……… 141
　　叁　"汉语中介语语料库系统"介绍………………… 154
　　肆　汉语句型教学语料库……………………………… 171
　　伍　汉语语素数据库初探……………………………… 181
第三节　汉语教学语料库建设设想 …………… 190
　　壹　汉语口语教学语料库……………………………… 190
　　贰　汉语中介语语音语料库…………………………… 205
　　叁　汉语专业阅读材料语料库………………………… 215
第四节　网络环境下的汉语语料库
　　　　建设及检索……………………………………… 222

第三章　汉语计算机辅助教学研究 ……… 235
第一节　计算机辅助教学的优势与局限 ……… 235
　　壹　计算机教汉语的长处和难处……………………… 235
　　贰　汉语教学的难点与计算机的辅助作用…………… 247
第二节　多媒体素材库与资源库建设 ………… 258
　　壹　多媒体汉语教学素材库的建立…………………… 258
　　贰　数字化汉语教学资源建设的学科特性…………… 269
　　叁　多媒体汉语教材的作用及未来发展……………… 274
　　肆　多媒体汉语教材的模块化………………………… 281
第三节　网络汉语教学系统平台构建 ………… 285
第四节　计算机辅助教学设计与评价 ………… 294
　　壹　多媒体汉字教学与学习的新思路………………… 294
　　贰　多媒体汉语教学的认知心理……………………… 307
　　叁　网络汉语教学课件制作的误区…………………… 315

第四章　现代教育技术与汉语教学 ……………… 326
第一节　影视技术在汉语教学中的应用 ………… 326
壹　语言环境与影视技术 ………………………… 326
贰　电视实况视听说教学 ………………………… 334
第二节　网络空间中的汉语教学 ………………… 343
壹　网络空间中的汉语教学 ……………………… 343
贰　网络汉语教学的因素分析与设计 …………… 349
叁　网络远程汉语教学现状综述 ………………… 356
第三节　虚拟现实技术和语言教学环境 ………… 365
壹　虚拟现实技术和语言教学环境 ……………… 365
贰　多媒体语言教学光盘与语感能力 …………… 372
叁　关于"虚拟词语空间" ………………………… 381
第四节　现代教育技术应用于汉语教学的
发展及前景 ……………………………… 390
壹　网络汉语教学的三种模式 …………………… 390
贰　现代教育技术在汉语教学中的应用 ………… 399

后记 ……………………………………………… 406

从对外汉语教学到汉语国际推广
（代序）

赵 金 铭

新中国的对外汉语教学在经过55年的发展之后，于2005年7月进入了一个新时期。以首届"世界汉语大会"的召开为契机，我国的对外汉语教学在继续深入做好来华留学生汉语教学工作的同时，开始把目光转向汉语国际推广。这在我国对外汉语教学发展史上是一个历史的转捩点，是里程碑式的转变。

语言的传播与国家的发展是相辅相成的，彼此互相推动。世界主要大国无不不遗余力地向世界推广自己的民族语言。我们大力推动汉语的传播不仅是为了满足世界各国对汉语学习的急切需求，也是我国自身发展的需要，是国家软实力建设的一个有机组成部分，是一项国家和民族的事业，其本身就应该成为国家发展的战略目标之一。

回顾历史，对外汉语教学的每一步发展，都跟国家的发展、国际风云的变幻以及我国和世界的交流与合作息息相关。

新中国对外汉语教学肇始于1950年7月，当时清华大学开始筹办"东欧交换生中国语文专修班"，时任该校教务长的著名物理学家周培源先生为班主任;9月成立外籍留学生管理委员会,前辈著名语言学家吕叔湘先生任主任;同年12月第一批东欧学生入校学习。这是新中国对外汉语教学事业的滥觞。那时,全部留学生只有33人。十几年之后,到1964年也才达到229人。1965年猛增至3 312人。这自然与当时中国的国际地位和世界局势变化密切相关。经"文革"动乱,元气大伤。1973年恢复对外汉语教学,当时的留学生也只有383人。此后数年逐年稍有增长,至1987年达到2 044人,还没有恢复到1965年的水平。[①]

改革开放以后,特别是近十几年来,对外汉语教学事业飞速发展。从20世纪90年代开始,来华留学生数量呈逐年上升趋势,至2003年来华留学生已达8.5万人次。据不完全统计,目前全球学习汉语的人数已达3 000万。

对外汉语教学事业的蓬勃发展,一直得到国家的高度重视和大力支持。早在1988年,国家教委、国家对外汉语教学领导小组在北京召开"全国对外汉语教学工作会议"时,时任国家对外汉语教学领导小组常务副组长、国家教委副主任的滕藤同志在工作报告中,就以政府高级官员的身份第一次提出,要推动对外汉语教学这项国家与民族的崇高事业不断发展。

会议制定了明确的发展目标,即"争取在半个多世纪的时间内做到:在教学规模上能基本满足各国人民来华学习汉语的需求;在教学理论和教学方法上,赶上并在某些方面超过把本民族语作为外语教学的世界先进水平;能根据各国的需要派遣汉语

[①] 参见张亚军《对外汉语教法学》,现代出版社1990年版。

教师、提供汉语教材和理论信息;在教学、科研、教材建设及师资培养和教师培训等方面都能很好地发挥我国作为汉语故乡的作用"。①

今天距那时不过十几年时间,对外汉语教学的局面却发生了翻天覆地的变化。对外汉语教学不再仅仅是满足来华留学生汉语学习的需要,汉语正大步走向世界。对外汉语教学的持续、快速发展,以至汉语国际推广的迅猛展开,正是势所必至,理有固然。目前,汉语国际推广正处在全新的、催人奋进的态势之中。

国家在世界范围内推广汉语教学,我们谓之"致广大";我们在此对对外汉语教学进行全方位的研讨,我们谓之"尽精微"。二者结合,构成我们的总体认识,这里我们希望能"博综约取",作些回首、检视和瞻念,以寻求符合和平发展时代的汉语国际推广之路。

一 汉语作为第二语言教学的理论研究

对外汉语教学,即汉语作为第二语言教学,作为一个学科,从形成到现在不过几十年,时间不算太长,学科基础还比较薄弱,理论研究也还不够深厚。但汉语作为第二语言教学作为一个学科有它持续的社会需要,有自身的研究方向、目标和学科体系,而且更重要的是它正按照自身发展的需要,不断地从其他的有关学科里吸取新的营养。诚然,要使对外汉语教学形成跨学科的边缘学科,牵涉的领域很广,理论的概括和总结实非易事。

---

① 参见晓山《中国召开全国对外汉语教学工作会议》,《世界汉语教学》1988年第4期。

综览世界上的第二语言教学,真正把语言教学(在西方,"语言教学"往往是指现代外语教学)作为一门独立学科而建立是在上一个世纪 60 年代中叶。

桂诗春曾引用 Mackey(1973)说过的一句意味深长的话:"(语言教学)要成为独立的学科,就必须像其他科学那样,编织自己的渔网,到人类和自然现象的海洋里捞取所需的东西,摒弃其余的废物;要能像鱼类学家阿瑟·埃丁顿那样说,'我的渔网里捞不到的东西不会是鱼'。"[①]

应用语言学是一门独立的交叉学科,分广义和狭义两种。狭义的应用语言学研究语言教学。广义的应用语言学指应用于实际领域的语言学,除传统的语言文字教学外,还包括语言规划、语言传播、语言矫治、辞书编纂等。我们这里取狭义的理解,即指语言教学,主要研究汉语作为第二语言教学或外语教学。所以,我们说对外汉语教学是应用语言学,或者说是应用语言学的一个分支学科。我们把对外汉语教学归属于应用语言学,或者说对外汉语教学的上位是应用语言学。

应用语言学作为一门应用型的交叉学科,它的基本特点是在学科中间起中介作用,即把各种与外语教学有关的学科应用到外语教学中去。组织外语教学的许多重要环节(如教育思想、教学管理、教学组织、教学安排、教材、教法、教具、测试、教师培训等等),既有等级的,也有平面的关系。而教学措施上升为理论之后,语言教学就出现了很大的变化。[②] 那么,这些具有不同

[①] 参见桂诗春《外国语言学及应用语言学研究》第一辑发刊词,首都师范大学外国语学院主办,中央编译出版社 2002 年版。

[②] 参见桂诗春《外语教学的认知基础》,《外语教学与研究》2005 年第 4 期。

等级的或处于同一平面的各种关系是如何构筑成对外汉语教学的学科理论的呢?

李泉在总结对外汉语教学学科基本理论时,提出应由四部分组成:(1)学科语言理论,包括面向对外汉语教学的语言学及其分支学科理论,面向对外汉语教学的汉语语言学;(2)语言学习理论,包括基本理论研究、对比分析、偏误分析和中介语理论;(3)语言教学理论,包括学科性质理论、教学原则和教学法理论;(4)跨文化交际理论。①

这些理论,在某种意义上都有其自身存在的客观规律,这也是作为学科的对外汉语教学所必须遵循的。我们尤其应该强调的是对语言教学理论的应用,这个应用十分重要,事关教学质量与学习效率,这个应用包括教学设计与技巧、汉语测试的设计与实施。只有应用得当,理论才发生效用,才能在教学和学习过程中起提升与先导作用。

几十年来,我们一直把对外汉语教学作为一个学科来建设,建设中也是从理论与应用两方面来思考的。陆俭明在探讨把汉语作为第二语言教学当作一个独立的学科来建设时,提出了更高的要求,他认为这个学科应有它的哲学基础,有一定的理论支撑,有明确的学科内涵,有与本学科相关的、起辅助作用的学科。② 我们认为,所谓的哲学基础,关涉到对语言本质的认识,反映出不同的语言观。比如语言是一种交际工具,还是一种能

---

① 参见李泉《对外汉语教学的学科基本理论》,《海外华文教育》2002年第3、4期。

② 参见陆俭明《增强学科意识,发展对外汉语教学》,《世界汉语教学》2004年第1期。

力?语言是先天的,还是后得的?这都关系着语言教学的发展,特别是教学法与教学模式的确立。总之,我们应树立明确的学科意识,共同致力于对外汉语教学的学科理论建设。

二 关于学科研究领域

汉语作为第二语言教学,作为一个学科,业内是有共识的,并且希望参照世界上第二语言教学的学科建设,来完善和改进汉语作为第二语言教学的学科体系,不断推进学科建设的开展,其中什么是学科的本体研究,是首先要考虑的问题。

本体的观念是古希腊亚里士多德范畴说的核心。亚里士多德把现实世界分成本体、数量、性质、关系、地点、时间、姿态、状况、动作、遭受等十个范畴。他认为,在这十个范畴中,本体占有第一的、特殊的位置,它是指现实世界不依赖任何其他事物而独立存在的各种实体及其所代表的类。从意义特征上看,本体总是占据一定的时间,是看得见、摸得着的事物。其他范畴则是附庸于本体的,非独立的,是本体的属性,或者说是本体的现象。因此,本体是存在的中心。①

早在上世纪末,对外汉语教学界就有人提出对外汉语教学"本体研究"和"主体研究"的观点。"对外汉语教学学科研究的领域,概而化之,可分为两大板块:一是对汉语言本身,包括汉语语音、词汇、语法和汉字等方面的研究,可谓之学科本体研究;二是对作为第二语言教学的汉语理论与实践体系和学习与习得规

---

① 参见姚振武《论本体名词》,《语文研究》2005年第4期。

律、教学规律、途径与方法论的研究,可谓之学科的主体研究。学科本体研究是学科主体研究的前提与基础,学科主体研究是学科本体研究的目的与延伸。对这种学科本体、主体研究的辩证关系的正确认识与把握,是至关重要的,它关系着对外汉语教学学科发展的方向与前途。否则,在学科理论研究上,就容易偏颇、失衡,甚至造成喧宾夺主。"①

不难看出,这里所说的"本体研究"即为"知本",它占有第一的、特殊的位置,是存在的中心。这里所说的"主体研究"即为"知通",是附庸于本体的,本固枝荣,只有把作为第二语言的汉语研究透、研究到家,在此基础上"教"与"学"的研究才会不断提高。

我国对外汉语教学的历史毕竟不长,经验也不足,对于汉语作为第二语言教学之本体研究,也还存在不同的认识。当然,若从研究领域的角度来看,大家是有共识的。只是观察的视角与侧重考虑的方面有所不同。总的说来,对对外汉语教学的基础研究还应进一步地深入思考,以期引起有关方面的足够重视。

对此,陆俭明是这样认识的:"在这世纪之交,有必要在回顾、总结我国对外汉语教学的基础上,认真思考并加强汉语作为第二语言的本体研究,特别是对外汉语教学的基础研究。汉语作为第二语言之本体研究,按我现在的认识和体会,应包括以下五部分内容:第一部分是,根据汉语作为第二语言教学的需要而开展的服务汉语教学的语音、词汇、语法、汉字之研究。第二部分是,根据汉语作为第二语言教学需要而开展的学科建设理论

---

① 参见杨庆华《对外汉语教学研究丛书·序》,北京语言文化大学出版社1997年版。

研究。第三部分是,根据汉语作为第二语言教学需要而开展的教学模式理论研究。第四部分是,根据汉语作为第二语言教学需要而开展的各系列教材编写的理论研究。第五部分是,根据汉语作为第二语言教学需要而开展的汉语水平测试及其评估机制的研究。"①这里既包括理论研究的内容,也包括应用研究的内容,可供参酌。根据第二语言教学的三个组成部分的思想,即"教什么""怎样学""如何教",上述的观点非常正确地强调了"教什么"和"如何教"的研究,却未包括"怎样学"的研究。

陆先生认为,对外汉语教学学科的本体研究必须紧紧围绕一个总的指导思想来展开,这个总的指导思想是:"怎么让一个从未学过汉语的外国留学生在最短的时间内能最快、最好地学习好、掌握好汉语。"②正是基于这样的指导思想,才有上述五个方面的研究。

业内也有人从研究对象的角度出发,认为"教学理论是对外汉语教学的本体理论"。吕必松认为,"每一门学科都有自己特定的研究对象,这种特定的研究对象就是这门学科的本体"。那么,"对外汉语教学的研究对象是作为第二语言的汉语教学,作为第二语言的汉语教学就是对外汉语教学研究的本体"。③

我们认为,几十年来,对外汉语教学这门学科的建设取得了长足的进步与巨大的发展。它由初始阶段探讨学科的命名,学科的性

---

① 参见陆俭明《汉语作为第二语言之本体研究》,载《作为第二语言的汉语本体研究》,外语教学与研究出版社 2005 年版。
② 参见陆俭明《增强学科意识,发展对外汉语教学》,《世界汉语教学》2004 年第 1 期。
③ 参见吕必松《谈谈对外汉语教学的性质与对外汉语教学的本体理论研究》,载《语言教育与对外汉语教学》,外语教学与研究出版社 2005 年版。

质和特点,学科的定位、定性和定向,发展到今天,概括汉语作为第二语言教学需要而开展的服务于汉语教学的汉语本体研究,与教学研究互动结合已成为学科建设的主要内容,教学理论与学习理论研究,形成有力的双翼,加之现代教育技术的应用,从而最终构架并完善了学科体系。对外汉语教学作为第二语言教学或外语教学,经业内同仁几代人的苦心孤诣、惨淡经营,目前在世界上汉语作为第二语言教学领域已占主流地位,这是值得欣慰的。

对于学科建设上的不同意见,我们主张强调共识,求大同存小异。面对欣欣向荣、蓬勃发展的"汉语国际推广"的大好局面,共同搞好汉语作为第二语言教学的学科建设,以便为"致广大"的事业尽力,是学界同仁的共同愿望。因此,我们赞赏吕必松下面的意见,并希望能切实付诸学术讨论之中:

"我国对外汉语教学界在对外汉语教学的学科性质和特点等问题上一直存在着不同的意见。因为对外汉语教学是一门年轻的学科,学科理论还不太成熟,出现分歧在所难免。就是学科理论成熟之后,也还会出现新的分歧。开展不同意见的讨论和争论,有利于学科理论的发展。"[①]

三 关于汉语作为第二语言研究

汉语作为第二语言研究,不少人简称为"对外汉语研究"。比如上海师范大学创办的刊物就叫《对外汉语研究》,已由商务

---

① 参见吕必松《语言教育与对外汉语教学·前言》,外语教学与研究出版社2005年版。

印书馆于2005年出版了第一期。

1993年,中共中央和国务院颁布了《中国教育改革和发展纲要》,里面提到要"大力加强对外汉语工作"。此后,在我国的学科目录上"对外汉语"专业作为学科的名称出现。

汉语作为一种语言,自然没有区分为"对外"和"对内"的道理,这是尽人皆知的。我们理解所谓的"对外汉语",其实质为"作为第二语言的汉语",也即"汉语作为第二语言"。它是与汉语作为母语相对而言的。在业内,在"对外汉语"的"名"与"实"的问题上,也存在着不同意见。我们认为,随着"汉语国际推广"大局的推进,"对外汉语教学"无论从内涵还是外延看都不能满足已经变化了的形势。我们主张从实质上去理解,也还因为"名无固宜","约定俗成"。

在这个问题上,我们同意刘珣早在2000年就阐释清楚的观点:"近年来出现了'对外汉语'一词。起初,连本学科的不少同仁也觉得这一术语难以接受。汉语只有一个,不存在'对外'或'对内'的不同汉语。但现在'对外汉语'已逐渐为较多的人所认同,而且已成为专业目录上我们专业的名称(专业代码050103)。这一术语的含义也许应理解为'作为第二语言教学与研究的汉语',也就是从一个新的角度来研究汉语。""对外汉语教学是汉语作为第二语言的教学,它与汉语作为母语的教学的巨大差别也体现在教学内容,即所要教的汉语上,这是从对外汉语教学事业初创阶段就为对外汉语教学界所重视的问题。"①

---

① 参见刘珣《近20年来对外汉语教育学科的理论建设》,《世界汉语教学》2000年第1期。

汉语作为第二语言,这是对外汉语教学的主要内容,是要解决"教什么"的问题,故而对外汉语作为第二语言的研究就成为学科建设的极其重要的组成部分,随着国家"汉语国际推广"战略的提出,汉语作为第二语言教学,无论从学术研究上,还是从应用研究上,都会得到极大的提升,名实相副的情况,当会出现。

还有人从另一个新的角度,即世界汉语教育史的研究,阐释了作为第二语言的汉语研究之必要,张西平说:"世界汉语教育史是一个全新的研究领域。这一领域的开拓必将极大地拓宽我们汉语作为第二语言教学的研究范围,使学科有了深厚的历史根基。我们可以从汉语作为第二语言教学的悠久历史中总结、提升出真正属于汉语本身的规律。"[①]

那么,服务于对外汉语教学的汉语本体研究,或称作作为第二语言的汉语本体研究,其核心是什么呢?潘文国对此作出解释:所谓"对外汉语研究,应该是一种以对比为基础、以教学为目的、以外国人为对象的汉语本体研究"。[②]

我们认为,"对外汉语"作为一门科学,也是一门学科,首先应从本体上把握,研究它不同于其他学科的本质特点及其成系统、带规律的部分,这也就是"对外汉语研究",也就是汉语作为第二语言的研究。

这种汉语作为第二语言的研究,以及汉语作为第二语言的教学研究和汉语作为第二语言的学习研究,加之所有这些研究

---

① 参见张西平《简论世界汉语教育史的研究物件和方法》,载李向玉等主编《世界汉语教育史研究》,澳门理工学院 2005 年印制。

② 参见潘文国《论"对外汉语"的科学性》,《世界汉语教学》2004 年第 1 期。

所依托的现代科技手段和现代教育技术,共同构筑了对外汉语教学研究的基本框架。这就是我们所说的本体论、方法论、认识论和工具论。①

从接受留学生最初的年月,对外汉语教学的前辈们就十分注意汉语作为第二语言的研究。这是因为"根本的问题是汉语研究问题,上课许多问题说不清,是因为基础研究不够"。也可以说"离开汉语研究,对外汉语教学就无法前进"。②

我们这里分别对作为第二语言的汉语语音、词汇、语法和汉字的研究与教学略作一番讨论,管中窥豹,明其现状,寻求改进。

(一) 作为第二语言的汉语语音

作为第二语言的汉语语音的研究与教学,近年来因诸多原因,重视不够,有滑坡现象,最明显的是语音教学阶段被缩短,以至于不复存在;但是初始阶段语音打不好基础,将会成为顽症,纠正起来难上加难。本来,对外汉语教学界曾有很好的语音教学与研究的传统,有不少至今仍可借鉴的研究成果,包括对汉语语音系统的研究和对《汉语拼音方案》的理解与应用,遗憾的是,近来的教材都对此重视不够。

比如赵元任先生那本《国语入门》,大部分是语音教学,然后慢慢地才转入其他。面对目前语音教学的局面,著名语音学家、对外汉语教学的前辈林焘先生发出了感慨:"发展到今天,语音

---

① 参见赵金铭《对外汉语研究的基本框架》,《世界汉语教学》2001 年第 3 期。
② 参见朱德熙《在纪念〈语言教学与研究〉创刊 10 周年座谈会上的发言》,《语言教学与研究》1989 年第 3 期。

已经一天一天被压缩,现在已经产生危机了。我们搞了52年,外国人说他们学语音还不如在国外。这说明我们在这方面也是太放松了,过于急于求成了,就把基础忘掉了。语音和文字是两个基础,起步我们靠这个起步;过于草率了,那么基础一没打稳,后边整个全过程都会受影响。"[1]加强语音教学是保证汉语教学质量的重要一环,无论是教材还是课堂教学,语音都不应被忽视。

(二)作为第二语言的汉语词汇

长期以来,在汉语作为第二语言教学中,比较重视语法教学,而在某种程度上却忽视了词汇教学的重要性,使得词汇研究和教学成为整个教学过程中的薄弱环节。

其实,在掌握了汉语的基本语法规则之后,还应有大量的词汇作基础,尤其应该掌握常用词的不同义项及其功能和用法,唯其如此,才能真正学会汉语,语法也才管用,这是因为词汇是语言的唯一实体,语法也只有依托词汇才得以存在。学过汉语的外国人都有这样的体会,汉语要一个词一个词地学,要掌握每一个词的用法,日积月累,最终才能掌握汉语。近年来,我们十分注意汉语词汇及其教学的研讨,尤其注重词汇的用法研究。

有两件标志性的事可资记载:

一是注重对外汉语学习词典的编纂研究。2005年在香港

---

[1] 参见林焘(2002)的座谈会发言,载《继往开来——新中国对外汉语教学52周年座谈会纪实》,北京语言大学内部资料。

城市大学召开了"对外汉语学习词典国际研讨会",其特色是强调计算语言学家和词典学家密切合作,依据语料库语言学编纂学习词典的思路,为对外汉语教学的词汇教学与学习服务,有力地推动了汉语的词汇研究与教学。

二是针对汉语词汇教学中的重点,特别是中、高级阶段,词义辨析及用法差异是教学之重点,学界努力打造一批近义词辨析词典,从释义、功能、用法方面详加讨论。例如《汉英双语常用近义词用法词典》《对外汉语常用词语对比例释》《汉语近义词词典》《1700对近义词语用法对比》。[①]

这些词典各有千秋,在释文、例证、用法、英译等方面各有特色,能在一定程度上满足汉语教学和学习者的需要。

(三)作为第二语言的汉语语法

作为第二语言教学的汉语语法研究与语法教学研究,如果从数量上看一直占有最大的分量,这当然与它受到重视有关。近年来,汉语语法研究范围更加广泛,内容也更加细致、深入,结合教学的程度也更加紧密,达到了前所未有的高度。

首先,理清了理论语法与教学语法之关系,为汉语作为第二语言教学语法的研究理清了思路。理论语法是教学语法的来源与依据,教学语法的体系可灵活变通,以便于教学为准。目前,

---

[①] 参见邓守信主编《汉英双语常用近义词用法词典》,北京语言学院出版社1996年版;卢福波编著《对外汉语常用词语对比例释》,北京语言文化大学出版社2000年版;马燕华、庄莹编著《汉语近义词词典》,北京大学出版社2002年版;王还主编《汉语近义词词典》,北京语言大学出版社2005年版;杨寄洲、贾永芬编著《1700对近义词语用法对比》,北京语言大学出版社2005年版。

教学语法虽更多地吸收传统语法的研究成果,而一切科学的语法都会对汉语作为第二语言教学语法有帮助。教学语法是在不断地吸收各种语法研究成果中迈步、发展和不断完善的。

其次,对汉语作为第二语言的教学语法进行了科学的界定,即:第二语言的教学目的决定了教学语法的特点,它主要侧重于对语言现象的描写和对规律、用法的说明,以方便教学为主,也应具有规范性。

再次,学界认为应建立一部汉语作为第二语言教学的汉语教学参考语法,无论是编写教材,还是从事课堂教学,或是备课、批改作业,都应有一部详细描写汉语语法规则和用法的教学参考语法作为依据。其中应体现汉语作为第二语言教学的自己的语法体系,应有语法条目的确定与教学顺序的排序。

最后,应针对不同母语背景的教学对象,排列出不同的语法点及其教学顺序。事实证明,很难排出适用于各种母语学习者的共同的语法要点及其顺序表。

对欧美学生来说,受事主语句、存现句、主谓谓语句,以及时间、地点状语的位置,始终是学习的难点,同时也体现汉语语法特点。而带有普遍性的语法难点,则是"把"字句、各类补语以及时态助词"了""着"等。至于我们所认为的特殊句式,其实并非学习的难点,比如连动句、兼语句、"是"字句、"有"字句以及名词谓语句、形容词谓语句。这也是从多年教学中体味出的。

(四)汉字研究与教学

汉字教学是对外汉语教学的重要组成部分。然而,与其他汉语要素相比,汉字教学从研究到教学一直处于滞后状态。为了改变这一局面,除了加强对汉字教学的各个环节的研究之外,要突破汉字教学的瓶颈,首先应澄清对汉字的误解,建立起科学的汉字观。汉字本身是一个系统,字母本身也是一个系统。字母属于字母文字阶段,汉字属于古典文字阶段,它们是一个系统的两个阶段。这个概念的改变影响很大,这是科学的新认识。[①]当我们把汉字作为一个科学系统进行研究与教学时,要清醒地认识到汉字是汉语作为第二语言教学与其他第二语言教学的重要区别之一。在对外汉语教学中,究竟采用笔画、笔顺教学,还是以部件教学为主,或是注重部首教学,抑或是从独体到合体的整字教学,都有待于通过教学试验,取得相应的数据,寻求理论支撑,编出适用的教材,寻求汉字教学的突破口,从而使汉语书面语教学质量大幅度提高。与汉字教学相关的还应注意"语"与"文"的关系之探讨,字与词的关系的研究,以及汉语教材与汉字教材的配套,听说与读写之关系等问题的研究。

四 关于汉语作为第二语言教学研究

我们所说的教学研究,包括以下五个部分:课程教学设计、教学方法与教学技巧、教材编写理论与实践、语言测试理论与汉语考试、跨学科研究之———现代教育技术在教学中的应用。

(一)关于教学模式研究

近年来,对外汉语教学界尤其注重教学模式的研究,寻求教

---

① 参见周有光《百岁老人周有光答客问》,《中华读书报》2005年1月22日。

学模式的创新。什么是教学模式？教学模式是指具有典型意义的、标准化的教学或学习范式。

具体地说，教学模式是在一定的教学理论和教学思想指导下，将教学诸要素科学地组成稳固的教学程序，运用恰当的教学策略，在特定的学习环境中，规范教学课程中的种种活动，使学习得以产生。① 更加概括简洁的说法则为：教学模式，指课程的设计方式和教学的基本方法。②

教学模式具有不同的类型。我们所说的对外汉语教学模式，就是从汉语和汉字的特点及汉语应用的特点出发，结合汉语作为第二语言的教学理论，遵循大纲的要求，提出一个全面的教学规划和实施方案，使教学得到最优化的组合，产生最好的教学效果。这是一种把汉语作为第二语言教学的特定的教学模式。

教学模式研究表现在课程设计上，业内主要围绕着"语"和"文"的分合问题而展开，由来已久，且持续至今。

早在1965年，由钟梫执笔整理成文的《十五年汉语教学总结》就对"语"与"文"的分合及汉字问题进行了讨论。③ 当时提出三个问题：

1. 有没有学生根本不必接触汉字，完全用拼音字母学汉语？即学生只学口语，不学汉字。当时普遍认为，这种学生根本不必接触汉字。

---

① 参见周淑清《初中英语教学模式研究》，北京语言大学出版社2004年版。
② 参见崔永华《基础汉语教学模式的改革》，《世界汉语教学》1999年第1期。
③ 参见钟梫(1965)《十五年汉语教学总结》，载《语言教学与研究》(试刊，第4期，1977年内部印刷)，又收入盛炎、砂砾编《对外汉语教学论文选评》，北京语言学院出版社1993年版。

2. 需要认汉字的学生是否一定要写汉字？即"认"与"写"的关系。一种意见认为不写汉字势必难以记住，"写"是必要的；另一种意见认为，"认离不开写"这一论点根本上不能成立，即不能说非动笔写而后才能认，也就是说"认"和"写"可以分离。

3. 需要认（或认、写）汉字的学生是不是可以先学"语"后学"文"呢？后人的结论是否定了"先语后文"，采用了"语文并进"。而"认汉字"与"写汉字"也一直是同步进行的。

这种"语文并进""认写同步"的教学模式，从上世纪50年代起一直是占主流的教学模式，延续至今。80年代以后，大多沿用以下三种传统教学模式："讲练—复练"模式，"讲练—复练+小四门（说话、听力、阅读、写作）"模式，"分技能教学"模式。

目前，对外汉语教学界广泛使用的是一种分技能教学模式，以结构—功能的框架安排教学内容，采用交际法和听说法相结合的综合教学法。这种教学模式大约在80年代定型。

总的看来，对外汉语教学界所采用的教学模式略显单调，似嫌陈旧。崔永华认为："从总体上看，这种模式反映的是60年代至70年代国际语言教学的认识水平。30年来，国内外在语言学、第二语言教学、语言心理学、语言习得研究、语言认知研究等跟语言教学相关的领域中都取得了巨大的进步，研究和实验成果不可计数。但是由于种种原因，目前的教学模式对此吸收甚少。"①

这种局面应该改变，今后，应在寻求反映汉语和汉字特点的教学模式的创新上下功夫，特别要提升汉字教学的地位，特别要

---

① 参见崔永华《基础汉语教学模式的改革》，《世界汉语教学》1999年第1期。

注意语言技能之间的平衡,大力加强书面语教学,着力编写与之相匹配、相适应的教材,进行新的教学实验,切实提高汉语的教学质量。

(二) 教学法研究

教学方法研究至关重要。"用不同的方法教外语,收效可以悬殊。"①对外汉语教学界历来十分注重教学方法的探讨。早在1965年之前,对外汉语教学界就创造了"相对的直接法"的教学方法,强调精讲多练,加强学生的实践活动。同时,通过大量的练习,画龙点睛式地归纳语法。②

但是,对外汉语教学还是一个年轻的学科,教学法的研究多借鉴国内外语教学法的研究,这也是很自然的事情。而国内外语教学法的研究,又是跟着国外英语教学法的发展亦步亦趋。有人这样描述:

"纵观20世纪国外英语教学法历史,对比当前主宰中国英语教学的各种模式,不难发现很多早被国外唾弃的做法或理念,却仍然被我们的英语老师墨守成规地紧追不放。"③

对外汉语教学界也有类似情况。在上个世纪70年代,当我们大力推广"听说法",强调对外汉语教学应"听说领先"时,这个产生于40年代末的教学法,已并非一家独尊。潮流所向,人们

---

① 参见吕叔湘《语言与语言研究》,载《语文近著》,上海教育出版社1987年版。

② 参见钟梫(1965)《十五年汉语教学总结》,载《语言教学与研究》(试刊,第4期,1977年内部印刷),又收入盛炎、砂砾编《对外汉语教学论文选评》,北京语言学院出版社1993年版。

③ 参见丁杰《英语到底如何教》,《光明日报》2005年9月14日。

已不再追求最佳教学法,而转向探讨各种有效的教学法路子。70年代至80年代,当我们在教学中引进行为主义,致力于推行"结构法"和"句型操练"之时,实际上行为主义在国际上已逐渐式微,而代之以基于认知心理学的"以学生为中心"的认知法。

在国际外语教学界,以结构为主的传统教学法与以交际为目的的功能教学法交替主宰语言教学领域之后,80年代末至90年代初,在英语教学领域"互动性综合教学法"便应运而生,盛行一时。所谓综合,偏重的是内容;所谓互动,强调的是方法。①

90年代末,体现这种互动关系的任务式语言教学模式在欧美逐渐兴盛起来。这种教学方法的基本理论可概括为:通过"任务"这一教学手段,让学习者在实际交际中学会表达思想,在过程中不断接触新的语言形式并发展自己的语言系统。

任务法是交际教学法中提倡学生"通过运用语言来学习语言",这一强势交际理论的体现,突出之处是"用中学",而不是以往交际法所强调的"学以致用"。

这种通过让学生完成语言任务来习得语言的模式,既符合语言习得规律,又极大地调动了学习者学习的积极性,本身也具有极强的实践操作性。因此,很受教师和学生的欢迎。以至于"20世纪末、21世纪初在应用语言学上可被称为任务时代"。②

在我国英语教学界,人民教育出版社于2001年遵循任务型教学理念编写并出版了初中英语新教材《新目标英语》,并在若干中学进行教学模式试验,取得了可喜的成绩。在对外汉语教

---

① 参见王晓钧《互动性教学策略及教材编写》,《世界汉语教学》2005年第3期。

② 参见周淑清《初中英语教学模式研究》,北京语言大学出版社2004年版。

学界,马箭飞基于任务式大纲从交际范畴、交际话题和任务特性三个层次对汉语交际任务项目进行分类,提出建立以汉语交际任务为教学组织单位的新教学模式的设想,并编有教材《汉语口语速成》(共五册)。①

这种交际教学理论在教学中被不断应用,影响所及,所谓"过程写作"教学即其一。"写"是重要的语言技能之一,"过程写作法"认为:写作是一个循环式的心理认知过程、思维创作过程和社会交互过程。写作者必须通过写作过程的一系列认知、交互活动来提高自己的认知能力、交互能力和书面表达能力。②

过程写作的宗旨是:任何写作学习都是一个渐进的过程。这个过程需要教师的监督指导,更需要通过学生自身在这个过程中对文章立意、结构及语言的有意学习。由过程写作引发而建立起来的过程教学法理论,也对第二语言教学的大纲设计、语法教学、篇章分析等产生了深刻的影响。③

交际语言教学理论的另一个发展,是近几年来在西方渐渐兴起的体验式教学。这种教学法的特点是把文化行为训练纳入对外汉语教学之中,而不主张单纯从语言交际角度看待外语教学。在整个教学过程中,自始至终贯穿着"角色"和"情景"的观念。2005年,我国高等教育出版社出版有陈作宏、田艳编写的《体验汉语》系列教材,是这种理念的一次尝试。

---

① 参见马箭飞《任务式大纲与汉语交际任务》,《语言教学与研究》2002年第4期。

② 参见陈玫《教学模式与写作水平的相互作用——英语写作"结果法"与"过程法"对比实验研究》,《外语教学与研究》2005年第6期。

③ 参见杨俐《过程写作的实践与理论》,《世界汉语教学》2004年第1期。

今天,在教学法研究中人们更注重过程,外语教学是个过程,汉语作为第二语言教学也是一个过程。过程是组织外语教学不可忽视的因素。桂诗春说:"在70年代之前,人们认为提高外语教学质量的关键是教学方法,后来才发现教学方法只是起局部的作用。"①我们已经认识到并接受了这样的观点。

现在我们可以说,汉语作为第二语言教学在教学法研究方面,我们已经同世界上同类学科的研究相同步。

(三) 教材研究与创新

教材的创新已经提出多年,教材也已编出上千种,但无论是数量还是质量均不能完全满足世界上学习汉语的热切需求。今后的教材编写,依然应该遵循过去总结出来的几项原则:(1)要讲求科学性。教材应充分体现汉语和汉字的特点,突破汉字教学的瓶颈,要符合语言学习规律和语言教学规律。体系科学,体例新颖。(2)要讲求针对性。教材要适应不同国家(地区)学习者的特点,特别要注意语言与文化两方面的对应性。不同的国家(地区)有不同的文化、不同的国情与地方色彩,要特别加强教材的文化适应性。因为"语言是文化的符号,文化是语言的管轨"②,二者相辅相成。因此,编写国别教材与地区教材,采取中外合编的方式,是今后的发展方向。(3)要讲求趣味性。我们主张教材的内容驱动的魅力,即进一步提升教材内容对学习者的驱动魅力。有吸引力的语言材料可以引起学习者浓厚的学习兴

---

① 参见桂诗春《外国语言学及应用语言学研究》第一辑发刊词,首都师范大学外国语学院主办,中央编译出版社2002年版。

② 参见邢福义《文化语言学·序》,湖北教育出版社2000年版。

趣。要靠教材语言内容的深厚内涵,使人增长知识,启迪学习;要靠教材的兴味,使人愉悦,从而乐于学下去。(4)要注重泛读教材的编写。要保证书面语教学质量的提高,必须编有大量的、适合各学习阶段的泛读教材。远在1956年以前就曾有人提出"学习任何一种外语都离不开泛读"。认为"精读给最必需的、要求掌握得比较牢固的东西,泛读则可以让学生扩大接触面,通过大量、反复阅读,也可以巩固基本熟巧"。① 遗憾的是,长期以来,我们忽视了泛读教材的建设。

(四) 汉语测试研究

语言测试应包括语言学习能力测试、语言学习成绩测试和语言水平测试。前两种测试的研究相对薄弱。学能测试多用于分班,成绩测试多由教师自行实施。而汉语水平考试(HSK)取得了可观的成绩,让世界瞩目。HSK是一项科学化程度很高的标准化考试。评价一个考试的科学化程度,最关键的是看它的信度和效度。所谓信度,就是考试的可靠性。一个考生在一定的时段内无论参加几次HSK考试,成绩都是稳定的,这就是信度高。所谓效度,就是能有效地测出考生真实的语言能力。HSK信守每一道题都必须经过预测,然后依照区分度选取合适的题目,从而保证了试卷的科学水准。目前,国家汉办又开发研制了四项专项考试:HSK(少儿)、HSK(商务)、HSK(文秘)、HSK(旅游)。这些考试将类似国外的

---

① 参见钟梫(1965)《十五年汉语教学总结》,载《语言教学与研究》(试刊,第4期,1977年内部印刷),又收入盛炎、砂砾编《对外汉语教学论文选评》,北京语言学院出版社1993年版。

TOEIC。HSK作为主干考试,测出考生汉语水平,可作为入学考试的依据。而四个分支考试,是一种语言能力考试,它将测出外国人在特殊职业环境中运用语言的能力。主干考试与分支考试形成科学的十字结构。目前,HSK正致力于改革,在保证科学性的前提下,考虑学习者的广泛需求,鼓励更多的人参加考试,努力提高汉语学习者的兴趣,吸引更多的人学习汉语,以适应汉语国际推广的需要。与此同时,"汉语水平计算机辅助自适应考试"正在研制中。

(五) 跨学科研究

近十几年来,对外汉语教学界的跨学科研究意识越来越强烈,集中表现在两个方面。一方面是与心理学、教育学等相结合进行的学习研究。另一方面便是与信息科学和现代教育技术的结合,突出体现在对外汉语计算机辅助教学的研究与开发上。

对外汉语计算机辅助教学是个大概念。我们可以从三个不同的角度来观察。

一是中文信息处理与对外汉语教学。研究重点是以计算语言学和语料库语言学为指导,研究并开发与对外汉语教学相关的语料库,如汉语中介语语料库、对外汉语多媒体素材库和资源库,以及汉语测试题库等。这些库的建成,有力地推动了教学与研究的开展。

二是计算机辅助汉语教学,包括在多媒体条件下,对学习过程和教学资源进行设计、开发、运用、管理和评估的理论与实践,比如多媒体课堂教学的理论与实践,多媒体教材的编写与制作,多媒体汉语课件的开发与运用。这一切给传统的教学与学习带来一场革命,运用得当,师生互动互利,教学效果会明显提高。目前国家对外汉语教学领导小组办公室正陆续推出的重大项目《长城汉语》,就是一种立体化的多媒体系列教材。

三是对外汉语教学网站的建立和网络教学的研究与开发。诸如远程教学课件的设计、网络教学中师生的交互作用等,都是研究的课题。中美网络语言教学项目所研制的《乘风汉语》是目前网络教材的代表作。

所有这一切都离不开对现代教育技术的依托。诸如影视技术、多媒体技术、网络技术以及虚拟现实技术等在教学与研究中都有广泛应用。

放眼未来,人们越来越认识到计算机辅助教学的作用与前景。当然,与此同时,仍然应当注重面授的优势与不可替代性。教师的素质、教师的水平、教师的指导作用仍然不容忽视,并有待不断提高。

五 关于汉语作为第二语言的学习研究

20世纪90年代,对外汉语教学学科理论研究的一个重要进展是开拓了语言习得理论的研究。① 近年来汉语习得研究更显上升趋势。

中国的对外汉语教学中的学习研究,因诸多因素,起步较晚。80年代初期,国外有关第二语言习得理论开始逐渐被引

---

① 参见李泉《对外汉语教学学科理论研究概述》,载《对外汉语教学理论思考》,教育科学出版社2005年版。

进,对外汉语教学研究的重心也逐步从重视"教"转向对"学"的研究。回顾近 20 年来对外汉语教学领域的第二语言习得研究,主要集中于四个方面:汉语偏误分析、汉语中介语研究、汉语作为第二语言的习得过程研究、汉语习得的认知研究。而从学习者的外部因素、内部因素以及学习者的个体差异三个侧面对学习者进行研究,还略嫌薄弱。

学习研究是逐步发展起来的,徐子亮将 20 年的对外汉语学习理论研究历史划分为三个阶段:1992 年以前,在语言对比分析的基础上,致力于外国人学汉语的偏误分析;1992—1997 年,基于中介语理论研究的偏误分析成为热点,并开始转向语言习得过程的研究;1998—2002 年,在原有基础上研究深化、角度拓展,出现了学习策略和学习心理等研究成果。研究方法向多样化和科学化方向发展。[①]

汉语认知研究与汉语习得研究是两个并不相同的研究领域。对外汉语教学的汉语认知研究是对把汉语作为第二语言的学习者的汉语认知研究(或简称非母语的汉语认知研究)。国内此类研究始于 20 世纪 90 年代后期,20 世纪 90 年代末和本世纪初是一个成果比较集中的时期。因其使用严格的心理实验方法,研究范围包括:学习策略的研究、认知语言学基本理论的研究、汉语隐喻现象研究、认知域的研究、认知图式的研究、语境和语言理解的研究等。[②] 我国心理学界做了不少母

[①] 参见徐子亮《对外汉语学习理论研究二十年》,《世界汉语教学》2004 年第 4 期。

[②] 参见崔永华《二十年来对外汉语教学研究热点回顾》,《语言文字应用》2005 年第 1 期。

语为汉语者的汉语认知研究,英语教学界也做了一些外语的认知研究,而汉语作为第二语言的学习者的汉语认知研究,还有待深入。

语言学习理论的研究方法是跨学科的。彭聃龄认为:"语言学习是一个极其复杂的过程,其自变量、因变量的关系必须通过实验法和测验法相结合来求得。实验可求得因果,测验能求得相关,两者结合才能得出可靠的结论。"①

汉语作为第二语言的习得与认知研究,以理论为导向的实验研究已初见成果。与国外同类研究相比,我们的研究领域还不够宽,研究的深度也有待提高。在研究方法上,经验式的研究还比较多,理论研究比较少;举例式研究比较多,定量统计分析少;归纳式研究多,实验研究少。总之,与国外第二语言习得与认知研究相比,我们还有许多工作要做。②

今后,对外汉语学习理论研究作为一个可持续发展的领域,还必须在下列方面进行努力:(1)突出汉语特点的语言学习理论研究;(2)加强跨学科研究;(3)研究视角的多维度、内容的丰富与深化;(4)研究方法改进与完善;(5)理论研究成果在教学实践中的应用。③

这五个方面的努力,会使学习理论研究这个很有发展前景

---

① 参见《语言学习理论座谈会纪要》,载《世界汉语教学》编辑部、《语言文字应用》编辑部、《语言教学与研究》编辑部合编《语言学习理论研究》,北京语言学院出版社1994年版。

② 参见王建勤《汉语作为第二语言的习得研究·前言》,北京语言文化大学出版社1997年版。

③ 参见徐子亮《对外汉语学习理论研究二十年》,《世界汉语教学》2004年第4期。

的领域,为进一步丰富学科基础理论发挥重要作用。

六 回首·检视·瞻念

(一) 回首

回首近十几年来,正是对外汉语教学如火如荼蓬勃发展的时期,学科建设取得了令人瞩目的成绩。赅括言之如下:

1. 明确了对外汉语教学的学科定位,对外汉语教学在国内是汉语作为第二语言教学,在国外(境外)是汉语作为外语教学。目前,汉语国际推广的大旗已经揭起,作为国家战略发展的软实力建设之一,随着国际汉语学习需求的激增,原有的对外汉语教学的理念、教材、教法以及师资队伍等,都将面临新的挑战,自然也是难得之机遇。我们经过几十年的努力所建立起的汉语作为第二语言教学学科的覆盖面会更宽,对学科理论体系的研究更加自觉,学科意识更加强烈。

2. 对外汉语教学开辟了新的研究领域。重要的进展就是开拓了语言习得与认知理论的研究,确立了对外汉语研究的基本框架,即:作为第二语言教学的汉语本体研究(本体论)、作为第二语言的汉语认知与习得研究(认识论)、作为第二语言教学的教学理论和教学法研究(方法论)、现代科技手段与现代教育技术在教学与研究中的应用(工具论),在此基础上规划了学科建设的基本任务。

3. 更加清醒地认识到要不断更新教学理念,特别是教材编写、教学法以及汉语测试要有新的突破。要深化汉语作为第二语言教学的教学模式与教学方法的探索,加强教学实验,以满足世界上广泛、多样的学习需求。更加强教材的国别(地区)性、适应性与可接受性研究,不断创新,以适应汉语国际推广的各种模式。要加强语言测试研究,结合世界上汉语学习的多元化需求,努力开发目的明确、针对性强、适合考生心理、设计原理和方法科学、符合现代语言教学和语言测试发展趋势的多类型、多层次的考试。

4. 跨学科意识明显加强,汉语作为第二语言教学与相关学科的结合更加密切,不同类型语言教育的对比与综合研究开始引起注意,在共性研究中发展个性研究。跨学科研究特别表现在现代教育技术与多媒体技术在教学中的广泛应用,以及心理学研究与汉语作为第二语言教学研究的联手,共同研究汉语作为第二语言的认知与习得过程、习得顺序、习得规律。

5. 不断吸收世界第二语言教学的研究成果,与国外第二语言教学理论的结合更加密切,"新世纪对外汉语教学——海内外的互动与互补"学术演讲讨论会的召开即是标志[1],"互动互补"既非一方"接轨"于另一方,亦非一方"适应"另一方,而是互相借鉴、相互启发,但各有特色,各自"适应"。就国内汉语教学来说,今后还应不断借鉴国内外语言教学与研究的先进成果,充分结合汉语的特点,为我所用。

(二) 检视

在充分肯定汉语作为第二语言学科建设突出发展的同时,

---

[1] 北京语言大学科研处《"新世纪对外汉语教学——海内外的互动与互补"学术演讲讨论会举行》,《世界汉语教学》2005 年第 1 期。

检视学科建设之不足,我们发现在学科理论、学科建设、教材建设、课堂教学与师资队伍建设上均存在尚待解决的问题。从目前汉语国际推广的迅猛态势出发,教学问题与师资问题是为当务之急。

1. 关于教学。

目前,汉语作为第二语言的课堂教学依然是以面授为主,绝大多数学习者还是通过课堂学会汉语。检视多年来的课堂教学,总体看来,教学方法过于陈旧,以传统教法为主,多倾向于以教师为主,缺乏灵活多变的教学路数与教学技巧。我们虽不乏优秀的对外汉语教师以及堪称范式的课堂教学,但值得改进的地方依然不少。李泉在经过详细地调查后发现的问题,值得我们深思。他归结为四点:(1)教学方式上普遍存在"以讲解为主"的现象;(2)教学原则上对"精讲多练"有片面理解现象;(3)课程设置上存在"重视精读,轻视泛读"现象;(4)教学内容上仍存在"以文学作品为主"现象。①

改进之方法,归结为一点,就是加强"教学意识"。我们赞成这样的观点:

"对外汉语是门跨文化的学科,不同专业的教师只要提高教学意识,包括学科意识、学习和研究意识、自尊自重的意识,就一定能把课上好。"②

2. 关于师资。

---

① 参见李泉《对外汉语教学理论和实践的若干问题》,载赵金铭主编《对外汉语教学研究的跨学科探索》,北京语言大学出版社2003年版。

② 参见陆俭明《汉语作为第二语言之本体研究》,载《作为第二语言的汉语本体研究》,外语教学与研究出版社2005年版。

对外汉语教学事业发展至今,已形成跨学科、多层次、多类型的教学活动,因之要求对外汉语教师也应该是多面手,在研究领域和研究内容上也应该是宽阔而深入的。

据国家汉办统计,目前中国获得对外汉语教师资格证书的共3 690人,国内从事对外汉语教学的专职、兼职教师共计约6 000人。其中不少人未经严格训练,仓促上阵者不在少数。以至外界这样认为:"很多高校留学生部的教师都是非专业的,没有受过专业训练,更没有搞过语言教学,其教学效果可想而知。"①而在国际上,情况更为不堪,简直是汉语教师奇缺,于是人们感叹,汉语教学落后于"汉语热"的发展,全球中文热引起了"中文教师荒",成为汉语国际推广的瓶颈。

据调查,我们认为,在教学实践中带有普遍性的问题,还是教师没能充分了解并掌握汉语作为第二语言教学的特点和规律,或缺乏作为一名语言教师的基本素质,没有掌握汉语作为第二语言教学的方法与技巧。其具体表现正如李泉在作了充分的观察与了解之后所描述的现象,诸如:忽视学习者的主体地位,忽视对学习者的了解,忽视教学语言的可接受性,忽视教学活动的可预知性,缺乏平等观念和包容意识。②

什么是合格的对外汉语教师,已经有很多讨论。国外也同样注重语言教师的素质问题,如,2002年美国国会通过了No Child Left Behind(《没有一个孩子掉队》)的新联邦法。于是,

---

① 参见许光华《"汉语热"的冷思考——兼谈对外汉语教学》,《学术界》2005年第4期。

② 参见李泉《对外汉语教学理论和实践的若干问题》,载赵金铭主编《对外汉语教学研究的跨学科探索》,北京语言大学出版社2003年版。

各州都以此制定教师培训计划,举国上下都讨论什么样的教师是合格、称职的教师。①

我们可以说,教好汉语,不让一个学习汉语的学生掉队,这是对教师的最高要求。

(三)瞻念

当今莘莘盛世,汉语国际推广的前景已经显露出曙光,我们充满信心,也深感历史责任的重大。汉语国际推广作为国家和民族的一项事业,是国家的战略决策,是国家的大政方针。而汉语作为第二语言教学,或汉语作为外语教学,则是一门学科。作为学科,它是一门科学,它是一项复杂的系统工程,要进行跨学科的、全方位的研究。在不断引进国外先进的教学理念的同时,努力挖掘汉语和汉字的特点,创新我们自己的汉语作为第二语言的教学模式和教学法。我们要以自己的研究,向世人显示出汉语作为世界上使用人口最多的一种古老的语言,像世界上任何一种语言一样,可以教好,可以学好,汉语并不难学。我们认为,要达此目的,重要的是要转变观念,善于换位思考,让不同的思维方式互相渗透和交融,共同建设好学科,做好推广。

1. 开阔视野,放眼世界学习汉语的广大人群。

多年来,我们的对外汉语教学是面向来华留学生的。今后,随着国家汉语国际推广的展开,在做好来华留学生汉语教学的同时,我们要放眼全球,更加关注世界各地的3 000万汉语学习者,要真正地走出去,走到世界上要求学习汉语的人们中去,带

---

① 参见丁杰《英语到底如何教》,《光明日报》2005年9月14日。

着他们认同的教材,以适应他们的教学法,去满足他们多样化的学习需求。这是一种观念的转变。

与此同时,我们应建立一种"大华语"的概念。比如我国台湾地区人们所说的国语,新加坡的官方语言之一华语,以及世界各地华人社区所说的带有方言味道的汉语,统统归入大华语的范畴。这样做的好处首先在于有助于增强世界华人的凝聚力和认同感;其次更有助于推进世界范围的汉语教学。我们的研究范围大为拓展,不仅是国内的汉语作为第二语言教学,还包括世界各地的汉语作为外语教学。

2. 关注学习对象的更迭。

对外汉语教学的对象是来华留学生,他们是心智成熟、有文化、母语非汉语的成年人。当汉语走向世界,面向世界各地的汉语学习者,他们的构成成分可能十分繁杂。其中可能有心智正处于发育之中的青少年,可能有文化程度不甚高的市民,也可能有家庭主妇,当然更不乏各种希望了解中国或谋求职业的学习者。我们不仅面向大学,更要面向中、小学,甚至是学龄前的儿童。从学习目的上看,未来的汉语学习者中,为研究目的而学习汉语的应该是少数,绝大多数的汉语学习者都抱有实用的目的。

3. 注意学习环境的变化。

外国人在中国学习汉语,是处在一个目的语的环境之中,耳濡目染,朝夕相处,具有良好的交际环境。世界各地的汉语学习者在自己的国家学习汉语是母语环境,需要设置场景,才能贯彻"学以致用"或"用中学"。学习环境对一个人的语言学习会产生重大影响,比如关涉到口语的水平、词汇量的多寡、所见语言现象的丰富与否、学习兴趣的激发与保持等。特别是不同的学习环境会在文化距离、民族心理、传统习惯等方面显示更大的差距,这又会对学习者的心理产生巨大的影响。于是,这就涉及教材内容的针对性问题。我们所主张的编写国别(地区)教材,可能某些教材使用的人数不一定多,但作为一个泱泱大国,向世界推广自己的民族语言时,应关注各种不同国家(地区)的汉语学习者的心态。

4. 教学理念的更新与教学法的适应性。

对国内来华留学生的汉语教学,囿于国内的语言环境及所受传统语言教学法的影响,课堂上常以教师为主,过多地依赖教材,课堂教学模式僵化,教学方法放不开,不够灵活多变。在国外,外语教学历史较长,理论纷呈,教学法流派众多,教学中多以学生为主,不十分拘泥教材,强调师生互动,教师要能随机应变。

一般说来,在东方的一些汉字文化圈国家如东北亚的日、韩等国,以及海外华人社区或以华人为主的教学单位,我们的教学理念与教学方法基本上可以适应,变化不甚明显。在西方,在欧美,特别是在北美地区,因语言和文化传统差异较大,我们在国内采用的教学方法在那里很难适应,必须做相应的改变,入乡随俗,以适应那里的汉语教学。

5. 汉语国际推广:普及为主兼及提高。

新中国的对外汉语教学已经走过55个春秋。多年来,我们一直竭力致力于汉语作为第二语言教学的学科建设,重视学科基础理论的扎实稳妥,扩大、拓宽学科的研究领域,搭建对外汉语教学的基本框架,探讨教学理论和学习理论,这一切都在改变社会上认为对外汉语教学"凡会说汉语都能教"以及对外汉语教学是"小儿科"等错误看法。而今,汉语作为第二语言教学已经成为一门新兴的、边缘性的、跨学科的科学,研究日益精深,已成"显学"。今天,我们已经可以与国际上第二语言教学界的同行对话,在世界上成为汉语作为第二语言教学的主流。目前,随着国家发展战略目标的建设,汉语正加速走向世界,我们要面向世界各地的3000万汉语学习者。这将不仅仅是从事国内对外汉语教学的几千名教师的责任与义务,更是全民的事业,是民族的大业,故而需要千军万马,官民并举,千方百计,全力推进。面对这种局面,首先是普及性的教学,也就是首先需要的是"下里巴人",而不是"阳春白雪"。我们要在过去反复强调并身体力行地注重对外汉语教学的科学性、系统性、完整性的同时,更加注重世界各地汉语教学的大众化、普及性与可接受性。因此,无论是教材、教学大纲还是汉语考试大纲,首先要考虑的是普及,是面向大众,因为事实上,目前我们仍然是汉语教学市场的培育阶段,要想尽办法让世界上更多的人接触汉语、学习汉语,在此基础上,才能培养出更多的高水平的国际汉语人才,也只有在此基础上才能"尽精微",加深研究,不断提高。

七 关于研究书系

恰是香港回归祖国那一年,当时的北京语言文化大学编辑、出版了一套《对外汉语教学研究丛书》,凡九册。总结、归纳了该校对外汉语教师在这块难以垦殖的处女地上,几十年风风雨雨,辛勤耕耘所取得的成果。这是一定范围内一个历史阶段的成果,不是结论,更不是终结。至今,八易春秋,世界发生了巨大的变化,祖国更加繁荣、富强,对外汉语教学,正向汉语国际推广转变,这项国家和民族的事业获得了空前的大发展,也面临着重大的机遇与挑战。

目前,多元文化架构下的"大华语"教学的新格局正逐渐形成,汉语国际推广正全面铺开。欣逢其时,具有百年历史的商务印书馆以其远见卓识,组织编纂"对外汉语教学专题研究书系",计七个系列,22种书,涵盖对外汉语教学研究的方方面面。所涉研究成果虽以近十年来为主,亦不排斥前此有代表性的、具有影响的论文。该书系可谓对外汉语教学成果50年来的大检阅。从中不难看出,对外汉语教学作为一个学科,内涵更加丰富,体系更加完备,视野更加开阔,范围更加广泛,研究理念更加先进,研究成果更加丰厚。汉语作为第二语言教学作为一门科学,已跻身于世界第二语言教学之林,或曰已取得与世界第二语言教学同行对话的话语权。

"对外汉语教学专题研究书系"的七个系列及其主编如下:

1. 对外汉语教学学科理论研究

    主编:中国人民大学　李泉

    《对外汉语教学学科理论研究》

    《对外汉语教学理论研究》

    《对外汉语教材研究》

    《对外汉语课程、大纲与教学模式研究》

2. 对外汉语课程教学研究

    主编:北京大学　李晓琪

    《对外汉语听力教学研究》

    《对外汉语口语教学研究》

    《对外汉语阅读与写作教学研究》

《对外汉语综合课教学研究》

《对外汉语文化教学研究》

3. 对外汉语语言要素及其教学研究

主编：北京语言大学　孙德金

《对外汉语语音及语音教学研究》

《对外汉语词汇及词汇教学研究》

《对外汉语语法及语法教学研究》

《对外汉字教学研究》

4. 汉语作为第二语言的学习者习得与认知研究

主编：北京语言大学　王建勤

《汉语作为第二语言的学习者语言系统研究》

《汉语作为第二语言的学习者习得过程研究》

《汉语作为第二语言的学习者与汉语认知研究》

5. 语言测试理论及汉语测试研究

主编：北京语言大学　张凯

《汉语水平考试（HSK）研究》

《语言测试理论及汉语测试研究》

6. 对外汉语教师素质与教学技能研究

主编：北京师范大学　张和生

《对外汉语教师素质与教师培训研究》

《对外汉语课堂教学技巧研究》

7. 对外汉语计算机辅助教学研究

主编：北京语言大学　郑艳群

《对外汉语计算机辅助教学的理论研究》

《对外汉语计算机辅助教学的实践研究》

这套研究书系由北京语言大学、北京大学、北京师范大学和中国人民大学的对外汉语教师共同协作完成，赵金铭任总主编。各系列的主编都是我国对外汉语教学界的教授，他们春秋鼎盛，既有丰富的教学经验，又有个人的独特的研究成果。他们几乎是穷尽性地搜集各自研究系列的研究成果，涉于繁，出以简，中正筛选，认真梳理，以成系统。可以说从传统的研究，到改进后的研究，再到创新性的研究，一路走来，约略窥测出本领域的研究脉络。从研究理念，到研究方法，再到研究手段，层层展开，如剥春笋。诸位主编殚精竭虑，革故鼎新，无非想"囊括大典，网罗众家"，把最好的研究成果遴选出来，奉献给读者。为了出好这套书系，世界汉语教学学会陆俭明会长负责审订了全书。在此，向他们谨致谢忱。

我们要特别感谢商务印书馆对这套书系的大力支持，从总经理杨德炎先生到总经理助理周洪波先生，对书系给予了极大的关怀和帮助。诸位责编更是日夜操劳，付出了极大的辛苦，我们全体编者向他们致以深深的谢意。

书中自有取舍失当或疏漏、错误之处，敬请读者不吝指正。

2005 年 12 月 20 日

综 述

郑 艳 群

作为《对外汉语教学专题研究书系》的一部分,对外汉语计算机辅助教学的有关内容分为《对外汉语计算机辅助教学的理论研究》和《对外汉语计算机辅助教学的实践研究》。理论与实践其实是很难严格区分的,在编选时我们主要看文章的主题或侧重点,也兼顾编排的系统性。前者侧重宏观思考、理论探讨、发展概述、设计构想以及语料库的构建等;后者侧重实现方法、具体应用、实际操作、示例和实验等。请读者相互参照。

其实,现代科技进入教育领域从音频、视频技术的使用就开始了。在个人计算机被广泛使用以后,技术和教育的话题逐渐成为人们谈论的时尚。对外汉语教学是一个相对狭小、但影响面很宽的领域。汉语教学和研究中使用计算机的活动从20世纪80年代就开始了,关注和从事汉语计算机辅助教学的人员中,既有计算机专业的人员,也有众多一线汉语教师。本书编选的资料希望能够记载和反映这些年来他们对有关问题的思索和认识,既作为对以往的珍念,也期望成为开拓未来的前鉴。技术在发展,概念也在不断地更新。从今天的观点来看,其中的某些见解难免有尺短寸长或幼稚之处,实属在所难免。

一 中文信息处理与汉语计算机辅助教学的起步

汉语计算机辅助教学的发展水平与计算机技术的发展息息相关。回顾汉语计算机辅助教学的历史,我们可以清楚地看到,它走过了从 DOS 到 WINDOWS,从单媒体(只有文字)到多媒体(声、图、文、像),从单机版到网络版的历程。作为计算机应用的一个方面,汉语计算机辅助教学特别与汉语信息处理技术密切相关,包括中文信息平台、语料库、语音合成与识别、汉字识别、自然语言理解、机器翻译、人工智能等多方面技术。汉语信息处理与对外汉语教学相结合,不仅是教学与学习的需要,而且具有现实的可能性。张普在《论汉语信息处理技术与对外汉语教学》[①]中详细阐述了汉语信息处理与汉语教学结合的必然性、必要性和可能性,较早地对现代科技应用于汉语教学进行了宏观思考。

自 20 世纪 80 年代以来,人们借助语料库技术,通过统计、概率等量化数学方法,对汉语汉字进行了史无前例的大规模量化研究,其成果不但基本解决了汉字进入计算机的问题,也促进了汉语教学和研究水平的提高。近十年来,通过建立面向对外汉语教学的现代汉语语料库和汉语中介语语料库,并进行多角度的分析与研究,使得汉语教学大纲的制订和教材的编写从早

---

① 参见张普《论汉语信息处理技术与对外汉语教学》,《语言教学与研究》1991年第 1 期。

期的定性分析和凭经验的估计分析,推进到了比较精确和客观的定量分析,因此更具有科学性与针对性。研究方法的改进,使我们对汉语本体和汉语教学规律的认识更加系统和深入,并自觉地运用到汉语计算机辅助教学系统和课件的研发中去。孙宏林等的《"现代汉语研究语料库系统"概述》[1]和储诚志等的《建立"汉语中介语语料库系统"的基本设想》[2]正是这一时期重要的研究成果。

  计算机辅助教学的本质是把一切与教学有关的内容和过程都用计算机转化成数据,然后再进行处理。计算机的处理过程实际上就是一个量的流程,它的方方面面都离不开量化研究,而量化处理的基础则依赖于对汉语本体和汉语教学的量化研究。利用语料库的研究方法,对汉语作为第二语言的各种语言现象进行统计分析,已经成为汉语教师和汉语教学工作者开展教学和科研的基本方法。然而,对语料库的分析又有赖于计算机环境的支持,即对语料库进行加工(如分词和词性标注)并检索出数据(语言材料)的软件工具。汉语教师必须借助检索工具才能完成检索任务,宋柔的《关于分词规范的探讨》[3]和陈小荷的《语料检索方法的研究与实现》[4],正是他们长期以来从事这方面研究工作的结晶。卢伟的《基于 Web 的对外汉语教学语料库建设

---

  [1] 参见孙宏林、黄建平、孙德金、李德钧、邢红兵《"现代汉语研究语料库系统"概述》,《第五届国际汉语教学讨论会论文选》北京大学出版社 1997 年版,第 459 页。
  [2] 参见储诚志、陈小荷《建立"汉语中介语语料库系统"的基本设想》,《第四届国际汉语教学讨论会论文选》北京语言学院出版社 1995 年版,第 537 页。
  [3] 参见宋柔《关于分词规范的探讨》,《语言文字应用》1997 年第 3 期。
  [4] 参见陈小荷《语料检索方法的研究与实现》,《E-Learning 与对外汉语教学》清华大学出版社 2002 年版,第 401 页。

及在线检索程序开发》①是对网络环境下满足更大范围语料检索需求，实现共享的探讨。

汉语语料库的发展是不平衡的，目前书面语语料库较多，而口语语料库较少，这在对外汉语教学领域也反映出了同样的情形：上述面向对外汉语教学的现代汉语语料库和汉语中介语语料库已经在教学和科研中发挥了重要作用；相比之下，汉语中介语口语语料库的建设还处在设想阶段，如赵金铭等的《汉语口语教学与多媒体口语数据库的建立》②和王韫佳等的《建立汉语中介语语音语料库的基本设想》③。各种语料加工技术对汉语计算机辅助教学系统和课件的设计与应用都是非常重要的。例如，汉语词处理和句处理技术可以应用于学习者写作水平的评测，即通过判断学生作文中所用字、词、句的量，以及这些字、词、句的等级、重现率等，可以客观、自动地评测学生的写作水平。目前，对语言各层面的标注发展水平也是很不平衡的，"发展较快的层面有词汇层、句法层、语音层和音位层等，今后会重点加强语义层和语用层的标注"。（黄昌宁，2002）④在对外汉语教学界，句法层的标注刚刚开始，面向汉语中介语的各种切分、标注和分析有其特殊的困难，研究还有待时日，结果尚不能满足教学和科研的需要。计算机除了具有对语言条目进行检索、计数和

---

① 参见卢伟《基于 Web 的对外汉语教学语料库建设及在线检索程序开发》，《海外华文教育》2003 年第 3 期。

② 参见赵金铭、郑艳群《汉语口语教学与多媒体口语数据库的建立》，《南京大学学报》2002 年特刊。

③ 参见王韫佳、李吉梅《建立汉语中介语语音语料库的基本设想》，《世界汉语教学》2001 年第 1 期。

④ 参见黄昌宁等著《语料库语言学》，商务印书馆 2002 年版，第 14 页。

排序等功能外,如果具有成熟的对中介语处理和研究的能力,那么计算机也应该能够准确地计算这些条目在文本中的概率,而这些统计数据又可以形成统计语言模型,作为判断学习者语言能力模型的基础。

二 多媒体和网络技术与汉语计算机辅助教学的发展

最早开展汉语计算机辅助教学研究的学者当推郑锦全先生。然而,客观地说,由于技术的制约,早期汉语计算机辅助教学系统和课件基本上(或大部分)只有演示水平。近十年来,正是由于计算机多媒体技术和网络技术的成熟,特别是计算机对声、图、文、像的综合处理技术,压缩和解压缩技术,远距离传输技术,虚拟现实技术等,为语言教学提供了它所必须的技术环境,使得汉语计算机辅助教学的研发成果进入了实际应用阶段。越来越多的汉语教师关注这一领域的状况和发展,并寄予厚望。杨惠芬等的《多媒体对外汉语教学——21世纪对外汉语教学的重要手段》[1]和张和生等的《简论基于互联网的对外汉语教学》[2],正反映了这一时期大家对汉语教学的期待。然而,杨惠中(1998)[3]指出,如何利用技术手段,主要取决于教学法指导思

---

[1] 参见杨惠芬、张春平《多媒体对外汉语教学——21世纪对外汉语教学的重要手段》,《世界汉语教学》1999年第2期。

[2] 参见张和生、洪芸《简论基于互联网的对外汉语教学》,《北京师范大学学报(人文社会科学版)》2001年第6期。

[3] 参见杨惠中《多媒体机助语言教学》,《外语教学与研究》1998年第1期。

想和水平,而不是媒体所特有的功能。

汉语计算机辅助教学系统和课件的设计与开发,离不开多媒体素材库和资源库。建立对外汉语教学多媒体素材库是许多从事汉语计算机辅助教学研发人员共同的设想和期待已久的愿望。因为这是工业化时代所产生的模块化、标准化思维方式的自然推论,也是数据库技术应用的必然性拓展。模块化和标准化的核心是同一客体的拷贝和重复使用,它是与高效率、高速度和规范化密切相关的。在计算机多媒体和网络时代,汉语计算机辅助教学系统和课件的设计、开发与运用,需要数字化汉语教学资源的建设。郑艳群的《关于建立对外汉语教学多媒体素材库的若干问题》[1]和宋继华的《论数字化对外汉语教学资源建设的学科特性》[2]是在这一方面所作的积极探讨。黄勤勇的《多媒体对外汉语教材的作用及发展战略》[3]和〔德〕柯彼德的《试论汉语多媒体教材模块化的一些原则问题》[4],对教材改革问题提出了建设性意见。数字化资源的建设内容是多方面的,是一项长期的、涉及面广的、庞大的工程,为了促进资源的共享,还需要探讨资源的建设规范和管理标准。资源建设是必需的,否则计算机辅助教学就难以深入和广泛地开展;资源的建设规范和管理

---

[1] 参见郑艳群《关于建立对外汉语教学多媒体素材库的若干问题》,《语言文字应用》2000年第3期。

[2] 参见宋继华《论数字化对外汉语教学资源建设的学科特性》,《数字化对外汉语教学理论与方法研究》清华大学出版社2004年版,第67页。

[3] 参见黄勤勇《多媒体对外汉语教材的作用及发展战略》,《世界汉语教学》1999年第2期。

[4] 参见〔德〕柯彼德《试论汉语多媒体教材模块化的一些原则问题》,《数字化对外汉语教学理论与方法研究》清华大学出版社2004年版,第61页。

标准也是必需的,否则计算机辅助教学将在一个低水平上徘徊。

现代远程教学以网络教学为主要形式。张建民的《网络空间中的语言教学》①,论述了网络教学的优点、形式和发展;信世昌的《电脑网路"对外汉语教学"之因素分析与设计》②,分析了网络教学的内容处理和结构安排;徐娟等的《基于因特网的远程汉语教学现状综述》③,详细介绍并分析了汉语教学主要网站的情况。

三 汉语计算机辅助教学与现代教育技术

现代教育技术成为一个独立的学科也是信息技术飞速发展的结果。现代教育技术从教育的全局把握各种技术在教育过程中的应用和发展,是对"学习过程和教学资源进行设计、开发、运用和管理的理论与实践"。(AECT,1994)④毫无疑问,计算机辅助教学是现代教育技术重点关注和研究的一个方面。现代教育技术规范了计算机辅助教学的发展方向和设计原则,使之与教学实践更好地结合起来,同时也为研究和审视计算机辅助教学提供了新的视角。仲哲明的《现代教育技术与对外汉语教

---

① 参见张建民《网络空间中的语言教学》,《语言教育问题研究论文集》华语教学出版社2001年版,第302页。

② 参见信世昌《电脑网路"对外汉语教学"之因素分析与设计》,《第五届国际汉语教学讨论会论文选》北京语言文化大学出版社1997年版,第428页。

③ 参见徐娟、袁志芳、谷虹《基于因特网的远程汉语教学现状综述》,《语言文字应用》1999年第1期。

④ AECT(Association for Educational Communications and Technology),为美国教育传播与技术学会。另一个重要的学会是ISTE(The International Society for Technology in Education),为国际教育技术学会。

学的改革》①认为,现代教育技术是连接教育理论、学习理论与教学实践的桥梁。

计算机辅助教学自诞生以来,以其"可以因材施教,实现个性化教学"的优势吸引着人们去实践和探索。〔美〕王方宇的《有关计算机辅助教学中文的一些问题》②是本书所收入的最早的一篇文章,20年过去了,他的很多设想依然有现实意义,其中关于人与技术的关系问题依然值得我们深思。对汉语计算机辅助教学的盲目推崇显然是不切实际的,那么,究竟汉语教学中的哪些方面、哪些时候需要利用计算机呢?凡事必有利弊,〔美〕谢天蔚的《用电脑教中文的长处和难处》③客观而实际地分析了计算机在汉语教学中的作用,并提出了建议;〔澳〕陈申等的《汉语教学的难点与电脑的辅助作用》④,不仅分析了如何利用计算机技术解决汉语的难点教学,还论述了如何结合学习者文化背景使用适当的教学方法和学习策略。

汉语计算机辅助教学系统和课件的设计与开发,既与认知心理学、认知学习理论有关,也与人机工学、版面设计等学科知识有关。只有对教学规律和学习过程有了认真的研究和

---

① 参见仲哲明《现代教育技术与对外汉语教学的改革》,《语言文字应用》1999年第4期。

② 参见〔美〕王方宇《有关计算机辅助教学中文的一些问题》,《第一届国际汉语教学讨论会论文选》北京语言学院出版社1986年版,第488页。

③ 参见〔美〕谢天蔚《用电脑教中文的长处和难处》,《现代化教育技术与对外汉语教学》广西师范大学出版社2000年版,第3页。

④ 参见〔澳〕陈申、傅敏跃《汉语教学的难点与电脑的辅助作用》,《世界汉语教学》1996年第3期。

分析，才能正确地运用相关的理论和知识，设计、开发出实用的辅助教学系统和课件，并使它在实际使用中发挥作用。陈昕的《多媒体辅助教学中的认知心理研究》①，讨论了认知心理学对课件设计的指导作用，以及课件设计中的版面设计原则等问题。

对外汉语教学中教育技术的发展是与世界潮流相一致的，经过了从视听技术向计算机教育的转变。丁玉华的《语言环境与影视技术的运用——对外汉语教学中影视技术的运用》②，从理论上论述了影视技术有利于语言教学；孟国的《"电视实况视听说"课的教学实践与理论探讨》③，论述了使用真实材料的重要性。语言环境在语言教学中的重要地位是不言而喻的，而在构成语言学习环境的诸多因素中，科学技术的应用是不可或缺的。我们不难想象，如果没有纸张和印刷技术的发明，现在的语言教学会有多么的困难。虚拟现实技术集计算机技术、多媒体技术、自动控制技术等为一体，可以构造出给人以某种真实感觉的环境。张普的《多媒体语言教学光盘与语感能力》④认为，利用技术手段可以创造真实的交际环境，而逼真的交际环境有利于语感的形成，有利于语言技能的提高；郑艳群的《浅谈"虚拟词

---

① 参见陈昕《多媒体辅助教学中的认知心理研究》，《海外华文教育》2002年第4期。
② 参见丁玉华《语言环境与影视技术的运用——对外汉语教学中影视技术的运用》，《海外华文教育》2002年第1期。
③ 参见孟国《"电视实况视听说"课的教学实践与理论探讨》，《天津师范大学学报》1996年第6期。
④ 参见张普《多媒体语言教学光盘与语感能力》，《世界汉语教学》1999年第2期。

语空间"——多媒体汉语词典的发展设想》①,则为我们勾画了一个理想的多媒体汉语词典的设计蓝图,这个"虚拟词语空间"将是一种集成的词汇系统,它不仅对多媒体词典的发展有益,而且对于汉语教学有着特别的好处。如果继续扩展这个系统,自然就由"词语空间"进入"语法空间"、"文化空间"。这些带有虚幻成分的设想,确确实实正在从一个遥不可及的概念渐渐走进人们真实的教学活动。

可喜的是,近些年来,将教育技术应用于教学设计和课程开发已不再仅仅是教育技术工作者的事了。许多对外汉语教师纷纷探索、研究教学设计和课程开发的有关问题,他们都希望通过有效的课程课件开发和成功的教学设计来改善自己的教学活动。刘杰的《积极稳妥探索课堂教学新模式——现代教育技术用于对外汉语教学的宏观思考》②就是其中的一个代表。〔美〕谢天蔚的《中文网络资源重组及应用》③,则全面分析了汉语教学资源的类型和利用问题,并指出教师要精心重组网络资源,不能把网络资源交给学生,教师要起导航作用。

---

① 参见郑艳群《浅谈"虚拟词语空间"——多媒体汉语词典的发展设想》,《第六届国际汉语教学讨论会论文选》北京大学出版社 2000 年版,第 696 页。

② 参见刘杰《积极稳妥探索课堂教学新模式——现代教育技术用于对外汉语教学的宏观思考》,《E-Learning 与对外汉语教学》清华大学出版社 2002 年版,第 25 页。

③ 参见〔美〕谢天蔚《中文网络资源重组及应用》,《数字化对外汉语教学理论与方法研究》清华大学出版社 2004 年版,第 13 页。

四　汉语计算机辅助教学的前景

现在,涉及汉语计算机辅助教学的议题越来越受到人们的关注,国内和国际的交流活动也越来越频繁。由世界汉语教学学会主办的国际汉语教学讨论会,自1985年起至2005年已经兴办了八届,每届会议都有相关议题,并发展到成立专门的小组讨论相关问题,论文数量总体来看呈上升趋势;由台湾世界华语文教育学会举办的世界华语文教学研讨会,自1984年起至今也已举办了七届,还专门设立了讨论汉语计算机辅助教学方面的工作坊。不仅如此,还有至少三个国际性的专门组织定期召开会议、组织交流活动。如全球华文网络教育研讨会,自1999年起,在台北已经兴办了四次会议,2005年参会人数超过了300人;国际汉语电脑教学会议,自2000年起,在美国已经举行了三次会议,2006年将举行第四次会议;中文电化教学国际会议,自1995年起,已在旧金山、广西、南京、北京举办了四次会议,2006年将在香港举办第五次会议。从这些会议的召开和举办情况可以看出,这一领域的研究可谓日新月异,其活跃和更新程度可以说是汉语教学研究的任何一个分支领域所无法比拟的。

汉语计算机辅助教学是一个典型的交叉学科。它的设计、开发有赖于汉语研究和汉语教学研究的成果;它的运用又有助于推动汉语研究和汉语教学研究;汉语计算机辅助教学的效果,既有赖于我们对以往汉语教学经验的总结和量化,也有赖于适当的计算机技术的实现和模拟,如智能型汉语计算机辅助教学系统和课件更加需要语音、汉字识别和词、句的自动切分与分析技术的支持。

汉语计算机辅助教学从发展的水平来看,既与计算机多媒体技术和网络技术的普及程度和技术水平有关,也与汉语教学的推广程度有关。相信在汉语国际推广的大形势下,它一定会获得更大的发展空间。汉语计算机辅助教学的成熟和发展充分体现出与时俱进的特点。

不同学科的教学对技术的依赖程度和所依赖的方面是有很大差别的。对外汉语教学属于弱技术相关学科,人的因素在语言教学中有着比其他学科更重的含量,又因为从事汉语教学的教师多为人文学科出身,与技术有着一定的距离,因此,它的应用和发展必然受到这些因素的影响。坦率地说,汉语计算机辅助教学与汉语教学的其他分支学科相比,它是年轻的,还没有引起人们普遍的、足够的重视。除了专门的会议文集,目前几乎没有研究专著。感谢商务印书馆的策划和总主编的远见卓识,为这充满希望的处女地提供了开垦的机遇,使我们有机会梳理并展示这一领域已有的成果,无论是理论方面,还是实践方面。

2006 年 3 月

第一章
汉语计算机辅助教学总论

第一节 信息处理与汉语教学宏观思考

壹 汉语信息处理与汉语教学的结合[①]

汉语信息处理是一种技术，属于新兴的高技术，1981年成立了"中国中文信息研究会"（现更名"中国中文信息学会"）。

汉语信息处理与对外汉语教学的结合是科学与技术的结合，是新科学与高技术的结合。科学与技术一经结合就会产生无穷的力量，就会发生飞跃。事实上，人类的文明史就是科学与技术不断结合的历史。

科学与技术是对外汉语教学的双翅。有了双翅之后，我们可以期待对外汉语教学的又一次飞跃。本文只从汉语信息处理技术与对外汉语教学相结合的角度，论述这二者结合的必然性、必要性与可能性，着重谈二者结合后的有关应用问题与理论问题，预测二者结合后的发展趋向。与二者结合无关的纯汉语信息处理技术或对外汉语教学问题，因篇幅所限，不在本文讨论范围之内。

[①] 本节摘自张普《论汉语信息处理技术与对外汉语教学》，《语言教学与研究》1991年第1期。

一 汉语信息处理与对外汉语教学结合的必然性

什么是汉语信息处理？它是语言信息处理的一个分支,语言信息处理隶属信息处理领域。语言信息处理是指"用计算机对自然语言的音、形、义等信息进行处理,即对字、词、句、篇章的输入、输出、识别、分析、理解、生成等的操作与加工"。[①] 当前其研究内容概括来讲就是两大范畴:计算机软硬件的开发和自然语言受限规则的探讨。就汉语信息处理而言,是开发计算机的汉语言支撑能力（Chinese language support）和研究受限汉语（restricted Chinese language）的规则。简言之,它研究电脑与语言两个方面。

什么是对外汉语教学？它是第二语言教学和外语教学的一个分支,第二语言教学和外语教学都隶属语言教学领域。第二语言教学主要是指对有一定文化程度的人教授母语以外的语言以及他们习得第二语言的过程。就对外汉语教学而言,主要是指教给有一定文化程度的外国人学习汉语(汉字)。对外汉语教学法是其重要的研究内容,它解决教给谁,教什么和怎样教(学)的问题。"语言教学法实际上是语言规律、语言学习规律和语言教学规律的总合"。"语言学、心理学(心理语言学)和哲学是语言教学法的理论基础"[②]。简言之,它涉及人脑与语言两个方面。

[①] 参见张普等《汉语信息处理词汇·01部分·基本术语》定义,中国标准出版社1991年版。

[②] 参见吕必松《关于语言教学法问题》,《对外汉语教学探索》华语教学出版社1987年版,第19页。

一方面涉及人脑与语言的问题,另一方面是要解决电脑与语言的问题。首要的共同点是语言问题,此外,电脑虽然与人脑不同,但要解决自然语言理解、知识获取、思维、推理等高难度课题,实际上要模拟人脑的语言机制。所以,无论迟早,无论自觉与否,这两方面的结合都是必然的。

第五代计算机、人工智能是电脑界的热门话题。智能化的电脑应该会说话、会学习、会思维,但是叫电脑理解自然语言,完全用自然语言自由地进行人机对话却是非常困难的事情。较为实际可行的办法是对自然语言加以一定的限制,然后把受限的语言规则教给电脑。智能化的程度越高,受限的语言规则会越复杂,受限语言也越逼近自然语言。研究自然语言的规则的信息学家发现,第二语言的教学大纲与自己研究的受限规则有惊人的相似之处。《汉语水平等级标准与等级大纲》实际上规定了不同等级的限制,"托福"考试大纲规定的是英语的限制性范围和规则,任何外国人在学习第二语言时所习得的也基本上是限制性的自然语言。因而,与其说电脑模拟人脑的语言学习机制,不如说电脑模拟人脑的第二语言学习机制更合理,更贴切,更可行。世界的"电脑热",带来了"语言热",促进了"第二语言教学研究热"。同时,人们也发现,已经获得语言信息处理功能的电脑,在第二语言的教学实践中也大有可为,可以开发许多应用项目。(见图1)

汉语信息处理技术与对外汉语教学的结合在这样的大背景下应运而生,北京语言学院于 1987 年正式组建了"语言信息处理研究所"。

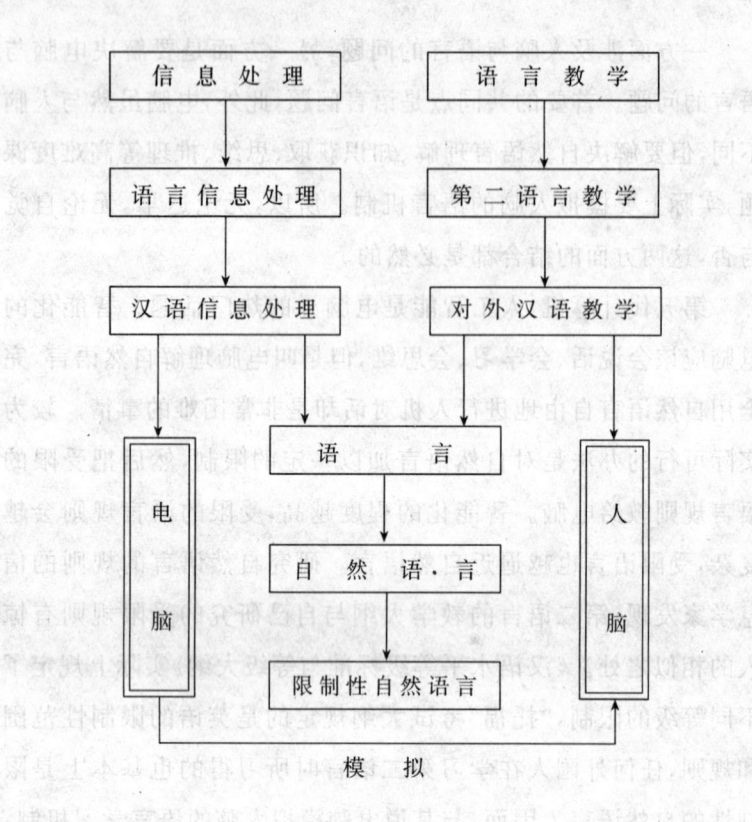

```
信息处理          语言教学
   ↓                ↓
语言信息处理      第二语言教学
   ↓                ↓
汉语信息处理      对外汉语教学
   ↓      ↓       ↓      ↓
  ┌──┐   语  言   ┌──┐
  │电│     ↓     │人│
  │  │  自然语言  │  │
  │脑│     ↓     │脑│
  └──┘ 限制性自然语言 └──┘
         模  拟
```

图 1

二 汉语信息处理与对外汉语教学结合的必要性

随着中国的改革开放和现代化进程的发展,对外汉语教学也进入了一个崭新的发展时期。世界的"中国热"带来了"汉语热"。据不完全统计,目前,世界上已有50多个国家和地区在高等院校开设了中文系或中文专业,中国已有60多所院校接受了外国留学生,北京语言学院长年接受的外国留学生来自世界上100多个国家和地区。

这个崭新的发展阶段的标志是对外汉语教学作为一门独立的学科已经形成,并且日益受到学术界、新闻界和政府各部门的重视。它有自己的学术团体:中国对外汉语教学学会、世界汉语教学学会;有专业的学术刊物:《语言教学与研究》、《世界汉语教学》等;有专门的研究机构:北京语言学院语言教学研究所和语言信息处理研究所(国家语委的语言文字应用研究所也把对外汉语教学列为研究任务之一)。此外,还有专业的出版社:北京语言学院出版社和华语教学出版社。

这种新的发展态势,向对外汉语教学提出了十分迫切的任务:提高对外汉语教学的效率和成功率,也就是说要在培养学生的速度和质量两个方面跟上新的形势的需要。要在速度和质量两个方面做文章,就必须从理论、方法、手段三个角度同时入手。理论是基础,方法是内容与形式的结合,手段则是技术。任何新理论、新方法、新手段的出现和发展,常常是三位一体,互相促进,互为依存的。手段的更新、技术的进步是不可忽视的一个重要因素。人类历史上,书写技术、印刷技术、视听技术(广播、录音、录像、电影、电视)的出现和进步,都对语言教学的质量和速度,理论与方法产生了不可估量的影响,不可否认,信息处理技术的出现也必将使语言教学发生另一次飞跃。(见表1)

表1

技术阶段	教材
书写技术	抄本、写本
印刷技术	刻本、印本
视听技术	录音带、录像带
信息处理技术	课件(软盘、光盘)

近 10 年来,为了适应对外汉语教学发展的需要,国内外许多专家学者在对外汉语教学的理论与方法方面作了大量十分有益的探讨,而手段方面——汉语信息处理技术的引入只是近三四年的事。在这方面,北京语言学院前院长吕必松教授、中国著名语言信息处理专家马希文教授具有远见卓识,作出了重要的贡献。汉语信息处理技术的引入可能为解决多年来一直困扰着我们的若干理论问题与方法问题带来新的契机。试列举如下方面:

（一）汉语基础理论的研究

在计算机的汉语语料库的基础上,进行语音、词汇、语法、句型以至语义、语用及汉字方面的统计分析,以便为汉语水平等级标准和等级大纲、教材、题库等的制定、完善与修订提供科学的依据与方便的手段,使对外汉语教学逐步走向规范化和标准化。

（二）对外汉语教学的总体设计

总体设计关系到教学对象、培养目标、教学要求、教学内容、教学途径、教学法原则以及它们之间的相互关系。兼顾到各个方面的优化的总体设计是很困难的,常常顾此失彼,难以服人。如果将各方面的对外汉语教学专家的宝贵经验建成一个计算机辅助总体设计的专家系统,采用广义量化的方法,就有可能优化出各种有针对性的科学的实用的总体设计。

（三）对外汉语教材的编写

近年来,在编写教材时已经越来越清楚地认识到一个问题,即过去的功能大纲、结构大纲、情景大纲存在一个共同的缺点:结构、意义和交际功能脱节,应该探讨一个能扬长避短,把结构、意义和交际功能较好地结合在一起的新的教学体系。问题在于怎样把这三者较好地甚至很好地结合起来,编写教材的教师怎样才能优化出一个兼及各方面出现、重现、顺序的好教材?如果引入汉语信息处理技术,建立辅助教材编写系统,由计算机将三方面大纲的顺序进行综合优化,由教师在计算机上编写教材,编写时计算机再实时地跟踪已编课程在结构、情景、功能方面的进展,不断向编写者反馈课程在这三个方面的出现率、重现率及偏离度,我们在探讨新教学体系方面也许能够"柳暗花明"。显然,这种由计算机辅助编写的教材不仅可以提高质量,在增删、修订、印刷(照排)方面也会提高速度。

(四) 对外汉语教学的"教"与"学"

"教""学"领域是汉语信息处理技术与对外汉语教学结合之后最早开发也最有可为的领域。"课堂教学是有计划有组织的活动"[①],如果能够做到"所学的内容正是学生需要并且可以吸收的东西,这样就可以节省大量的时间"[②]。任何学习第二语言的成年人都希望在最短的时间内掌握最有效的东西。"教""学"要有针对性,做到因材施教,这恐怕是在教学法方面多年来一直探讨而始终没有满意的解决办法的题目。真正地做到因材施教,就只能是个别教学。如果说世界上没有两个语言需求和语言能力完全一样的人,严格讲就不应有相同的教材、相同的教法、相同的进度。而课堂教学的对象总是批量的。不能做到一个教师教一名学生。"计算机辅助汉语教学系统"(Chinese

---

[①][②] 参见吕必松《关于语言教学法问题》,《对外汉语教学探索》华语教学出版社1987年版,第19页。

Computer-Aided Instruction System）的出现却使真正的个别教学提上了日程。什么是计算机辅助汉语教学系统？简言之，即"通过教员或学员与计算机之间的交互活动，辅助编辑教材，选择适于学员个人的学习程序和课程内容，达到教学汉语目的的一种信息处理系统"。①（辅助教学系统国际上简称 CAI，辅助汉语教学系统可简称为 CCAI。）根据 CCAI 系统具有的专家知识的广博与否及智能化程度的高低，不同的 CCAI 系统可分别具有"助教"（辅导）、"讲师"（教课）和"教授"（咨询并指导生成针对学员个人的教材和学习程序）的功能。CCAI 不仅可以做到因材施教（个别教学——教学对象的变化），也可以脱离教室，做到因地施教（家庭教学或办公室教学——教学地点的变化），还可以改变上课时间，做到因时施教（业余教学或机动教学——教学时间的变化）。这将给那些有第二语言学习的迫切需求而又没有集中学习时间的成年人以极大的学习自由。

（五）对外汉语教学的"听"、"说"、"读"、"写"能力

学习语言必须全面培养学生的"听"、"说"、"读"、"写"四会的能力。"儿童学习母语，听、说、读、写这几项语言技能是逐项获得的，获得这几项语言技能的顺序是不可改变的，每两项语言技能的获得，中间还要间隔一定的时间"。"成年人跟幼儿不同，可以同时学习几种语言技能。而且从教学上看，听、说、读、写可以互相促进。"②但是关键在于如何摆正听说和读写以及听和

---

① 参见张普等《汉语信息处理词汇·01 部分·基本术语》，中国标准出版社 1991 年版。

② 参见吕必松《试论对外汉语教学的性质和特点》，《对外汉语教学探索》华语教学出版社 1987 年版，第 54 页。

说、读和写的关系,如何使四者能做到有机地结合。用一门精读课进行听、说、读、写的全面训练;设听说和读写两门课,听说领先;设读写、听力、说话三种课型,读写打头;各种方法都试过。理论和方法的研究都是深入的,仍然是缺乏手段,新技术的引入是亟需的。CCAI 有可能在有机的结合方面取得突破。视听技术在这方面已比印刷课本前进一步,取得过一次突破,但仍有限。录音技术主要解决了听说,没有图文;影视技术声像图文并茂,但自成一体,只能演播,无法与学习者交互活动。而学习语言的目的主要是获得交际功能,语言的习得过程则需要经过理解、模仿、记忆、应用几个阶段。录音技术、影视技术在最后的应用阶段,在培养交际功能的主要目的方面无法发挥作用。信息处理技术的出现,使 CCAI 系统不仅可以集声像图文于一体,而且可以由学员自己控制,自由"演播",更重要的是可以和学员交互活动,通过键盘、话筒进行人机对话(交际),听、说、读、写并行,语音、文字双向自动转换,还可以自动纠错,自动分析学员的学习动态以调整教材和学习程序。可以说 CCAI 的"课件"将是比印刷课本或音像教学带层次更高的教材。吕必松教授说:"在一定条件下,听说读写可以互相促进"。① 我认为,这个条件就是 CCAI 所集中的汉语信息处理技术。至少,它是重要条件之一。

(六) 对外汉语教学的 COA 能力

OA 是办公自动化(Office Automation)的英文缩写。我们

---

① 参见吕必松《关于语言教学法问题》,《对外汉语教学探索》华语教学出版社 1987 年版,第 19 页。

把中文的办公自动化称为COA，把掌握中文办公自动化之后具有的能力定义为COA能力。OA能力是现代化社会的办公室工作人员必须具有的一种能力，学习西文之后，最好要掌握西文打字、西文电脑以及一系列的文本自动化处理技术，才能提高办事效率。学习中文以后，也应学会中文电脑并能自动处理中文文本。COA能力应是汉语的听、说、读、写四种能力之外的第五种能力，即中文文本的自动处理能力。无论在政府部门、商业部门还是在科教部门，COA能力都是一种十分重要的能力。无论在中国还是在外国，是否具有第二语言的OA能力已经是谋职竞争中的至关重要的条件。

北京语言学院已经在来华留学生高年级中试开了以培养COA能力为目标的课程，并且准备纳入选修课，计算学分。"PJY拼音汉语变换系统"是最宜于外国人掌握的一种中文电脑键盘输入方法，也是这门课程中要学的主要内容。这方面另有专文介绍。

（七）对外汉语教学的后期开发

儿童入学之前的教育称为"学龄前"教育，我们这里要谈的是离开学校学习之后的"学龄后"教育。因为在学习第二语言时，有一些成年人是已经超过了"学龄"的，因此，我们不用"学龄后"这个词。如果把在学院学习第二语言视为第二语言能力的前期开发的话，那么离开学院之后在应用中不断地继续巩固、学习和提高可视为后期开发。缺乏后期开发的环境，学了不用，第二语言就要回生，缺乏后期开发的手段，只用不学，难以继续提高。前期开发以学校教育为主，后期是以自学为主。人们常说"词典"是终身之师。从某种意义上说，后期开发比前期开发更为重要。"据有关专家推算,1976年大学毕业,到1980年,所学知识有50%过时。还有人作了统计,一个科技人员,'在校'所学的知识,仅占一生所需知识的1/10"①。知识的激增和频繁的更新使第二语言的学校教育更加不能一劳永逸,后期教育和职业培训变得越来越重要(特别是专业词汇和新词方面)。计算机辅助教育(CAE,包括CAI和CAL)的发展为后期开发提供了广阔的前景。以CAE为手段的对外汉语教学的后期开发可以称为CCAE。这方面有许多工作可做,例如:研制不同类型的双语或多语电子辞典(包括语文性、专科性、综合性等)、针对不同母语背景或不同工作性质的提高型CAI课件、针对不同母语背景的汉←→外机器翻译系统、中文情报检索系统以及针对不同母语背景的中外文兼容语词处理机和多文种电脑等。

(八) 对外汉语教学的现代化管理

汉语水平的等级测试及其题库是现代化管理的重要内容之一。通常的CAI系统除了"课件"的教学之外也包括练习及课程的自我测试,也可以单独建立指定课程的考试题库和试卷自动生成系统。汉语水平的等级测试及其题库不是简单的课程考试,而是汉语水平的等级考核以及等级资格的授予与管理(这方面有关机构和学者另有专文介绍)。此外,北京语言学院已经建立、正在建立或准备建立的有关对外汉语教学的学会、学籍、图书、情报、出版、人事、财务、报表等方面的"教育管理信息系统"②也都属于现代化管理的内容。对外汉语教学的院校的管

---

① 参见王昕杰、乔法容《劳动伦理学》,河南大学出版社1989年版。
② 参见景晓瑜《教育管理信息系统的开发》,北京语言学院内部资料。

理手段的现代化,是提高教学质量和速度的重要方面之一。一流水平的院校,在管理方面首先应该是一流的,而"教育管理信息系统"正是为管理者提供大量的决策信息。

以上仅从八个方面举例性地说明汉语信息处理技术与对外汉语教学结合的必要性,并非是全面的论述。

三 汉语信息处理与对外汉语教学结合的可能性

10年以前谈论汉语信息处理与对外汉语教学的结合是不现实的,因为那时汉语信息处理技术尚处在研究开发阶段。今天,汉语信息处理技术已处于开发应用阶段,一些领域的技术已经走出实验室投入市场,其中有些技术已日臻成熟,特别要指出的是专门针对外国人或海外华人社区或宜于他们使用的汉语信息处理技术及其产品正在开发,有的已经陆续推出。这主要表现在以下一些方面:

(一) 汉字键盘输入技术

这是汉语信息处理的"瓶颈"问题,输入技术不解决,其他一切处理都无法进行。目前,中国大陆有500多种汉字编码方案,较好的系统有几十种,较成熟的系统有十几种。成熟的系统都从"字"处理(字库、字输入)进入了"词语"处理(词语库、词语输入)。具有一定句法语义功能的智能化键盘输入系统也已推入市场。但是,对于学习汉语、汉字已感到十分吃力的外国人来说,要再学习一种"汉字编码"才能掌握 COA 能力,无论如何是额外地加重了负担。由北京语言学院和电力科学院共同推出的 PJY 系统则不是一种汉字"编码",而是"拼音—汉语的变换系统",它由机器自动实现拼音到汉字的"变换"。对于学习中文的外国人来说,这是一种不必额外增加学习负担的输入方法。因为"汉语作为外语教学中使用《汉语拼音方案》已被世界各国的汉语教学界所普遍接受","不使用汉语拼音的汉语教材在国际上一般是没有多少出路的"。[①] 从北京语言学院使用的效果看,不仅不会额外地增加留学生的负担,相反还会提高他们的兴趣,促进汉语汉字的学习。这方面,还需要进行科学的总结。

此外,繁体字输入,繁、简字切换,繁、简字兼容,繁体竖行打印等系统的推出和成熟已是时间迟早的问题,有的方面已有初期的商品化的系统进入市场。

(二) 汉语语音识别与合成技术

汉语的语音识别与合成技术是解决计算机"听"、"说"汉语的能力问题,计算机有了"听"、"说"汉语的能力,就大大丰富了输入输出手段,除了通过键盘进行文字输入、文字输出以外,还可以进行话语输入文字输出、文字输入话语输出、话语输入话语输出。这样,就可以在语音训练、口语教学方面开发计算机的系统,"人机对话"也可以脱离键盘方式,进入话筒方式的"交谈"。当然识别与合成并不是容易的事,从单呼到连呼(包括变调、句调等),从特定人到非特定人(包括年龄、性别、地域差异)的识别与合成要走很长的路。目前,国内市场已有多种能解决汉语特定人连呼的汉语语音板出售,并应用到许多方面,有的价格已经非常便宜。北京语言学院开发的短期速成辅助汉语教学系统使用了这种汉语语音板。适于非特定人的汉语识别合成技术已有

---

① 参见吕必松《〈汉语拼音方案〉在汉语作为外语教学中的应用》,《对外汉语教学探索》华语教学出版社 1987 年版,第 104 页。

实验性成果,但应用到对外汉语教学领域还有待成熟。

(三) 汉字自动识别技术

通过光学阅读装置,由计算机自动抽取并判别汉字的字形特征,将汉字文本自动高速读入,是汉字自动识别技术。手写体的汉字自动识别比印刷体的汉字自动识别更为困难。目前,国内市场已有印刷体汉字自动识别系统推出,可识别2、3、4、5、6号铅字的各种印刷体汉字,在386机型上每秒可读入20个以上的汉字。样张的识别率达99.9%。已经鉴定的系统达15个。限制性的脱机手写体汉字识别已有两个系统通过了技术鉴定,用专用特征库可识别不加任何限制的手写汉字,识别速度用386微机时为1字/秒。在建立汉语教学语料库方面,在汉字书写教学方面,上述技术均已可提供实用。

(四) 汉外、外汉机器翻译系统

汉外的自动翻译比外汉的自动翻译更加困难。除了要解决词典、句法、语义方面的问题外,汉语的自动分词是一大难点。目前国内有不少自动分词系统已经投入实用,较好的系统成功率在95%以上。国内已推出的商品化机译系统有三个,其中译星英汉机器翻译系统已积累20万词条,并在国内外市场销售80多套。另外,已有双语电子词典申请国家专利,准备进入市场。

自动翻译技术将在对外汉语教学的后期开发中为已结业的学员提供方便,此外,CCAI系统中的翻译课引入自动翻译技术也是可以探讨的课题。

(五) 汉语语料库

制定及修订对外汉语教学在字、词、语法、句型等各方面的语言规范和等级标准,是对外汉语教学逐步规范化和标准化的依据,也是编写教材、大纲、制作CAI课件、建立考试题库、进行等级测试等各项工作的基础。而汉语语料库则是研究和制定对外汉语教学在语言文字方面的规范和等级标准的基础,因此可以说是基础的基础。目前国内已有多种语料库可以投入实用,有按数理统计方法抽样的综合性语料库,也有中、小学课本语料库、新闻语料库、科技语料库、文学语料库等。汉语句型语料库、汉语口语语料库正在建立之中。这些语料库均可用于对外汉语教学的汉语基础理论研究。

以上,仅从五个方面举例性地说明今天汉语信息处理技术与对外汉语教学结合的可能性,也并非是全面的论述。

四　关于计算机辅助汉语教学法

研究和建立计算机辅助语言教学法,是汉语信息处理技术与对外汉语教学结合之后带根本性的问题,特别是在CAE(包括CAI和CAL)的发展与开发中,具有指导意义。它必须建立在已有的对外汉语教学法的研究基础之上,阐述新的教学手段和技术引入之后的发展变化。现在谈论这个问题还很不成熟,本文受篇幅所限也不可能展开讨论,只就其重要性谈谈个人的浅见,以期有益于正在开始的"计算机辅助汉语教学"的发展。

对外汉语教学法是一种语言教学法,并且是一种第二语言的教学法,隶属教学法研究范畴。计算机辅助对外汉语教学法是对外汉语教学法的发展,它也是一种语言教学法,同样隶属教学法的研究范畴。此外,计算机辅助对外汉语教学法还应有自己的学科体系,即:辅助教学法→辅助语言教学法→辅助汉语教学法→辅助对外汉语教学法。是否重视语言教学法的研究直接关系到教学的质量和速度,同样,是否重视计算机辅助语言教学法的研究,也关系到辅助教学的质量和速度。语言教学手段与技术的进步也必将促进语言教学法的改革和语言教学理论的升华。

对外汉语教学法是一门科学。它的研究对象是对外汉语教学的全过程和这个过程中的各个环节,包括对外汉语教学的总体设计、教材的编写、课堂教学和课外语言实践活动以及对汉语学习能力和实际汉语水平的测试等广泛的问题。它的理论基础是语言学、心理学和哲学,因此,可以认为对外汉语教学法或者"语言教学法是一门综合学科或边缘学科"[①]。计算机辅助对外汉语教学法除了全部继承对外汉语教学法的研究对象外,显著的变化是理论基础的扩大,在语言学、心理学、哲学之外,还涉及计算机科学、系统科学、信息处理科学以及思维科学、认知科学、脑科学等。作为一门综合性边缘学科,从原来在社会科学内部的交叉扩大到社会科学与自然科学的交叉。由于新的手段的介入,可能使一些原来不易解决的问题变得容易解决,也可能使一些原来不能解决的问题变得能够解决。例如,由于汉语本身的一些特殊性而决定了对外汉语教学中有一些难点和重点:声调、量词、语序、"把"字句、方块汉字的认读和书写等。对这些重点和难点,汉语信息处理技术可以发挥作用:汉语的语音板可以辅助语音教学,并且可以按 10 分制立即告诉学员所发的每个音是

---

① 参见吕必松《关于语言教学法问题》,《对外汉语教学探索》华语教学出版社 1987 年版,第 19 页。

否接近正确的标准音;"PJY 拼音—汉语交换系统"可以通过拼音和汉字的自动交换帮助认读汉字,还可以纠正非规范的汉语拼音;汉字书写教学系统可以告诉学员正确的笔画、笔数、笔顺、辨别形近字等等。

对外汉语教学法"又是一门艺术"①。这就给对外汉语教学的师资提出了较高的要求,师资的培训是一个不容忽视的大问题。看不起对外汉语教学及其师资的人实际上并不真正了解这门科学与艺术。一个优秀的对外汉语教学的教师应该具备:(1)对这一学科的热爱与献身精神。(2)通晓汉语的理论、知识与技能。(3)至少熟悉一两种外语的理论、知识与技能。(4)掌握对比语言学的理论与方法。(5)具有高度的文化素养,熟悉中外有关文化知识。(6)具有组织教学的才能和表演艺术。

这样,在教学中就会出现许多矛盾:不是每一个学生都有机会遇到最优秀的教师;最优秀的教师除了上课以外也不可能经常在学生身边辅导,更不能永远(包括毕业以后)给不变的对象授课;一个班的学生母语不一,而一个最优秀的教师也无法通晓所有学生的母语。如果说上述一些矛盾都是常规语言教学法不能解决的矛盾的话,计算机的辅助教学法恰好可以逐步弥补这一不足。计算机辅助对外汉语教学法不但是一门艺术,而且能够成为一门精湛高超的综合艺术。它可以集声、像、图、文及最优秀的教师的经验于一身,随时随地教授辅导任何母语背景的每一个学生。

---

① 参见张清常《〈对外汉语教学探索〉序》,《对外汉语教学探索》华语教学出版社 1987 年版,第 1 页。

在对外汉语教学法的研究中十分重视课堂教学的情景化和交际化。"要提高成年人学习第二语言的效率,恐怕出路不在于取消课堂教学形式,而在于制定更科学的教学计划,并尽量使课堂教学情境化。""我们虽然可以通过展示图片、实物,使用电视、电影等方式尽量使课堂情境化,但这毕竟不像现实生活那样丰富多彩,而且在人工制造的环境中,在多数情况下学生是处于第三者的地位,而不是交际的一方"。[①] 现在由于信息处理技术与Video技术和CD-ROM技术的结合,已经使CAI的教学取得和影视同样的情景化效果,甚至在情景的重现、自控方面更优于影视。更重要的是CAI系统使学生由第三者转变为交际者,智能化的CAI专家教学系统既是一个优秀的教师,也是学员理想的交际对象。因此,如何提高交际化的程度,探讨"人机对话"方式在CAI领域中的应用将是计算机辅助对外汉语教学法研究的重点。

总之,计算机辅助对外汉语教学法将涉及总体设计、教材编写、课堂教学、考试等各个环节,从"教"和"学"两个方面给传统语言教学法注入新的活力,引起一系列的变革。这个过程现在刚刚开始。

五 结语

本文主要论述了汉语信息处理技术与对外汉语教学学科结合的必然性、必要性;也论及了结合之后要着重研究的计算机辅

[①] 参见吕必松《关于语言教学法问题》,《对外汉语教学探索》华语教学出版社1987年版,第19页。

助汉语教学法以及传统语言教学法将会发生的变革;说明了这种结合是一种科学与技术的结合,并且必然引起对外汉语教学的新的飞跃。

但是,全面的结合、根本性的变化、新的飞跃要经过一个量变到质变的过程,不可能一蹴而就。这个过程的实现需要许多人从不同方面进行努力,需要各有关学科领域的专家的密切合作。比如:(1)需要对汉语的基础理论作全面的调查研究;(2)需要对几十年来对外汉语教学的经验,特别是优秀教师的经验进行系统的总结;(3)需要积累针对不同母语背景的各种课程的教材库、习题库、考题库以及语言知识库、文化库、学员学习档案库等;(4)需要进一步开发适宜对外汉语教学的汉语信息处理技术,不断提高智能化程度;(5)需要培养掌握汉语信息处理技术的新型对外汉语教学师资;(6)需要轮训原有的对外汉语教学师资。

此外,对于中国来说,除了上述一些学术之内的条件外,国力、财力、物力的准备也是非常重要的因素。

无论如何,汉语信息处理技术与对外汉语教学的结合已经开始了。结合已是今天的事而不是明天的事了。结合得好坏,只是时间问题和我们的努力问题。结合是我们大家的事而不是少数人的事,科学与技术结合之后要为大家所接受并得到普及才能产生无穷的力量。

让我们献身于这个结合,加速这个结合。

贰 汉语信息处理与汉语教学的形式化[①]

一

人的认知过程与计算机的处理过程是相对应的。计算机处理自然语言,单就功能而言主要是分析和综合两个方面,如何理解和如何生成语言表达式。对外汉语教学的目的是让外国人了解汉语的特点,掌握汉语语法规律,以便正确使用汉语而且能在现实交际中有效地提高汉语水平。学生在听、读时需要理解汉语,这个过程的实现除了熟悉汉语词汇之外,还要像机器那样分解和匹配汉语句型特征、成分组合意义。学生在说、写时需要生成汉语,是由意义出发寻找表达式的过程,学生从所掌握的词汇集中选取合适的词汇,用学过的句型装配成句,这个过程和机器的处理过程是一致的。

初学汉语的人,开始会碰到种种困难,比如词汇量有限;词与短语的界限不好划分;汉语语句的省略成分很多,有时很难补出缺省成分等等。这些困难同样也是计算机处理汉语的困难。

二

对外汉语教学的语法教学特点归结到一句话就是"实用"。它体现在教材和教学方法的各个细节上。着重讲语法形式的条

[①] 本节摘自靳光瑾、陆汝占《信息处理与对外汉语教学》,《语言教育问题研究论文集》华语教学出版社 2000 年版,第 158 页。

件、用法限制。怎么用才合语法,怎么用就不合语法,"合"与"不合"的依据是"条件"和"限制",其实就是语法形式出现的"充分且必要条件",不过这些都不用精确、严密的形式化方法来描述,而是用简明有效的原则加上实例和联系使学生实际掌握这些条件。尽管学生会有母语的干扰,但教学对象是成人,不是机器,因此也是有效的。

要让计算机自动生成汉语,实际上是设计者对机器进行"汉语教学"。语法教学的特点是"实用"加上"机械化"。规则不仅"实用"于机器判断,而且要在机器上实际操作,因此每个条款、要素都要求是"可操作"、"可计算"的。总之,计算机要求的形式化比学生更讲究"可操作"、"可计算"。那么,用于计算机的汉语形式化方法,是否对外国人学习汉语有用呢? 答案应该是肯定的。

外国学生一般是成年人,有较好的理论基础。国外在语言理论及数理逻辑方面的教学比较普及,二者交流频繁,结合密切。很多学汉语的学生对于蒙塔古语法和广义短语语法等数理基础较强的课程多少都有些了解。形式化方法在国内可说是弱项,不过,今天的汉语学家已经充分认识到计算机科学对于汉语研究和教学的重要了,作为交叉学科的计算语言学已经有很大的吸引力,形式化方法是计算语言学与汉语语法教学的一个共同基础,学习和掌握语言理论形式化方法已是摆在我们面前的共同任务。

对外汉语教学强调研究的实用性和注重语义分析的特点是富有积极意义的。王还先生指出,外国人是完全按照我们教给他的理论来遣词造句的。理论错了,他一定会错。(王还,1994)这一论断同样适用于中文信息处理。机器是按我们规定的规则操作的,规则是按语法理论来规定的。理论错了,规则也就错了,操作一定会错。凡是汉语语法中的定义和规则不够精确、不够完整的地方,外国学生就容易犯"不合习惯"的语病。同样在计算机上也会出现类似的毛病。本族人不犯这类语病是因为有自身的习惯,而不是因为对汉语理论有足够了解的缘故。汉语语法在语义解释上有不精确、不完整、不规范的地方。现有的语义解释常常出现顾此失彼的现象,词义解释缺乏整体概括的抽象义,这不只是对语言现象归纳得详尽与否的问题,而更重要的是涉及运用什么样的现代化工具和理论的问题。

第二节 汉语计算机辅助教学构想与技术手段

壹 计算机辅助汉语教学的一些构想[①]

1966年,我曾写过一篇《电脑与中文》的文章。文里列出一些用电脑处理中文材料的可行用途。当时曾被人批评,说是海外大奇谈。20年后的今天,那些奇谈已经变成普通常识了。

一般来说,引用计算机为任何目的操作,都需要三种人才:

一是专门研究计算机硬件构造的工程师;

二是管人和机器沟通,使机器遵从人的指挥,也就是编写程式的专家;

三是使计算机达到使用目的的专业人员。

---

① 本节摘自王方宇《有关计算机辅助教学中文的一些问题》,《第一届国际汉语教学讨论会论文选》北京语言学院出版社1986年版,第488页。

第二节 汉语计算机辅助教学构想与技术手段

我是中国语文教学工作者，我既不是工程师，又不安排计算机的程式，我的目的是要使计算机为中国语文教学服务。所以我只能站在中国语文教学的立场，谈一谈用计算机辅助教学中文的问题。

用机器自动教学和用机器辅助教学，在基本构想上是不同的。

在计算机未曾推广以前，美国已经有很多种教学机器在使用。尤其在军事训练上，使用得比较多。我在50年代曾和一位哈佛大学心理学教授约翰·毕·柯罗先生（John B. Carrol）合作试做了一些教中文的教材，用机器教学生。那时所用的不是计算机，而是一种普通的教学机器。那时的构想，是自动教学，不是辅助教学。

自动机器教学的构想是学生自动用机器学习。在学习、练习、准备和参与考试时，一时不能回答，机器可以提示。学生作出错误的回答，机器可以自动地记录下来，并且加以分析，可以自动地发现错误在什么地方；为什么错；还可找出学习过程中什么地方出了毛病会产生这种错误；为了更正这种错误，需要做什么样的练习等等。必须以心理学的理论为根据，使学生一步一步按照说明去做，而不必由教师统筹指导。若有教师，他也只在辅导地位。

我所谈的计算机辅助教学中文的构想，不是学生用机器完全自动学习，而是全部课程由教师掌握，教师监督并亲自参与考核，亲自指导练习。在可能用计算机辅助练习时，指定学生应用计算机中某一课段，由学生用计算机自己练习，自己测验，然后将测验结果交给教师，再由教师指定学习下一段的课程。如果遇有计算机不能胜任的课程，再由教师另外安排指导学习。

综上所述,由教师指导的计算机辅助教学,在程序工作上,比完全自动的计算机教学要简单得多。因为计算机辅助,只是辅助某一课段,而不是要制作整套的教学方案。整套的教学方案,要由教师掌握,教师处理。计算机不代替教师,而是教师使用计算机辅助。

1967年,我曾作过用计算机做中文教学工具的试验。其中有教学、有练习、有测验、有提示、有复习、有第二次测试。那时,一般人不熟悉计算机的性能。有这样一个例子:一位李先生开始试用计算机,照着说明把他的名字打出来以后,他没想到计算机居然自动打出:"噢,李先生,久仰久仰!"李先生大惊。到了最后的考试,有一个题目,李先生不管计算机的提示,故意连续错了四次之后,计算机便自动打出这样的话来:"噢,你不是要学中文,你是跟我开玩笑。我没有工夫跟你捣乱,你走吧!再见!"计算机到此就自动关上了。那时人们对计算机这个小小技巧都觉得很新奇。许多中、英文报纸都登出这一消息,以至于《纽约时报》也辟栏加以报道。若是今天还搞这种游戏性节目,就难免被人耻笑为雕虫小技了。

计算机辅助中文教学,重点在中文教学,不在计算机。我想报告一下计算机在中文教学中哪些方面比较容易做,哪些方面比较不容易做。当然,我离开计算机已近20年之久,这20年计算机的突飞猛进,有不少是我不知道的,故报告中难免有与当前事实不合之处,尚望诸位尤其是计算机专家以及正在进行研究计算机辅助中文教学的同行们多多指教。

下面先谈谈我对中国语文教学的构想。

中国语文教学是一门新兴的学科。这一学科和技术要以许多种学科的知识为基础。最重要的有:语言教学法、学习心理学、语言学、语音学、音位学、语法学、中国文字学、字典学、传播学;教育器材的使用,中外文化比较。尤其重要的是语文测试。测试在语文教学过程中,占重要地位。这些方面的专家,都是语文教学工作者的老师,我们要向他们学习。我们要把这些与语文教学有关系的知识拿来,为我们的语文教学服务。

要着重说明的是,语文教学全部的体系是我们语言教学工作者的责任,不是语言学家或计算机编写程式的专家的责任。我们语言教学工作者必须彻底了解在和语言教学有关的各门学科里,有哪些方面可以为语言教学工作服务,并加以统筹,掌握全部教学的体系。

语文教学的核心,建立在"听、说、读、写"四种技能习惯养成的基础上。中国语文的简单分析是"音、字、词、句"。四种技能中听和读是求解,说和写是表达。在求解和表达的前一个层次,听要辨音、辨句;读要认字、认句;说要先会发音;写要先会写字,并要学会造句。掌握了这初步的层次以后,求解和表达才有基础。

有了这样的分析、认识,在实际教学中有下列原则性的构想:

第一,要侧重小段学习:教课单元以学生可能专注吸收时段为准。

第二,要有个别教学的弹性教案:使不同天赋的学生,有不同进度的可能。

第三,要以"单一概念"为教学手段的基础:教"音、字、词、句"语言成分,尽量以"一时一事"为原则,要分析清楚。

第四,要以练习为主,不以讲解为主:非必要时,不加讲解,讲解必须简短扼要。

第五,要使"听、说、读、写"四种技能在"音、字、词、句"四项语言成分中分别练习:学生天赋不同,各方面进度不同,有的发音学得快,有的认字认得快,需要的练习不同。

第六,在中国语文教学中,认字和写字是特别重要的部分:教认字和写字,必须用有效的方法进行练习。

第七,阅读句子的分段练习是学习读书不可少的步骤:我们看书,不是一个字一个字地读,所以教的时候也不宜一个字一个字地教。

第八,注重学习进程中的测验:语文测验有很多种,除去要分别测验语言成分,"音、字、词、句"在"听、说、读、写"四种技能中的学习情况以外,还要依照测验目的制成各种不同目的的测验。大致说,主要的目的有三种:1.分班测验:用这种测验的结果,可以知道学生的程度,然后可以知道哪些学生可在一班上课。2.成绩测验:要测验的学生在某一个学习段落完了以后,学会了什么,没学会什么。应该复习什么,继续学什么。3.诊断测验:这一项最重要,也最难作,作这种测验的基础,是对学生的错误分析。要找出他为什么有这样的错误,或为什么没学会,然后才能作改正和进一步教学的参考。在语文的测验里,一方面教师要从测验中求得学生的程度和学习中的问题,另一方面要使学生不自觉地把作测验的过程作为一种愉快的游戏。要有寓教学于测验的功能,那才是测验题的成功之作。所有的测验都是以选择式科学的客观测验为准。

以上是我个人对中国语文教学构想的要点。根据这些要点,我们看看计算机在哪些方面可以进行辅助。

计算机和其他机器不同之处在于它能自动处理大量频繁而复杂的数据,并能重复而迅速地操作。把计算机用在辅助中文教学有如下优点：

第一，理想的语文教学是要有个别指导、个别练习的设备。计算机是一种最好的个别指导、个别练习的工具。

第二，教学的程式，一旦存在计算机里面，学生可以随时随地应用，不受时空的限制。

第三，语文学习，反复练习最为重要。由教员来领导学生作反复练习会感觉乏味而易于疲劳。计算机具有超人的耐性和记忆，帮助学生反复练习，计算机最能显其神通。

第四，用计算机制造引得，无论查找词字意义或是查找语法知识都比查阅书籍辞典快捷。

第五，最重要的是，由计算机处理科学的客观测验，不但能知道学生的学习情况，而且能找出他们学习上的弱点，并由此编制材料供学生练习，帮助他们克服困难（它能在学生想不起来答案时自动给予适当的提示）。

目前，计算机的构造比20年前有很大的进步。但就语言教学来说，还不能完全达到汉语教学的全面要求。

我们的要求是培养"听、说、读、写"全面技能。自动化教学在读和写方面，计算机可用作辅助的项目很多。但是在听和说方面，还有很多的限制。尽管有不少专家注意到中文声音的机械辨认和机械合成，但要引用到实际教学中去，似乎还有一段距离。

大概20年以前，已经有人研究中文声音的机械合成。此人还跟我讨论过他的博士论文。我也见过一种能把声音变成可见曲线的仪器。他们告诉我，用这部仪器，学中文语音的四声，可以看到自己发音的曲线。如果发音的曲线跟标准音的曲线相合，就是对的，否则便错了。我对着它试了试，我说："妈。"线是平的,跟标准音的线相合。其他音调也一样。看样子这仪器好像很有用。但是,说中文的人,不会"妈、麻、马、骂"那样一个字一个字慢慢说的。一用自然的语流说话,比方说:"你好吗?"仪器上的曲线动得非常快,我的眼睛看不过来。也就是没法子知道我说的对不对。当然可以把曲线印下来对比,但若是不对,如何改正呢,又是个问题。这已经是20年以前的事了。现在发展到何种程度。我的信息不够。据我有限的知识估计,现阶段用计算机辅助中文教学,听和说恐怕还是要用录音机或电视机与计算机结合使用比较容易做。这点还要请有关专家指教。

至于读和写方面,关键在于汉字编码输入的问题。据说现在全世界有四百多种编码的方法。一直到现在还不断有专家跟我说他们的新发明,介绍他们独特的效率高而有突破性的编码方法。10年前,我曾写过一篇《汉字在电子计算机上的输入问题》的文章,曾被各种报刊转载过。其论点是,编码要在字形上想办法,并且要注意到为将来自动电光读字铺路。

1984年,我国台湾有人选择十种比较常用的输入编码法,它们都是从字形入手的。这十种编码法优劣如何,可用七条标准来评断,即:(1)平均速度;(2)操作错误率;(3)组字重复率;(4)汇集现有字数;(5)每字平均键数;(6)资料不存在率;(7)学习平均时间。可以想象,这十种编码输入法互有优劣,其中并没有某一个方法在所有方面都比其他九种好。

对外汉语教学工作者必须注意,现在所有的编码输入法,无论是已经实行或尚未实行的,都是为了用计算机普遍操作、处理一般的中文材料而设计的,没有一种是为中文教学而设计的。所以我认为,为了辅助中文教学,应当设计一套专为中文教学应用的输入编码法,也选用存储教中文用的汉字。

为一般中文资料操作,计算机里存储的字数越多越好。有一家公司广告上说,他们计算机里的字数,有 36 000 字。实际上我们的中文教学无须 3 万多字。存储的字数越多,同码字的重复率就越高,打字时需要的键数也越多。字数少,设计就比较简单。

除了为中文设计的计算机储存字数的考虑外,输入编码法最好跟学生学习中文有直接关系,也就是说要设法引用他们学中文时必须学会的技能。比方说,拼音法、字形笔顺、汉字偏旁法,就和他们学中文有直接关系。不必另外再学一套。即在学用中文输入的时候,也就学会了学习中文必要的技能,或者说,在学中文的过程中,也就学会了计算机输入的技能,二者相辅相成。

以上是我对中文教学可以用计算机辅助的一些构想。这些构想是以中文教学理论为基础,在用计算机最为有效时以计算机为教学手段,不是以计算机为主体。计算机只是一种教学工具。如果其他教具教学可以跟用计算机教学达到同样的效果,就不一定要用计算机。

贰 多媒体技术是语言教学的重要技术手段[①]

一 从 CALL 到 MCALL

近 10 年来,计算机技术飞速发展,从硬件设施、软件技术,

---

① 本节摘自杨惠中《多媒体机助语言教学》,《外语教学与研究》1998 年第 1 期。

到多媒体应用和计算机网络化,给语言教学带来了广阔前景,机助语言教学从 CALL 发展到了 MCALL。本文谨就多媒体语言教学的发展思路提供一些看法,以期引起讨论。

(一)

多媒体本身并不是一个新术语,在语言教学中已经使用了相当长时间。语言教材配合发行多媒体教学包(multi-media package),至少已有 20 年历史。由于语言本质上是有声的,文字则是第二性的,是有声语言的书面形式。在语言教学中需要有一种技术手段来记录和重放有声语言。录音机的发明提供了这种手段,很快就在语言教学中得到广泛应用。各种视觉材料如图片、透明片、幻灯片,以及影片、录像片等都可为语言教学提供生动情景,在语言教学中广泛应用。所以现在发行的语言教材都配合发行多媒体视听材料,这早已不是新鲜事。但是,这些不同的常规媒体需要不同的技术设备来记录、传输和重放,使用非常不方便。如果能够把各种信号数字化,无论是文字的、图像的、声频的、视频的信号都转变成数字信号,通过同一信道传输,在同一终端重放,就可以突破这种局限,这就是多媒体计算机技术。

(二)

多媒体机助教学和网络技术的结合,其意义远远超出语言教学的范围。采用多媒体技术通过互联网授课,在今天已经不存在技术困难。讲解、答疑、批阅作业、考试等等,这些通常在教室里进行的常规教学活动,通过互联网都可以长距离传输,甚至面对面的讨论在技术上也是可行的,这就使教育突破了时空的界限,以往只有在校园里才能获得的一切知识今天几乎全部能从网上获得。

二 多媒体机助教学的可能性

（一）技术上的潜在可能性

多媒体机助语言教学作为一种媒体，是语言教师手中各种技术手段中最新的一族。为了充分讨论 MCALL 对语言教学提供的技术可能性，有必要把它和其他媒体进行比较分析。由于篇幅所限，这里只列举教科书、投影仪、语言实验室、机助语言教学和多媒体机助语言教学五种媒体作为不同媒体的代表。见表 2。

表 2　不同媒体在技术上的潜在可能性

	Textbooks	OHP	L.L.	CALL	MCALL
图文为主	+	+	−	+	+
文字处理能力	−	−	−	+	+
音频信号	−	−	+	−	+
视频信号	−	−	−	−	+
海量存储	−	−	−	+	+
随机存取	?	−	−	+	+
远程传输	?	−	−	+	+
网络化	−	−	−	+	+

首先，印刷的教科书以图文为主，但都是静态的图文，没有声音。作为语言实验室基础设备的录音机能提供声音，却不能提供图文信息。早期的计算机只具有文本处理能力，人机交互要通过文字命令来实现，因此是以文本为主的。后来随着计算机软硬件技术的发展，计算机应用早已实现了以图形屏幕为主的人机交互模式，使界面变得十分友好，十分便于使用。

再看文字处理能力。教科书没有文字处理能力,所提供的文字是静态的。计算机则具有极强的文字处理能力,这种能力分三个层次。首先是词处理能力。今天利用 Word-processor 制备文件、编写教材已经成为工作常规;此外,像自动拼写校对、查找同义词、反义词、同根词等功能在写作训练中都可以充分利用;利用计算机编制频率词表、词语索引等也可在语言教学中充分发挥作用。其次是文本处理能力,如大规模文本检索、自动编文摘等,在语言教学中也可以发挥作用。再次,随着自然语言处理技术的发展,计算机不但可以对文本进行语法分析和语义分析,而且还可能通过自然语言实现人机对话。由于教材的基础是课文,计算机强大的文字处理能力使它在语言教学中能够发挥独特作用,成为语言教师手中强有力的教学工具。

关于音频信号。印刷的教科书本身不能提供音频信号,除非配备录音机和录音带,提供有声资料;常规的非多媒体计算机也有这样的技术局限性;语言实验室则正好相反,其基础设备录音机能够提供有声资料,却需要依靠其他媒体提供文字资料。多媒体计算机则是对文字信号和音频信号都能处理和传输。

视频信号的情况同上,这里指的视频信号处理能力是指传输动态画面的能力,在上述五种媒体中只有多媒体计算机具有传输和接收视频信号的能力。

存储技术的发展,使计算机存储的容量越来越大,各种海量存储介质如大容量硬盘、只读存储器(CD-ROM)等,使各种信息的存储和交换变得轻而易举,一张光盘就可以储存一部图文并茂的大型百科全书,使学生在学习语言的过程中有可能接触大量真实的语言材料。

关于随机存取。录音机、录像机都是一种线性设备,磁带上的信号是一个线性序列,无法实现信号的随机存取;计算机则可以对数字化的信号实现随机存取,不难想象这种能力对语言教学的意义。

此外,只有计算机联网才能真正实现信号的远距离传输。

从以上分析可见,语言教学过程中不但需要文字处理手段,而且需要有音频信号和视频信号来提供真实的语言交际情景;此外,还要使学生有机会接触大量真实的语言材料,在上述各种媒体中只有联网的多媒体计算机具备这种技术可能性,其优势显而易见。

(二) 教育学上的潜在可能性

从教育学角度来看,各种不同媒体所具有的潜在可能性如表3所示。

表3 不同媒体在教育学上的潜在可能性

	Textbooks	L.L.	CALL	MCALL
个别化教学	-	+	+	+
自定步调	-	+	+	+
即时反馈	-	+	+	+
学生自主学习	-	+	+	+
自助式学习	-	?	+	+
练习提示	?	-	+	+
在线"帮助"	-	-	-	+

关于教学的个别化。最佳的教学方式也许是师生一对一的面对面教学方式。每一个学生都有自己的个性,有不同的学习动机和学习目的,学习能力也各不相同。面对面教学,教师能最好地了解学生的长处与短处,做到因材施教。语言实验室的出

现首先提供了个别教学的可能性,学生可以根据自己的情况确定学习进度,也就是所谓自定步调(self-pacing);做了练习能得到即时反馈,做对做错,立即知道,随时了解自己的学习情况,改进学习方法;此外,在学习过程中还应当向学生提供丰富的学习资料,使学生能根据自己的实际情况找到适合自己程度和兴趣的学习材料,所谓自我学习材料的自助式学习(self-access);理想的学习环境最好还能向学生提供进行阶段性自我评测的手段。所有这些都可以用技术手段来实施,实现所谓学生自主学习(learning-centredness)。从表3可以看出,机助教学不但可以提供上述所有教学手段,而且还可以为学生提供在线"帮助"(on-line "help"),随时帮助学生解决学习中的困难,使学习变得轻松,学习内容容易被接受。

(三) 语言教学上的可能性

表4 不同媒体为语言教学提供的可能性

	Textbooks	L.L.	CALL	MCALL
养成习惯的操练	−	+	+	+
人机交互	−	−	?	?
探索式学习方式	−	−	+	+
虚拟现实	−	−	−	+

从语言教学法的发展历史来看,我们可以以语法翻译法、结构主义听说法和交际法,作为语言教学法流派的三个代表,来观察不同媒体的作用及这些技术手段为语言教学提供的可能性。

语法翻译法的教学重点是书面语,着重书面语的分析,对技术手段的依赖很少。听说法在语言学上的理论基础是结构主义,在心理学上的理论基础是行为主义。听说法认为学习一门语言主要是掌握一系列的技能。结构主义语言学者 R. Lado 和 C. C. Fries 曾经有一个关于语言学习的著名定义:"学习一门语言就是要把该语言的句型从口头上养成下意识的习惯。"这里有三个关键性的概念,一个是"句型",结构主义语言学对语言的描写以句子为界限,对一种语言的描写可以把它归纳为一个有限句型的集合;其次是"从口头上",即强调学习一门语言必须从掌握口语出发,而不是首先从书面语出发;再次是"养成下意识的习惯",听说法认为语言使用在某种意义上是下意识的,人们在进行正常语言交际的时候,意识集中在所交换的信息上,很少集中在语言形式上,语言加工通常在下意识的层次上进行。所谓4-相位句型操练(4-phase drills)就是根据行为主义心理学的刺激—反应理论而设计的习惯养成技术(habit-forming techniques)。语言实验室就是这种理论的技术实现。应当说利用语言实验室进行4-相位句型操练对于在短时间内迅速养成语言习惯是有效的,这种对句型作出迅速反应的能力,单纯依靠教科书而不依靠一定的技术手段很难达到。在听说法鼎盛时期,语言实验室曾经风靡一时。可是人们很快发现了语言实验室的不足。句型操练往往是机械的、脱离上下文的,并不能反映语言交际的本质,学生通过句型操练所养成的技能在实际交际中并不一定保证能够产生能力迁移。

随着语言学的发展,人们认识到语言交际过程涉及语言能力和交际能力。真实语言交际的本质特征之一是人与人的交互作用(interaction),语言教学的目的,不但要教会学生掌握一定量的语言形式,而且要培养运用所掌握的语言形式准确地、得体地进行语言交际的能力。因此教师的作用仍不可替代。

机助语言教学作为一种媒体其最大的特点或许是给语言学习者提供一种以探索方式学习语言的手段（exploratory mode of learning），例如词语索引软件（concordancer），可以从大量语料中迅速查找出含有某个词或某个语言现象的大量真实的例句，学生可以通过分析、归纳，自己摸索掌握某个词或语言结构的用法，这可以称为数据驱动的教学（data-driven instruction）方式，是常规媒体所不具备的。

此外，多媒体计算机还可以提供示范音和学生朗读的声音的波形分析，把语言声学研究中使用的语图仪交到普通学生手中，使语音学习获得一种直观有效的手段，这些都是多媒体计算机给语言教学提供的强大潜在可能性。

（四）语言教学的课内活动

表5 各种媒体在语言教学课内活动中的作用

	Textbooks	L.L.	CALL	MCALL
讲解				
系统性	+/-	+	+	+
代表性	+/-	-	+	+
上下文意义	+/-	-	+	+
操练				
机械操练	+/-	+	+	+
有控制的操练	+/-	+	+	+
多样化操练	+/-	-	+	+
在情景中操练	+/-	?	+	+
有意义的操练	+/-	-	+	+
开放性答案练习	+/-	-	?	?

第二节 汉语计算机辅助教学构想与技术手段　37

(续表)

运用				
语言交际活动				
完成指定任务	+/-	?	+	+
解题	+/-	?	+	+
模拟	+/-	?	+	+
活用语言	+/-	-	?	?
测试/自我评价	+	+	+	+

　　讲解的目的是介绍语言现象,要做到系统性、有代表性,而且要在上下文中进行,而不是脱离上下文孤立地讲解语言现象。这主要取决于教材编者和课件编者的教学法指导思想和水平,而不是某种媒体所特有的功能,虽然在表中,每处都打了+号。

　　语言操练包括机械的、有控制的操练,操练要多样化,而且还要使练习在一定情景下具有一定的意义,而不单单是机械的重复。对于常规媒体和高科技媒体,这些都可以做到,关键仍然是教材编者和课件编者的教学法指导思想;另外还有一类练习称为开放性练习,练习没有固定答案,主要依靠学生的想象力发挥。批阅这一类练习,目前只有教师用人工做得到。

　　语言学习的目的是运用,课堂里的语言交际活动只能模拟客观世界的交际需要,利用计算机多媒体技术在课堂里创造这种模拟的交际环境没有困难,但要不受控制地使用自然语言与计算机对话则目前还有很大的局限性。

　　在表 5 中教科书栏下画的是 +/- 号。很显然教科书有没有某种功能主要是指教科书编者和使用教科书的教师,取决于编者和教师的教学法指导思想,而不是指教科书本身。即使教科书是按交际法的原则编写的,提供了许多交际型的练习,着眼在培养学生实际运用语言的能力,如果教师坚持语法—翻译法,则交际法教材可能具有的某些优点也会就此消失,这种情况在实际教学中并不少见。

三 多媒体机助教学的局限

上面对多媒体机助教学所提供的潜在可能性从技术上、教育学上进行了分析,同时还讨论了多媒体机助教学作为一种高科技媒体对语言教学和语言教学课内活动提供的机会。从比较中可以看出,多媒体机助语言教学所提供的潜在可能性有些是其他媒体所不具备的。但是多媒体机助语言教学就目前发展水平来说,还缺乏用自然语言进行人际交流的能力,而人际交流恰恰是语言使用的本质,因此多媒体机助语言教学还是有一定的局限性,只有把多媒体机助语言教学有机地结合到整个语言教学过程中,作为一个必要的环节,作为教师的补充,而不是取代教师,才能最大限度地缩小这种局限性。

四 结论

随着多媒体技术的发展和计算机的网络化,多媒体机助语言教学已经是现实,要充分发挥多媒体机助语言教学的作用,必须正确处理好以下几个关系。

(一) 课件—软件—硬件

没有硬件,没有计算机,当然谈不上开展多媒体机助语言教学;但是没有合适的软件和行之有效的课件,计算机本身是起不了作用的。可惜这个不言自明的道理并不是每个人都清楚,我们遗憾地看到不少决策者乐意花几十万、上百万购置多媒体专用教室,却缺乏相同的热情投资购买或投资开发相应的软件和课件。硬件是必要条件,但不是充分条件。

(二) 多媒体机助教学与语言课程的有机结合

语言课程涉及多种因素:教师、学生以及各种媒体,包括教科书以及多种形式的课件。在这里起决定作用的是教学法指导思想。教学法不同,教材的编法不同,课堂教学方式以及课内活动的方式也大不相同。开发多媒体机助语言教学课件应力求使其能与语言课程中的各种活动有机结合起来,为学生在掌握知识的基础上有机会通过操练学会运用语言。

(三) 价格效果比

从前面的分析可以看出,每一种新的媒体都比前一种旧的媒体有更强大的功能,但是价格也更昂贵。在语言教学中采用多媒体机助语言教学必须考虑价格效果比,考虑高额投入是否能够带来相应的产出。

(四) 语言教师是开发机助语言教学课件的主体

在语言教学过程中,只有语言教师最了解语言教学规律,最了解学生的需要,因此多媒体机助语言教学课件应以语言教师为主来开发。其本质上是开发语言教材。随着计算机软件技术的发展,借助著作语言,再加上计算机软件人员的合作,语言教师完全可以编出丰富多彩、行之有效的多媒体机助教学课件,充分发挥这种高科技媒体的作用,有效提高学生实际使用语言的能力。

第三节 多媒体和互联网汉语教学探讨

壹 新时期的数字化汉语教学[①]

一 数字化对外汉语教学的特点

新时期的数字化对外汉语教学有如下一些特点要引起我们的注意：

（一）来势猛

我们说"来势猛"，是指新时期的数字化对外汉语教学的形成，比我们想象的或者说比我们预期的来得要快得多。以"中文电化教学国际研讨会"而言，1995年我们开第一届年会的同时，国际上"电化教学"开始被"现代教育技术"取代，2000年我们开第二届年会时，论文集叫《现代化教育技术与对外汉语教学》，但当时真正基于网络技术的研究在论文集中只有14篇，2002年第三届年会的论文集叫《E-Learning 与对外汉语教学》，会议距离前次会议只有一年多的时间，但是国内外的现代教育技术有了飞速的发展，对外汉语教学领域亦不例外。会议的论文100%涉及现代教育技术，无论是现代远程教育还是课堂辅助教学的现代化都有了长足的进步，已经开始数字化的课程有综合

[①] 本节摘自张普《21世纪——数字化对外汉语教学的新时期》，《数字化对外汉语教学理论与方法研究》清华大学出版社2004年版，第1页。

课、精读课、口语课、听力课、报刊课、新闻课、汉字课、会话课、商贸课、速成课、写作课、普通话课等。一些课件或教案的研制论文已经开始谈论新的"教学模式"，思索多媒体"教学方法"，考虑课程的"整体优化"，提出构建"立体组合"教材等。到2003年，美国国防语言大学所有教室都安装了数字白板，中美联合开发的"中美网络语言教学项目"课件已经启动，2004年，北京语言大学对外汉语教师已有95%以上取得现代教育技术等级证书。数字化对外汉语教学的推进将会有多快，我们迄今为止不能预测。我们切不可低估了对外汉语教学领域这场数字化技术革命推进的速度。

（二）涉及广

我们说"涉及广"，是说新时期的数字化对外汉语教学已经涉及了教育的各个领域和环节，包括教师、学生、教材、教法、考核、管理无不被数字化涉及，也包括教室、宿舍、图书馆、校园乃至语言社会生活均在数字化营造之中，甚至数字化的语言资源，如语料库、语音库、词语库、汉字库、语法库、文化资源、旅游资源等等都在加速建造或引进。我们说涉及广还指数字化的应用既涉及远程自学为主的模式，也涉及传统学校面授模式，既有专业学历教育如汉语言文学、商贸汉语的数字化，也有非学历教育如汉语进修、速成、强化教育的数字化。数字化是环环相扣的，数字化的进程是全方位的。一个环节的数字化会促进其他环节的数字化，一个环节的非数字化也会拖其他数字化环节的后腿。我们切不可低估了对外汉语教学领域这场革命所涉及的广度。

（三）触及深

我们说"触及深"，是说新时期的数字化对外汉语教学不仅仅是学习技术的问题。正如前面所述,它必然要涉及教育模式、教学模型,包括学习目的、考核目的,自然还要触及学习内容、学习方法,最终需要改变我们的教育观念、教育思想和教学管理。联合国"国际21世纪教育委员会"提出的教育的"四大支柱"是指能支持现代人在信息社会有效地工作、学习和生活并能有效地应付各种危机的四种最基本的学习能力,即"学会认知,学会做事,学会共同生活和学会生存"。"四大支柱"具有强调德育为基础、重视能力的培养、让学生学会认知等三大特征,所以能较好地适应信息社会发展的需求,与传统教育相比,更显示出其革命意义。它刚一提出就受到国际教育界的普遍重视与欢迎,被认为是"里程碑性的教育文献"。我们21世纪的数字化对外汉语教学正是要建立在"四个学会"的深度上,在这样的深度去考虑和建立数字化的对外汉语教学体系。我们切不可以低估了对外汉语教学领域这场革命所触及的深度和可能遭遇到的阻力。

(四) 标准高

我们说"标准高",是说新时期的数字化对外汉语教学不仅仅是学习技术和运用理论的问题,还有标准化的问题。这是一个极其严格的问题,否则就做不到资源共享。就以教材而言,数字化的教材再好,拿到我的教学平台不能用,反而不如纸版本教材,这就是典型的双刃剑。我在写作此文的同时(5月4日)就在 MSN Messenger 上和我的两个学生对话,他们一个在河北大学(已经毕业),一个在韩国又松大学(远程在读),河北大学的王强军告诉我他正在网上听台湾的一个"数位学习平台及教材之互通性标准研讨会",会议主要讨论最新版的标准 SCORM2004 的开发与应用,这和我写的文章正好密切相关,我立即在他帮助下上网听报告。我们一共听了三场报告：1.数位内容未来发展与应用趋势；2.符合 SCORM 标准之数位内容与平台整合经验分享；3.从教学设计角度谈 SCORM 教材之设计与开发。报告声音、图像均清晰自然。我们的这个例子不仅说明了标准的重要，也说明数字化技术变化之快，还说明我们师生的角色在学习中已经互换等等。需要引起我们深思的是报告强调说明数字化资源和学习都是免费的，而且我们听的报告本身就是免费的。我们切不可以低估了对外汉语教学领域这场革命的标准化强度和可能的连锁反应。那种把数字化资源特别是对外汉语教学资源视为一己之有，只能在自己的平台运行的理念迄今为止不在少数。但是，据说中美联合建立的平台和资源也将是免费的。

图 2 "数位学习平台及教材之互通性标准研讨会"界面[①]

---

① 参见 http://sng.e-seminar.com.tw/event08/。

(五) 变化快

我们说"变化快",是指教育理论升级快、教育技术换代快、教学模式改变快、教学内容更新快等。随着知识的更新换代加速度发展,技术知识的老化、衰减与贬值加快,"一招鲜,吃遍天"早已经成为历史,"终身学习"的理念提出,终身学习资源、学习型社会、终身教育法等理念不断升级,语言知识特别是新的词语、新的意义不断更新,语言教学内容必须跟上时代的脚步,数字化使得教育内容的版本不断翻新成为可能。由于现代教育技术的硬软件环境不断地升级换代,今天还不可能的事情,明天就有可能实现。由于带宽不够宽和上网人多拥挤,声音传播中断与失真,图像下载和发送慢得不能容忍,视频的"马赛克"和"动画"现象等,这些还似乎就是昨天的事情,但是由于带宽、信息压缩、信息传递等一系列技术的进步,今天我们在网上听台湾的现场报告,犹如在看电视。所以,我们切不可以拿过去的老做法来对待今天对外汉语教学的数字化,以为决心一下,投入一定的金钱、人力和时间,对外汉语教学就数字化了,我们一定要认识到数字化是进入了一个新阶段,一个不断变化、不断修改、不断适应、不断前进的阶段。我们一定要对那种超稳定状态的终结和进入相对稳定时期有一定的心理准备。

二 数字化对外汉语教学的内容

我们从以下几个方面来讨论数字化对外汉语教学的内容或任务:

(一) 教材、教案数字化

首先是教材、教案的数字化。没有教材的数字化,没有教师的教案的数字化,别的都说不上。数字化的对外汉语教材,并不是原有纸版本教材的电子化或电子版。从纸版本到电子版是一种改造或改革，而不是简单移植。多媒体的使用，声图文的并用大大有利于语言的训练，计算机的交互功能、网络的协作功能和链接功能大大增强了语言的交际训练能力，需要创造新的语言学习模型和训练模式，来提高听、说、读、写技能的训练效果和实用程度。我们在创造新的模式时，还需要分析是自学为主的教材还是课堂辅助的教材。目前教员的电子教案日趋与课堂的辅助教学课件结合。教学内容、链接内容、交互的方式都是动态更新的。教员要花比过去更多的时间和精力去作研究，研究数字化的教学内容、教学模式、教学效果和学生的需求，为"精讲多练"创造了更多的空间和时间。而训练和交际过程则会越来越多地交给计算机去重复，交给网络去虚拟，技术的进步就是朝着这样的方向推进的。

（二）考核和测评的数字化

一旦教材和教案数字化了，接下来就是考核和测评的数字化。虽然学习变成一种适应社会的终身需求，主要不是为了分数和文凭，但是学员需要知道自己的学习程度，有了多少进步，教员需要了解自己设计的数字化教材的教学效果，适合什么样的学生，不适合什么样的学生。这样就提出一些连带的新的数字化问题：数字化教材的单元化（这正是前面提到的标准SCORM2004的长处）、数字化教材测试点的设立与分级、测试点的确定与量化、考核题库的建立与生成、试卷的自动生成与评阅、考核效果分析与课程评估、前测与后测的设计与比较、学生的学习追踪与调查等等。没有数字化的考核和测评，就没有对数字化教材和教学效果的科学的量化的分析，当然也就没有数字化教材的动态改进。

(三) 教室数字化

有了数字化的教材、教师，没有数字化的教室，就不可能有数字化的教学，就不可能达到优化教学、提高教学效率的目的。作为对外汉语教学，最起码的设备是一台电脑和一台数字化的投影设备及相应的投影屏幕。另外可以有的是网络接入。这样老师就可以使用数字化的教材和教案，来进行现代教育技术支持的对外汉语教学了。至少省去很多传统的擦写黑板和口头描述的时间，做到精讲多练。再进一步就是如果能建成网络多媒体教室，每个学生都可以自己动手训练，可以上网也可以和教员联系。那就可以一方面同步批量教学，一方面有个别指导、有针对性地训练。而且还可以在多媒体网络教室进行数字化的考核、测评，这当然都是要花钱的。我们切不可以固守建录音机听力室的老皇历，以为建几间听力室大家轮流去听就够了，数字化的革命是要改变所有教室、办公室、自习室、宿舍的功能，使它们都具备上网的能力，都有识别和处理数字化信息的功能。更好的设备是美国国防语言大学，教室都有数字白板，这就节省了教师的时间和精力，不必什么都事先数字化好，而且使教师课堂的临时发挥可以立刻数字化，存入电脑，当然这也就更需要钱来投入。自然如果完全是远程教育，就可以建立在网上的"虚拟教室"，并有网络教师或"虚拟教师"来主持教室的课程了。我们需要统筹规划，一步步选择最省钱的数字化模式，但是没有钱是数字化不起来的。

(四) 教师数字化

什么数字化也没有人的数字化重要。要知道没有数字化的教师队伍、教材、教案的数字化和考核、测评的数字化是根本不可能的。所谓数字化的教师队伍，首先，是指掌握了现代教育技术及其理论的对外汉语教师。早期，研究制作课件、题库等等都是程序员的任务，对外汉语教师只是学会使用数字化的"资源"就可以了。现在是要逐步学会设计、开发、利用、评价、管理这些"资源"的技术和理论，这种对于数字化教学内容的动态研究、跟踪与改进，不是程序员可以承担的，只有对外汉语教师才能完成。其次，是指学员在网上接触到的"数字化教师"，无论是在校园网上见到的"教员"还是通过因特网在远程见到的"教员"，实际上都是数字化的，教员还可以有自己的主页，通过主页宣传自己、宣传课程，与学员联系。学员也可以通过主页选择教师、选择课程，与教师联系、接受指导、答疑。只是有时候一些常见的问题和错误，学员以为是"教师"的回答和纠正，其实是数字化教师——真实教师的"虚拟者"，依据"答疑库"模拟进行的。

（五）图书资源数字化

学校除了教材、教师、教室，要办学，最重要的就是图书馆了。过去的图书馆馆长都是从很知名的专家、教授中遴选的。现在数字化的图书馆越来越重要，图书、资料、档案的数字化是重要的工作任务，没有数字化，就无法实现信息的自动检索，更为重要的是检索到了也需要进行数字方式的浏览和学习，整个图书馆的内容和管理流程都要因数字化的进程随之发生重要的变化。更不要说网络就是一个最大的"图书馆"，随着搜索软件的智能化进步，像 google 和 baidu，已经越来越取代了图书馆的功能，图书馆要在数字化的进程中重新为自己定位，才能更好地为数字化的对外汉语教学服务，北京语言大学的图书馆在这方面正在努力探索。

(六) 教学管理数字化

各方面都数字化了,教学管理没有数字化也是不能提高教学效率的。管理者首先要更新理念,其次要更新管理办法和管理手段。只有管理者首先更新了理念,才不会阻碍这场数字化的革命进行,才能够站在变革的潮头,支持、领导、谋划、组织、利用基于现代教育技术的这场革命。所有数字化的教材如何设置、考核、测评、管理;所有学分如何计算、统筹、互认;所有学员如何招生、报名、注册、管理、发证;所有教员如何考评、计酬、聘任;如何统计、分析、运筹所有的数字化数据进行科学管理,这一切都需要掌握现代化教育技术的数字化管理者在数字化的平台上进行。数字化的对外汉语教学呼唤具有新的管理理念、掌握现代管理平台的管理者。我们很高兴地看到一代新的管理者正随着数字化的对外汉语教学的推进在成长。

(七) 校园数字化

无论是校园网上的"数字校园",还是没有围墙的虚拟网络大学的"虚拟校园",都是数字化的校园。校园的数字化包括两方面的含义:一是实体校园的网络化、电子化、信息化,这一点我们已经在(三)中涉及一些,实际上实体校园的数字化除了教室、自习室、宿舍以外,还要包括所有的办公室、办公大楼、图书馆、体育设施、娱乐设施、后勤设施,甚至校医院、食堂、门卫等的数字化,即与网络相连,可以处理、分析所有与办学有关的数字信息。另一方面是指网上的虚拟的数字化校园的建设,作为对外汉语教学的数字化校园的建设更突出网上的语言文化的内容和语言文化的交际和交往。这方面的数字化现在还仅仅停留在利用网络找找语言陪练等很有限的方面。数字化的校园建设应该是大有可为的。

(八) **教学研究数字化**

现代教育技术既然已经将教学的各个环节和各个方面数字化了,那么,对于数字化的教学的研究必然也是数字化的。一方面,需要研究数字化的教材、教法、模式、测量理论与方法、分析数字化的管理数据,一方面要收集建立一些数字化的研究基础和资源,如:建立健全基于数字化对外汉语教学的《中介语语料库》,研究进一步《国别化的对外汉语教学词语大纲》,建立对外汉语词语教学和热门话题的动态更新机制,建立不同母语、不同学习目的的学生毕业后终身(补充)学习的追踪机制等等。

(九) **本体研究数字化**

为了支持数字化的对外汉语教学,对于汉语本体的研究也需要建立数字化的基础和资源。首先,是要建立现代汉语的语料库,对于现代汉语进行大规模真实文本的统计分析研究,尤其要建立观察语言历时变化的"现代汉语动态流通语料库",观察词语和意义的变化,以支持对外汉语教材有关部分的动态更新和及时修订,双语词典的动态编纂与发布,以及对外汉语教学词汇测量等级大纲的动态调整等等。

贰 开创多媒体汉语教学的新路[①]

由于计算机技术和多媒体技术还在日新月异地发展,一些

[①] 本节摘自杨惠芬、张春平《多媒体对外汉语教学——21世纪对外汉语教学的重要手段》,《世界汉语教学》1999年第2期。

新技术还需完善,另一些新技术还会层出不穷,加上资金和人力的限制,多媒体对外汉语教学不可能一蹴而就,多媒体软件、多媒体设备、多媒体制作和人才培养几方面需要逐步协调发展。可以设想为三个阶段。

第一阶段

1.统筹安排,组织人力制作多媒体对外汉语教学软件。多媒体对外汉语教学软件是多媒体教学的核心。目前,在对外汉语教学领域还没有一套较为完整的包括初、中、高级的教学软件光盘。应当组织全国各有关单位的力量统筹安排,有计划、有步骤地编制较高水平的软件,不要搞低水平的重复,以免造成人力和物力的浪费。建议先搞一套初级和中级的对外汉语教学软件,可借鉴深圳市多媒体技术有限公司开发的《多媒体英语教室——开口就说》,充分利用文字、音响、影像、动画等功能,充分体现多媒体的特点。把基础汉语、口语、精读、听力等课程内容融为一体,形成一套简洁、完整的多媒体教学软件。其主要内容应包括:(1)课文讲解:除了有教师讲解外,可插入影视片的片断,并配以适当的解说词。(2)情景对话:使用即时录音技术,学习者可以与场景中出现的人物进行对话,或扮演其中一个角色。(3)语音校正:学习者跟读单词、句子或一小段课文,然后可以与标准读音比较,进行校正。(4)习题训练:按课程的要求,编制不同类型的练习题目,计算机自动批改和记录成绩。(5)汉字书写训练:汉字的书写,对外国留学生特别是欧美学生来说,一直是比较困难的。利用多媒体教学汉字可以解决课上没时间教学生而学生很想学的矛盾。(6)词汇和语法:对重点词语、句型和语法进行讲解,穿插在课文之中。(7)写作指导:可包括写作初步、佳作欣赏、写作范例、词语优化选择、人物和景物描写、写作指导、写作技巧、修辞、名著研读和资料等。可借鉴已面市的《写作伴侣》教学软件,结合对外汉语教学的需要来搞。(8)能力测试:精选多套汉语水平考试试题,并配有标准答案。可在计算机上答题。

另外制作一套供短期班汉语学习的多媒体软件,主要以初学者为对象。内容主要包括:(1)语音学习:配以动画卡通式的发音口形表示,使学习者能够清楚地看出发音的口形变化。并配以拼音跟朗读练习,跟读正确的可以继续进行,不正确的,自动进行多次跟读。(2)汉字书写:利用计算机的动态显示功能教写汉字。(3)课文讲解:在讲解中,由于初学者的汉语水平较低,一些生词无法讲解清楚,多媒体中备有配以多种语言翻译的电子词典,在汉字后面,选择不同语言,即可出现翻译的意思。(4)听说训练:配以简单的对话,学生可以跟读或说。(5)词汇和语法:重点词语和语法讲解和配以有关资料可供学生查询。(6)中国概况:以图文并茂和讲解的形式加上影视片段,介绍中国的政治、经济、文化、社会风俗等,如长城、孔子和孔庙等。

2. 多媒体演播室。各学校可以根据具体情况建立多媒体演播室:其中主要设备为带光盘区的计算机一台、电子投影仪一台、放像机一台,用于播放对外汉语多媒体教材、电影和电视录像等,并能直接将教师书写的讲稿放大投影到大屏幕上。

3. 筹建多媒体制作室。为了更好地开展多媒体对外汉语教学,可以开展简单的多媒体教材的制作,先录制到计算机中,供教学使用,可先录制某些比较好的讲课内容或活动等。

4. 教师的多媒体教学训练。大多数教师,对多媒体了解得不多,应首先普及多媒体知识,并使教师能够使用多媒体教材进行教学活动。

第二阶段

1. 多媒体对外汉语教学软件。编制用于汉语本科生的分年级的不同课程多媒体教材软件,编制专项内容的对外汉语教学软件。主要包括:(1)中国文化;(2)中国旅游;(3)学汉语游戏和文艺节目等。

2. 多媒体对外汉语学习与训练室。建立多台(十几台)多媒体教学计算机系统。其功能为:(1)供教师教授某些训练课使用;(2)学生可以借用有关光盘在计算机上自学或复习所学内容。

3. 完善多媒体制作室。当可读可写式光盘的技术趋于成熟,其价格也大大下降的时候,就可以自己制备软件光盘,这将大大方便多媒体对外汉语教学的开展。

4. 配备专门从事对外汉语教学多媒体制备的专门人才,以满足各学校编制短、小的多媒体教材的需要。

5. 开展远程对外汉语教学的准备工作。

第三阶段

1. 完善和提高各类多媒体教学软件。

2. 完善和扩大多媒体学习和训练室。

3. 完善和提高多媒体的制备。

4. 人—机对话型多媒体对外汉语教学。过去人们利用计算机,只是把计算机作为协助处理数据的工具,多媒体出现后,人们惊讶地发现,计算机可作为学习新知识的良好媒介。学习语言,过去主要是人—人之间的对话。由于信息技术的发展和需要,都希望人与计算机之间能够进行直接的信息交流。目前使用的设备是慢速的、较难使用的,如鼠标器、键盘等,需要一种更容易使用、更快捷、交互性更强的手段。最可行的方法就是语言直接交流,人用嘴讲话,用耳朵听,而计算机语言识别系统则让计算机接收人说话的声音,经过分析整理后,达到对其内容和意义的理解,然后解释成机器的命令并执行,从而完成人与计算机之间的信息交流。

显然,人—机对话的实现,在对外汉语教学上将大有发展前途,可以实现一个教师(计算机)教一个学生,或多个教师(计算机中存入多个教师的教学资料)教一个学生,大大提高教学效率。

语言识别的最终目标是计算机系统可以听懂任何人、任何内容的讲话。目前,汉语计算机听、写输入技术已取得了长足的进展,这为对外汉语教学多媒体软件的制作提供了更好的手段。北京中自汉王科技公司的"汉王笔"采用多种识别方法综合集成技术,是目前唯一一个完全不限笔顺的识别系统。可混合识别繁体、简体及常用异体字 13 000 多个,正楷书写识别率达 97%,连笔识别率达 94%。汉王听写输入系统,不管男女老幼的声音都可识别,适合人们通常说话的表达方式,每分钟平均输入 150 个汉字,快读语速每分钟可输入 300 个汉字,对发音清晰的标准普通话的识别率可达 98% 以上。最近有消息报道,台湾新近研制的"超级耳朵"中文语音输入系统为使用者提供了一个更加方便的中文输入方法。过去的中文输入系统需要使用者发音标准、咬字清晰,而用该系统,任何人士都可以通过高感度的麦克风,连续进行中文语音输入,其识别率高达 85%。

多媒体技术在日新月异地发展,可以预见,在 21 世纪实现人—机对话型多媒体对外汉语教学并不是痴人说梦。

5. 虚拟现实对外汉语教学。虚拟现实(Virtural Reality)

是由计算机虚构或模拟一个三维立体的环境,让人通过视觉、听觉、触觉以及传感器与这个环境的相互作用而变换影像,给人以身临其境的感觉。在美国和日本已经有示范性虚拟现实演示系统,供人们体验一个亦真亦幻的虚拟世界。例如人们只要戴上一个特殊的头罩显示器和一只银色的数据手套,就可以在设计好的虚拟世界中漫游,可以动手去开房门,打开抽屉,或从碗架上取下盘子,也可以打开水龙头听听流水声……一切都是那样真实可信,如身临其境。当你拿下头罩后,刚才所看到的一切都不过是黄粱一梦。

目前,杭州大学与美国英特尔公司合作运用虚拟现实和三维技术把故宫搬上了因特网。这样,人们足不出户就可以在这世界著名景点——北京故宫博物院"旅行"了。

显然,虚拟现实技术是对外汉语教学的绝好工具。虚拟现实技术还处在发展阶段,目前还比较昂贵,但计算机的发展是十分迅速的,今年不能实现的事,明年就可能变为现实。十几年前,人们还不知光盘为何物,现在它已经"飞入寻常百姓家"了。

我们满怀信心地期望,在 21 世纪的对外汉语教学中,虚拟现实技术能得到越来越广泛的应用,在对外汉语教学现代化方面实现彻底的革命。

6. 开展现代远程对外汉语教学。计算机和信息高速公路的出现在改变着我们的工作和学习方式。同样也在改变着语言教学。多媒体和信息高速公路可将对外汉语教学内容传输到世界各地,这就是近年来兴起的"现代远程教育"。利用"远程教育网",可以将对外汉语教学的内容传送到世界各地,那时对外汉语教学将真正走向世界。

叁 基于互联网的汉语教学简说[①]

一 电脑技术应用于第二语言教学的回顾与展望

我们必须关注国际上运用现代化手段从事第二语言教学的动向。伴随着语言教学理论的发展与电脑技术的更新,电脑辅助第二语言教学经历了从简单到逐渐完善的里程,从起初单一的页面练习发展到了今天的网络化阶段。

最早的电脑辅助第二语言教学出现于20世纪六七十年代。当时的教学内容仅限于提供语法和词汇的指导,电脑就像导师一样,提供大量的句型练习和语言测试练习,并对学生的答案进行瞬时评判,使学生在不断重复的练习中,记忆、掌握第二语言的语法结构。这种方法以行为主义心理学为依据,与结构主义学派的语法翻译教学法相吻合。

到了八九十年代,出现了以认知主义理论为依托的第二代电脑辅助第二语言教学。除了运用多媒体技术以外,新技术开发者一反以前仅把电脑作为一个资料库的做法,将注意力更多地放在提供第二语言输入和分析推理中。在此模式下,学习者可以通过电脑提供的解决问题和检验假设的方式,利用原有的知识建构新知识。此时,不是电脑控制人脑,而是人脑控制电脑了。电脑好像学生一样,创造模拟的环境,由学习者发挥创造力解决问题。

[①] 本节摘自张和生、洪芸《简论基于互联网的对外汉语教学》,《北京师范大学学报(人文社会科学版)》2001年第6期。

始于70年代流行于90年代的交际认知主义学派(Socio-cognitive)对电脑辅助教学也产生了重大影响。该学派认为,语言是一种社会结构现象,语法知识的获取必须通过交际来实现,并在交际中得到认可。语言具有三个功能:形成概念、人际交流和化言为文,而我们现行的语言教学只是完成了第一个功能,后两种功能则被忽略掉了[①]。他们的学说受到语言学家的重视,教学指导的重心也由以分析学习者的句法结构转向学习者本身。教师的任务从提供可理解的输入到帮助学习者进入课外的真实的语言环境。因此,90年代的电脑辅助教学,追求的是通过电脑模拟真实的语言环境,实现虚拟的人—人交流。交际认知主义学派为这一设想提供了理论基础,而互联网则在技术上为普及高层次的电脑辅助教学提供了可能。

90年代现代化教育技术高速进步和发展,远程教育冲击了传统的教学模式,同时也为其带来了新的发展空间。远程教学手段多种多样,包括卫星数码广播、视频会议系统、电子白板和网络课件点播等形式,而其中基于互联网的远程教育手段以其迅速、高效、有趣、即时、互动的特点和经济、便学、信息无域、资源共享的优势,逐渐成为远程教育的主流。90年代中期以来,电脑与国际互联网迅速普及。截至2000年8月,全世界上网的人数已达3.32亿,而这正是实现网络教学的物质基础。

现代化远程教学引发的教育革命势必影响到语言教学,当然也包括把汉语作为第二语言的教学。国内外有多所院校和教

---

① 参见 Kern, R. and Warschauer, M. *Theory and Practice of Network-Based Language Teaching*, 2000。

育机构已经或正在开展基于互联网的汉语教学。北京师范大学汉语文化学院与中国信息大学合作开发的基于网络的对外汉语教学,目前就正在进行中。网站建成后将利用国家信息中心的宽带,向北美传输多媒体汉语教学课件,并逐步向全世界推广。

21世纪是网络化的时代,大办教育和办大教育是一个重要方向,开展网络对外汉语教学已是势在必行。我们必须把握机遇,迎接挑战。我们必须紧跟时代步伐,顺应时代潮流,适应变化与创新,为对外汉语教学注入时代气息,唯有如此才能保持本学科旺盛的生命力。

二 网络对外汉语教学的优势与局限

了解网络教学的优势与局限,是做到扬长避短的前提。基于互联网的对外汉语教学有许多优势是传统课堂教学、多媒体光盘教学或其他远程教学方式所无法比拟的。

一是网络教学的跨时空性。随着中国国家综合国力的增强与世界经济的全球化,在世界范围内,有学习汉语欲望或需要的人数一直呈上升趋势。但由于多种原因,其中多数人并没有机会走入汉语教学课堂。网上对外汉语教学为他们提供了这样一种非常方便的学习途径:随时可以开始上课,随地可以进入课堂。如果说一些人当前选择网上学习汉语在某种程度上还是出于不得已,那么未来若干年后,在所谓"e时代"成长起来的一代人,极有可能会把网络作为学习汉语的首选途径。

二是网络教学质量的可信性。可以预测,未来全球最成功的对外汉语教学网站必定是以中国为基地,由全世界汉语教学工作者共同建立的;是对全球优秀汉语师资力量和科研力量的整合。一个出色的汉语教学网站,将是一个集中众多汉语教师智慧和经验的大课堂,一个既具有高度科学性、系统性,又具有标准性、多样性的大课堂。实现优秀教师资源全球共享,这是任何一个汉语教学小课堂无法实现的。

三是网站还可以负载丰富的文化背景知识。有学者认为,这将为学习者语言表达能力的提高提供大量潜在的可能性。

四是网络教学对个体学习者广泛的适应性。充分考虑学生个体因素,是教育学的一般原则,因材施教从来是教育者的追求。但在一个有十几人甚至几十人的第二语言教学班中,学生的语言水平、学习能力、文化背景和性格特点往往有很大差异,教师在把握教学进度、教学重点和课堂气氛时常常会感到众口难调,顾此失彼。而网络教学具有个性化服务的技术手段,既可以使学生根据需要自主选择相关内容,也可以通过输入资料或是 cookie 技术,由网站为其选择相应的学习资料。对于那些性格内向,在公众面前羞于张口的学生,还可以免却他们紧张的心态,有利于他们全心投入学习。

五是网络教学的交互性与反馈功能。互联网可以使学生利用电子邮件、在线对话、问题提交、现场评判、学术讨论等方式实现师生之间、学习者之间或教师之间大范围的交流互动。这不仅会使学生更富有创造性和建设性,也会使教师得到有效的教学反馈,促进教学与科研。

然而基于互联网的对外汉语教学也有自身的局限。由于我们对汉语的本体研究特别是面对计算机的汉语本体研究还远不够深入,由于计算机对自然语言,特别是对缺乏形态变化的汉语的理解与人机对话尚处于研究开发阶段,因而计算机对学习者把汉语作为第二语言的综合能力的评判,以及对语误的自动辨识与纠偏暂时还不能真正实现。网络上的口语训练或师生互动一时也达不到课堂教学的水平,而听读与说写的不平衡更是目前第二语言教学网站的通病。对学生而言,网络教学虽然使他们有了自主学习的权利和途径,但同时又没了依靠,少了竞争,这对学生的自我管理水平将是一个考验。在教学环境方面,网络教学虽然有不离职、经济、自由、自主、"一人讲课,千人受益"等学习优势,但是失去了课外的第二语言教学学习空间,特别是失去了在真实环境下的人—人交流,不利于强化,不利于速成。

三 对外汉语教学网站课件设计原则

第二语言教学有多种方式,包括远程教学、函授教学、传统的课堂教学等等。教学方式不同,教学的指导策略也各不相同。但无论哪种方式,课件的设计都应当具有以下的内容:吸引学习者注意力——即运用多种媒体手段提出有趣的问题,创建一个新的环境;教学目标明晰——明确本阶段的学习目标或任务,告诉学习者将获取哪些知识,以及运用何种手段获取这些知识;重现和复习旧知识——复习与本次教学内容有关的知识,将新旧知识联系起来,根据认知理论,只有新知识与以往的知识形成网络,才能够迅速找到有关的结点提取所需内容;提供新材料——如课文、图片、声音、影像等等;提供学习方法指导——根据不同的教学内容言简意赅地提供不同的学习方法指导;实际应用——指导学习者实践最新获取的知识、技能;提供信息反馈——判断学习者的反应,分析学习者的行为,或者显示解决问题的方法;检验成果——学后测试,同时显示学习者的进步或退步的信息;强化记忆和转移——当学习者出现问题后,提供相似环境和大量练习,使学习者能够举一反三。

基于互联网的对外汉语教学课件设计既要遵守上述第二语言教学的共同原则,又要顾及其自身的特点,绝不是(也不可能)把课堂教学简单地复制到网上。成功地设计运行一个第二语言教学网站需要很多条件,这其中当然包括资金与技术的支持,硬件设施的完善,语言教师知识结构的更新,以及与计算机专家的通力合作等等。但更重要的是,网站与网络教材的开发设计者要对网络教学有深刻认识,要善于扬长避短,要有服务意识,这是建设一个成功的汉语教学网站的基本要求。在网站开发建设的过程中,想象力往往比技术更重要。我们不但要了解IT业能为我们提供什么样的技术,还要向他们提出我们需要什么样的技术。我们尝试在下文提出一些自己对汉语教学网站理想模式的设想,其中某些原则可能暂时还不能在技术上实现,但我们需要有一定的前瞻性。

对外汉语网络教学涉及各种职业、各种年龄层次、各种语言文化背景的人,因此成功的教学网站必须覆盖面广且针对性强。网站可以按学习者职业的类别以及母语的不同设计相应的教学板块。

成功的对外汉语教学网站必须建成纵横交错的知识网络体系以及强大的检索功能。开发设计者必须先在众多离散信息间按词语、场景、功能、句型、语法、影像、图片等设立结点,然后建立结点与结点间的关系。用户可以根据自己的需要从不同的路径进入网站的不同板块,只需点击相关窗口或输入关键词,即可得到所需信息。这样既可以满足学习者学习、归纳、总结某一类内容的要求,也可以方便某些用户"急用现学"的查询需要。

成功的对外汉语教学网站必须有强大的服务功能,并且应当实现客户化的一对一自动管理模式,最大限度地照顾到个体性的差异。应充分利用已有的汉字、词汇、语法等级大纲等成果,做到学习材料层次分明,使学习者根据其水平有所选择。用户可以自行输入自己的水平等级及相关背景,也可以通过网上测试或人机对话后,由系统自行判断客户的汉语水平和需要,分类输送符合学生水平和需求的信息。网站还应有督促学习者学习的机制与奖励机制,并根据学习者的具体情况为其提供学习计划、课程指导方案以及不同风格的教法以供选择。

成功的对外汉语教学网站必须实现交互式的教学模式,营造有效的汉语教学环境,无论在硬件还是软件方面都要满足师生之间、学习者之间以及教师之间互动交流的需要。这包括网上提交与批改作业、网上讨论问题和辅导答疑、网上同业交流等等,使学习者能积极参与而不仅仅只是浏览材料、回答问题。

在特定的情景中培养交际能力是语言教学与习得的特点之一。这既是课堂教学的基本要求,也是对外汉语教学网站的设计原则。基于互联网的第二语言教学能否为语言学习者提供尽可能真实的情景,是网站成功与否的重要因素。教育心理学家指出,从听觉获得的知识大约能够记忆15%,从视觉获得的知识大约能够记忆25%,而两种传递知识的媒体结合,可以使学习者大约能够记忆65%。[①] 这就要求网站根据培养学生交际能力的需要以及真实、自然、实用的原则设计虚拟情景,并围绕情景

---

① 参见刘珣等《对外汉语教学概论》,北京语言文化大学出版社1997年版。

组织语言材料和音像材料,在一定程度上给人以直观、感性的认识。网络教学虽然无法提供真实的课外语言学习环境,但可以通过研制或链接,利用电子邮件、BBS、IRC(Internet Relay Chat)、媒体播放器等手段,将大量的素材摆在汉语水平不等的学习者面前,形成一个小社会。网站可以在同一场景下组织不同的语言材料,从而训练学习者在交际中的应对能力和语言得体性。

由于"语言理解包含着文化理解,语言理解需要文化理解"①,所以成功的对外汉语教学网站应该是一个了解中国文化的窗口。网站应当充分利用存储空间大的优势,充分体现以学习者为中心的原则,根据课文理解的需要,提供相关的文化背景知识。所提供的文化内容应当分类、分级,实行网状联接并隐藏在课文页面之后。学习者在需要的时候可以通过点击或检索功能展开。这样既可以满足学习者眼前的需要,又可以为他们以后进一步了解、研究中国文化提供门径。

成功的对外汉语教学网站应当实现听、说、读、写能力训练的均衡。说和写的训练需要对于错误的语言信息进行纠正,因此需要更先进的智能化技术。目前英语网络教学已有新技术可以在一定程度上适应这种要求,掌握100万句子的人工智能机器人(www.alicebot.org/alicepage—htm),可根据人们输入的句子自动生成书面回答,这为口语教学提供了方便。另外,IRC、互联网电话(Iphone)等等软件也可在世界范围内使学习者实现相互交流。在汉字书写方面,已出现的运用动态画面

---

① 参见许嘉璐《关于语言与文化的讲演提纲》,《中国教育报》2000年10月17日。

(flashcard)技术可清晰地展示汉字的笔画和笔顺(www.ocrat.com/ocrat/chargif)。在篇章写作方面,网站如果有强大的资金做后盾,则可聘请一些有经验的教师通过 e-mail 和 newsletter,对学生在写作方面出现的问题提供帮助。

较快的传输速度、及时的内容更新是每一个第二语言教学网站取得成功的基本要素。为了确保访问速度,在设计网站时应当考虑到低速接入及高速接入的用户的实际,建议将 Java Applets 文件、Flash 文件和 Shockwave 文件格式及声音文件格式与文本文件分开存放,便于用户根据自己的连接速度自主选择。为了实现内容及时更新,应设立专业人员收集用户反馈,进行定期维护,并在世界其他设有汉语系的大学的服务器上设立镜像。

成功的对外汉语教学网站在网页设计上也应当体现信息丰富、服务周到、使用方便的原则,详尽内容与有关链接相结合的模式,不应因其烦琐复杂导致学习者感到索然无味。

四 结语

基于互联网的对外汉语教学并非要为语言教学提供什么特别的方法。按照认知心理学的观点,只是学习者通过电脑对互联网上的课文和其他多媒体语料进行解码和建构,并在新的语言环境中得到运用,也就是将人—机交流最终转化为人—人交流。不管未来电脑技术怎样发展,不管网络教学具有多大的优势,人—机交流或虚拟人—人交流始终无法超越传统课堂及课外教学真实的人—人交流,因而永远不可能完全替代传统的课堂教学,而只能是对传统的学校教育的一种补充。

开展基于互联网的对外汉语教学,尚有很多问题需要我们第二语言教学工作者去研究解决,有些还需要我们对学生的学习过程进行跟踪调查。诸如与课堂教学比较,网络教学的学习效率如何,网络教材的开发应有哪些特点,网站怎样设计才更符合网上学习第二语言的规律,网络语言水平测试的信度、效度、区分度如何等等。然而基于互联网的对外汉语教学在近期必将有长足的发展,必将成为强化我们事业和学科的前军和后援,却是可以肯定的。

第四节 现代教育技术与汉语教学的改革[①]

一 现代教育技术在汉语教育改革中的地位和作用

教育技术是科学技术与教育相结合的产物,在科学技术和教育发展的不同时期它具有不同的内涵。自从上个世纪末幻灯运用到教育活动中以来,许多媒体技术相继运用于教育教学领域,例如电影、录音、广播、电视、投影仪等,后来又出现了声音同步幻灯机、录像电视系统、视听型语言实验室、计算机教学系统、卫星传播教学系统等多种媒体系统,近些年来多媒体计算机和网络通信技术又快速崛起。所谓现代教育技术,就是指以多媒体计算机和网络通讯技术为核心的信息技术应用于教育教学实践活动而产生并逐渐形成的一门独立的教育技术学科,有人称之为"现代教育技术学"。它的理论基础是系统科学(包括系统

---

① 本节摘自仲哲明《现代教育技术与对外汉语教学的改革》,《语言文字应用》1999年第4期。

论、信息论、控制论)和现代教育理论、学习理论。它的运用和发展既要遵循技术发展的规律，又要遵循教育发展的规律。现代教育技术的研究和运用，以现代教育理论和学习理论为指导思想，以多媒体计算机和网络通讯等信息技术为技术手段，理论与实践紧密结合，对教育教学过程和教育教学资源进行设计、开发、运用、管理和评价，以达到优化教育过程和教育资源，提高教育教学质量和效率的目的。可见，现代教育技术的运用绝不只是一般的教学方法、教学手段问题，它必将导致教学内容、教学方法、教学手段，以至教学模式和教育思想观念的深刻变革。正是在这个意义上，教育界的一些有识之士提出，现代教育技术是整个教育改革的制高点和突破口。中国教育部长也著文要求各级各类学校应"加强现代教育技术的研究和实践。要深刻认识现代教育技术在教育教学中的重要地位及其应用的必要性和紧迫性；充分认识应用现代教育技术是现代科学技术和社会发展对教育的要求，是教育改革和发展的需要"。既然现代教育技术是整个教育改革和发展（包括所有学科教学改革和发展在内）的制高点和突破口，那么语言学科教学改革当然也不能例外。如何在世界汉语教学中进一步运用现代教育技术，推动教学改革，提高教学水平，这是我们所面临的战略任务，在此世纪之交研究下个世纪世界汉语教学的时候，应该把它作为一个重要课题提出来加以讨论。

现代教育技术之所以在教学改革中具有如此重要的地位和作用，一方面是由于国民经济信息化和现代科技发展对教育的需求，另一方面也因为它自身的理论和技术的特点、功能比其他任何媒体技术更适应各学科，特别是语言学科教学改革的需要。

首先,现代教育技术的教学设计理论能够为改革传统教学模式提供理论指导原则。

多媒体计算机辅助教育系统(Multimedia Computer-Assisted Instruction,简称"MCAI")的教学设计理论是现代教育技术理论的一个核心内容。它为教学过程和教学资源的设计,为解决"怎样教"、"怎样学"提出具体的指导原则。它是连接教育理论、学习理论与教学实践的桥梁。从20世纪60年代以来,教学设计理论经历了几个发展阶段,形成了几种设计理论和方法。一种是以"教"为中心的设计。它的设计程序相当系统严谨,从教学目标的分析,知识点的确定,到分析学生特点,确定教学起点。再在此基础上进行教学策略和教学媒体的选择、设计。接着是形成性评价、反馈,根据反馈,再调整、修改教学内容和教学策略。进入20世纪90年代以后,随着多媒体技术的迅速普及和认知学习理论、建构主义学习理论的传播,一种新的以"学"为中心的教学设计逐渐形成。这种设计包括两部分内容:一是设计、创造良好的外部学习环境,二是设计自主学习的策略,目的是用有效的学习策略激励学生自身的学习主动性、积极性、创造性,充分发挥学生的认知主体作用。这是两种完全不同的设计理论,关键是它们对教学中教材、教学媒体,特别是教师、学生这四个要素的地位、作用,及其相互关系的认识不同,并作了不同的处理。前者认为教师是知识的灌输者,学生是被灌输的对象,学生围着教师转。教材是教师传授的不容学生置疑的内容,媒体是教师传授知识的手段。这种模式在中国、在语言教学领域有着根深蒂固的影响,多少年来的教学改革实践都未能从总体上改变它。后者则认为,学生是认知主体,是中心,教师围着学生转,教材是学生建构意义的对象,媒体则是学生认知的工具。实际上这两种设计理论各有自己的优缺点。前者显然是直接为传统的教学模式服务的。按照这种设计,整个课堂教学过程的组织、管理和控制都由教师掌握,好处是充分发挥了教师的主导作用,但是学生成了接受灌输的被动者,失去了学习的主动性。后者正好相反,优点是确认学生是学习活动中的认知主体,为学生自主学习创设良好条件。这种设计理论和实践是对传统模式的强有力的冲击,对于新的教学模式的创建,无疑是极为有利的。不过有时也容易忽视教师的主导作用,过分强调学生自主学习,自由探索,有可能导致偏离,甚至完全达不到规定的教学目标。所以,对这两种设计理论都不能绝对化,它们既有对立的一面,又有互补的一面。因此,近年来有人提出把这两种教学设计理论结合起来,取长补短,构建一种既发挥教师主导作用,又体现学生认知主体作用的所谓"双主教学模式"(吕必松,1999[1];何克抗,1999[2])。这是值得研究的问题。以"教"为中心的设计理论的缺点不在于它强调了教师的作用,而在于它夸大了教师的作用,忽视了学生。在教与学二者之间主要方面应该是学。学习是一个认知心理活动过程。学生的认知主体作用是任何人都不能替代的。教师的教学活动只是一种旨在影响学生内部心理过程的外部因素,当然这种因素也是永远不可少的,再先进的技术也不能完全替代教师的作用。所以,理想的模式应该是:在教学过程中,学生真正成为认知活动的主体和信息加工

---

[1] 参见吕必松《对外汉语教学概论》(内部资料),1999年。
[2] 参见何克抗《论现代教育技术与教育深化改革》(上、下),《电化教育研究》1999年第1、2期。

的主体,而不是"鸭子";教师是教学活动的设计者、组织者、指导者(包括传授知识),而不是学生的"主宰";教材内容应该灵活多样,重视语言能力和交际能力的训练,重视学习能力和学习方法的培养;教学媒体既是辅助教学的工具,更是学生自主学习的认知工具。这种设计思想,MCAI 比其他任何教学媒体都更能适应它的需求。

其次,MCAI 系统和网络系统(教室网、校园网、因特网)可以为语言教学创建理想的教学环境。

作为一种教学系统,MCAI 在教学中能够充当多种角色。它既是一位知识渊博、反映敏捷、诲人不倦的老师,又是一个友好合作、相互启发、共同探索的学习伙伴,还是教师学生的呼之即来、挥之即去、忠实服务的助手。

由于 MCAI 具有集成性特征,它能同步显示文本、声音、图形、图像、动画、视频等多种形式的信息,而且还有录音功能。学生既看得到,又听得见,还可亲自动手操作。通过多种感官的综合刺激,学生获得的信息量远比传统的单一听讲要多得多,也巩固得多。更重要的是可以按照教学设计的要求,把含有不同媒体信息的教学内容(如听、说、读、写、话题交际等)综合成一个有机整体,设计大量交际活动或模拟交际活动,为言语技能和言语交际能力的训练创设图、文、声、像并茂,丰富多彩的目的语言语环境。此外,MCAI 的网络特性、协作式学习策略,学生自主参与,都能够比较充分地调动学生参加学习和言语能力训练的主动性和积极性。这是传统教材和课堂教学做不到的。

MCAI 的超文本、超媒体技术可以对多种教学媒体信息进行最有效的组织与管理,有助于改革阅读教材,提高阅读教学质量。传统的文字教材、录音录像教材的信息组织结构都是线性排列的，即按单一顺序编排的，我们只能按顺序从头往后看。然而人类的记忆是网状结构的，人类思维具有联想特征。人在阅读或思考过程中，联想检索必然导致不同的认知途径。所以，这种线性结构的教材客观上限制了人的联想能力的发挥。超文本、超媒体技术采用了一种类似于人类联想记忆结构的非线性网状结构的方式来组织信息，这样的教材没有固定的顺序，也不要求读者必须按一定顺序提取信息，因而更符合人的思维特点和阅读习惯。此外，学生阅读课文时 MCAI 还可利用图像、音频、视频、动画等功能显示课文所描绘的环境，烘托气氛。这时人的感觉与阅读纯文字材料是大不一样的。如果遇到不认识的字词，不知道的人物、事件、成语典故等"拦路虎"，可以利用超文本链接技术，通过各种"热键"或"按钮"随时查阅图、文、声、像并茂的字典、词典和其他工具书、资料库，点到即查，唾手可得。然后循着导航路标安然返回原地。这样的阅读，省时、省事、省力，简捷、方便、明白，必然会增强学生的阅读信心和阅读兴趣，提高阅读理解的水平。

　　交互性是计算机区别于其他任何媒体的主要特征之一。多媒体计算机使人机交互的内容和方式更加丰富多彩。这种人机交互功能能够有效地激发学生的学习兴趣、学习动机，而且有利于学生认知主体作用的发挥。在传统的语音、词汇、语法等语言知识、文化知识的教学过程中，无论是教师讲授，还是使用电化教育手段，学生总是被动的，即使在言语技能训练课上，也由于学生人多或教不得法而使学生参与操练和练习的机会不多。在交互式学习环境中，学生可以按照自己的学习目的、学习兴趣和语言程度,选择学习内容、学习策略,安排进度,选择适合自己水平的练习,学习过程中还可根据实际情况对某些单元的内容进行放慢、重复、加速、跳过,或者放弃等调整。这样,过去班级教学中难以解决的由于学生个体特性和语言水平差异而产生的因材施教问题也就迎刃而解了。这不就是人们长久以来所期盼的"使学生获得主动的、生动活泼的发展"的境界吗? 当然这一切都要取决于教学软件的设计制作水平。

看来,如果充分运用现代教育技术理论和技术方面的优势,对外汉语教学中一些"老大难"问题的解决,有望逐步取得突破性的进展。外国人,特别是欧美人学汉语,在语言形式方面遇到的最大困难有两个:一个是声调,一个是汉字。而这两者也正是我们教学中的薄弱环节。语音学向来叫做"口耳之学"。声调教学过去主要靠教师口耳相传,口干舌燥,效果不好。现在有人运用现代教育技术手段,提高学生学习声调的兴趣和效率。据报道,澳大利亚纽卡素大学的同仁们研制了一个汉语声调教学软件。他们采用语音识别技术使通常看不到的四个声调图像化,把声调的标准频谱曲线显示到计算机屏幕上,学生可以跟读、录音、显示自己的声调曲线。通过曲线比较和重放录音,学生可以听到或看到自己所念声调是否正确。尽管这还只是"尝试",但已见效果,学生很感兴趣。(陈申、傅敏跃,1996)[1]至于汉字,一向被欧美学生视为"中国的难题"。我们的教学也确实有点乏味。近年来,国内外都有一些教师在研究、试验利用多媒体技术

---

[1] 参见陈申、傅敏跃《汉语教学的两个难点与电脑的辅助作用》,《世界汉语教学》1996 年第 3 期。

教学汉字,取得较好效果。其中北京语言文化大学研制出版的《多媒体汉字教学字典》较有特色。(郑艳群,1997)[①]《字典》收录 HSK 甲级汉字 800 个。字音不仅注有汉语拼音、注音字母,而且可以听到它的标准读音,学习者还可以作跟读练习,把自己的读音录下来,与标准读音进行比较。字形方面不仅分别用不同颜色把独体字、合体字以及构成合体字的部件(按意符、声符、记号、指示符号)标志出来,而且可以看到该字笔画、笔顺的动态书写过程。每个部件与汉字之间建立了超级链接,从一个部件可以联想到含有此部件的一系列汉字,而且又可查到每个字的音、形、义及用法等信息。每个义项后有英文释义,其后列出该字组词等用法举例及其英译。《字典》虽然看似一本工具书,实际上已具有教材和教师的功能。如果适当加以调整、改编,可以成为一个较好的多媒体汉字教学软件。这样的软件,内容科学准确,形式直观形象,方法灵活简便,视、听、读、写、练同时作用于学生的感官,有助于提高学习的效率。

二　大力研究、开发、应用现代教育技术,改革、发展汉语教学,迎接 21 世纪的挑战

信息时代的钟声已经敲响,世界范围内教育信息化潮流正滚滚而来。无论发达国家,还是发展中国家都面临机遇和挑战。面对这种情势,要么抓住机遇,勇敢迎战,要么被浪涛卷走,别无其他选择。我想我们只能选择前者,摒弃后者。

[①] 参见郑艳群《从〈多媒体汉字教学字典〉看多媒体汉语教学的特点》,《第五届国际汉语教学讨论会文选》北京大学出版社 1997 年版。

(一) 统一认识,迎头赶上

要从 21 世纪战略任务的高度来认识和对待现代教育技术。我们希望从事对外汉语教学工作的领导机构和学校,能够把研究、开发、推广应用现代教育技术,促进对外汉语教学改革,不断提高教学质量和效率作为一项跨世纪的任务加以落实。也许有人认为这是小题大做,本末倒置,或者认为中国经济技术落后,经费紧张,不具备条件。有不同看法是情理之中的事情。确实,进行对外汉语教学改革,要做的事很多,要研究的问题很多,为什么要把既要花钱又很麻烦的技术问题放到如此重要的地位呢?对于这个问题,我想不必争论,只要张开眼睛看看世界信息化的发展,看看中国国民经济信息化的进程,看看中国教育信息化的进展速度,看看对外汉语教学的现状,再闭上眼睛想一想,意见就容易统一了。至于后一种看法,我以为不完全符合实际。不错,中国经济技术是落后一点,经费永远都是紧张的,条件也不会自动具备。不过,也许正因为如此,我们才应该立即起步迎头赶上。

(二) 调查研究,制订规划

建议中国对外汉语教学领导小组办公室组织人力或者委托某个适当的机构进行一次全国性调查,弄清情况,制订对外汉语教学信息化发展规划。

调查内容主要是:对外汉语教学和改革的基本状况,教育技术硬件软件配置情况,在教学中实际使用情况,机器设备维护保养状况,教师的信息意识和对 MCAI 技术的熟悉程度,存在问题及原因,等等。此外对海外汉语教学比较发达的国家、地区的情况也应有所了解。

规划的拟订应从实际情况出发，既要积极，又不要冒进。要充分参照教育部教育信息化规划的要求、安排、步骤，有许多事情要在教育部领导下依靠大学来做。

（三）筹建或合办教育技术产业，狠抓教学软件的研究、开发、经营

软件是 MCAI 的灵魂。没有各种软件，硬件再好也只是一堆废物。没有软件，网络通讯系统再发达，就像高速公路上没有汽车，汽车里面没有货物一样尴尬。因此，要使 MCAI 在教改中真正发挥作用，必须拿出好的软件。软件少数可以引进，大部分靠自主研制，而且要成系列。要充分利用教育部将要在软件建设中采取基金制和后收购办法的机会，积极参与，理论研究与应用实践相结合，开发对外汉语教学的软件精品和其他语言教学软件。软件的设计、制作是跨学科的综合性事业，必须要有各方面的专家和技术人员通力合作。因此，必须逐步建立一支专兼职结合的研究开发队伍，专职人员要精干，各种形式兼职的人员可多一些。这支队伍至少要有下面几种人参加：懂教育理论、学习理论的对外汉语教学专家、教师，语言学家，信息技术专家，美工人员等。

软件的研究开发，还要发动并依托高等学校，他们不仅有信息化人才、技术和开发优势，而且还有教育教学的优势。可以合作开发，也可采取征集、评比的办法，好的推荐使用或者收购。

（四）在开发软件的同时，要积极推进对外汉语远程教育建设，举办网上学校

随着卫星、光缆和电视以及各种双向交互式电子通讯技术的发展，特别是随着全球多媒体计算机和网络技术的普及，发展现代远程教育已是 20 世纪 80 年代以来国际教育发展的重要趋势。远程教育正从以广播电视为主体，以个人自学、集中辅导的学习方式向以多媒体技术和计算机网络为主体，以自主的个别化学习与交互式协同学习相结合的学习方式发展，对各级各类学校的教学内容、教学方式方法将产生革命性的影响。目前世界上已有 100 多个国家开展了远程教育。中国教育部按照《面向 21 世纪教育振兴行动计划》的决定，已制定了《全国现代远程教育发展规划》。拟用 3 年左右时间在中国教育和科研计算机网(CERNET)和卫星电视教育网的基础上初步建立起现代远程教育网络体系。CERNET 主干网速率将由现在的 2M 提高到 155M 以上，部分地区网由 256K 提高到 2M—34M，实现全国全部本科院校、229 所教育学院、1 000 所中学、500 所职业技术学校与 CERNET 联网，并争取计算机进入 50 000 名教授家。到 2010 年，基本形成多规格、多层次、多形式、多功能的现代远程教育体系，构建开放的学习体系和终身教育体系，届时所有高校师生都能上网学习和交流。

（五）大力培训教师，不断提高他们的专业水平和现代教育技术应用能力

多媒体计算机和网络技术对语言教学的重大作用是肯定的，但是，不管技术多么先进，都是人赋予它的，硬件也好，软件也好，都是人设计制造的。真要发挥现代教育技术的作用，持续提高对外汉语教学质量，关键还在教师自身的水平。因此，有计划、分层次地培训教师，是当前一项头等重要的大事。通过培训，使教师更新教育思想观念，明确职责，刻苦地、坚持不懈地进行科学研究和教学研究，大胆地、创造性地进行教改实验，不断

总结,不断提高;通过培训,帮助广大教师了解 MCAI 的理论和操作技术,少部分骨干教师要达到能够独立设计教学软件的水平,普通教师至少能比较熟练地掌握应用技术。

第二章
汉语信息处理与汉语教学

第一节 语料库的建设、加工与检索

壹 汉语语料库建设与发展[①]

一 汉语语料库的创建

(一) 语料库的术语国家标准

在 1990 年公布的国家标准(GB12200.1—90)《汉语信息处理词汇·01 部分·基本术语》中,对"语言资料库"(即语料库)及其相关的"文本"和"语言知识库"已经都有所界定:

4.1.2.14 文本 text
语言的符号串,文字信息的处理对象。

4.1.2.15 语言资料库 corpus
文本的有序集合。各种分类、检索、综合、比较的基础。

4.1.2.16 语言知识库 language knowledge base
计算机所存储的语言知识的集合,它是计算

[①] 本节摘自张普《关于汉语语料库的建设与发展问题的思考》,《中文信息处理若干重要问题》科学出版社 2000 年版,第 166 页。

机从语音、文字、词汇、句法、语义、语用等角度对语言进行信息处理的基础。

这个国家标准是 1986—1988 年间经过 7 稿修订报批的。制定过程中,曾在中国中文信息学会广泛征集意见,几乎当时绝大部分有代表性的语言信息处理专家,包括计算机专家和语言学家两部分学者,都参加了反复的研究和讨论,今天看来,虽然不无可推敲之处,但是基本上是正确的。

语料库是文本的集合,但不是随便的集合,而是文本的"有序集合",至于是什么序,则是和建库的目的、研究的目的、加工的目的有关的。这些"目的"被概括为"各种分类、检索、综合、比较",语料库就是这些加工工作的"基础"。

(二) 从中文信息处理到汉语信息处理

本来"GB12200.1—90"这个国家标准研制的项目叫"中文信息处理词汇研究",不叫"汉语信息处理词汇研究",因为这方面的学会名称也是"中国中文信息学会"。当时在上海还有一个"汉字信息处理系统研究会",和中国中文信息学会一南一北,十分活跃。1989 年我曾经说:"很长一个时期以来,在我国学术界没有提'汉语信息处理',甚至一开始也不叫'中文信息处理',而是叫'汉字信息处理'(Chinese character information processing),这是因为汉语信息处理的开端是由'字处理阶段'入手的,这个阶段是汉语处理所特有的。西文无所谓'字',26 个拉丁字母(或其他字母)及必要的符号解决之后,就直接进入词处理阶段,同时,由于有较丰富的形态标志,词处理向句处理的过渡也有良好的基础。"①

汉字频度、汉字编码、汉字输入法、汉字交换码、汉字内码、汉字点阵、汉字库、汉(字)卡等等一系列的研究,构成了汉语信息处理的字处理阶段;而词频统计、词汇编码、词库设计、自动分词、分词规范、词性标注、电子词典等一系列的研究构成了汉语信息处理的词处理阶段。汉语只有进入了词处理阶段之后,才算是真正开始了语言信息处理的研究。那时候大家的认识是:字处理只不过是汉语信息处理的序曲、奠基或前提,中国中文信息学会的刘涌泉副理事长在一次会议上就曾经风趣地说过:"学会的二级专业委员会中,汉字编码专业委员会寿命最短,别看现在它最热闹,自然语言处理专业委员会寿命最长,尽管现在它最冷清。"因为自然语言处理专业委员会研究的是语言信息处理,在中国主要是汉语信息处理。

基于这样的认识,我们在研制《中文信息处理词汇》的过程中,最重要的成果是将项目名称"中文信息处理词汇研究"更名为"汉语信息处理词汇研究"。② 该标准的第一集"基本术语"最前面的"一般术语"中,最重要的第一、二、三条术语收录的就是:"语言信息处理""汉语信息处理""汉字信息处理",没有收"中文信息处理"这一条,考虑到学会的名称和学术发展的历史,在"汉语信息处理"条的解释中,有一句"有时又称中文信息处理"。

---

① 参见张普《中文信息处理研究与发展前瞻——中国语言研究面临的挑战与机遇》,《汉语信息处理研究》北京语言学院出版社 1992 年版。

② 参见张普《〈汉语信息处理词汇·01 部分·基本术语〉国家标准(草案)的研制说明》,《汉语信息处理研究》北京语言学院出版社 1992 年版。

正是由于进入语言信息处理层次的汉语信息处理的需求,基于汉语语料库的研究日渐蓬勃,汉语语料库的研究、建造和加工成为计算语言学领域一个重要的分支和强大的支柱。

(三) 面向语言本体研究和语言教学研究的语料库

中国语料库的建设始于20世纪70年代末和80年代初,那时的语料库大多不是为了自然语言理解的目的。无论是汉语语料库,还是其他语种的语料库,最早的语料库建设都是面向语言本体研究或语言教学研究的现代化的。[①] 例如:

我们在武汉大学建立的"现代汉语语言资料库",收录语料的原则完全遵循传统的"以典范的现代白话文著作为语法规范"的原则,因此入选的文本当然就是老舍、曹禺、巴金、叶圣陶等位先生的名著全文。所以有人把我们的语料库叫做"中国文学名著语料库"。当时那个语料库的软件系统就已经可以进行字的频度统计,生成汉字"频度表",自动编纂"逐字索引",还可以统计专著的句长频度,计算平均句长,可以检索每个字的上下文。语料库的直接作用是为当时编纂的《汉语大字典》补充现代汉语例句,同时还由四川人民出版社出版了一套《现代汉语语言资料索引》,也主要是为语言工作者(那时大家都没有电脑,见到过计算机的人也为数不多)作研究时查找例句使用。第一册书前有吕叔湘先生的"序",他在最后说到:"他们的工作在语言研究手段现代化这件事上做了一个良好的开端,我希望有更多的语言工作者和计算机专家结合起来,把这项有重大意义的工作推向

---

① 参见黄昌宁、李涓子《语料库语言学》第一章,商务印书馆2002年版。

前进,取得更丰硕的成果。"①我那时在语言学的"六五"规划会上也是公开地说"我们愿意做大家的资料员"。1980年我在《中国语文》通讯第2期的《关于语言研究手段的现代化》中也说:"不采用现代化的搜集资料的手段,新的研究方法的使用,新的语言理论的产生都要受到局限,我们必须在语言研究现代化的进程中把研究手段的现代化置于格外重要的地位。"到了1983年初,我们就在全国语言学规划会议②和中国中文信息研究会第二次学术年会③上分别报告和散发了《语言自动处理中心和现代化语言资料中心的建设规划》,内容包括"一软三库","一软"是"语言自动处理软件系统","三库"是"语言资料库"、"语言知识库"和"语言数据库"。我在《建设规划》中有一张图,描述语言研究现代化的三个组成部分(图1)。足见早期我们的语料库建设明显地是从语言研究的现代化出发的,说那时的语料库建设的主要目的是为了语言研究的现代化是恰如其分的。

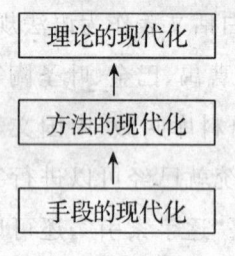

理论的现代化
↑
方法的现代化
↑
手段的现代化

图1 语言研究现代化的三个组成部分

当时杨惠中、黄人杰在上海交通大学做的是"英语语料库",其进展速度和规模与我们差不多,目的也是为研究语言本身来服务的。

而1985年北京语言学院(今北京语言大学)建成的"现代汉

---

① 参见吕叔湘为《现代汉语语言资料索引·第一辑·老舍〈骆驼祥子〉》所写的序,四川人民出版社1983年版。
② 全国语言学规划会议,山西太原,1983年。
③ 中国中文信息研究会第二次学术年会,湖北武汉,1983年。

语语料库",北京师范大学建成的"中小学语文课本语料库",则都是面向汉语教学的,前者面向对外汉语教学,后者面向国内中小学语文教学。

(四) 面向语言信息处理的汉语语料库

差不多同时,早期的面向语言信息处理的汉语语料库建设也开始了。1981年,由北京航空航天大学为主办单位,北京大学、中国人民大学、武汉大学等10所大学为参加单位,承担了国家科委委托国家标准局下达的"现代汉语词频统计"任务,为此建立了一个现代汉语语料库,该语料库从约3亿字的选材中抽样采选了约2 500万字。

"现代汉语词频统计"1986年6月30日完成了国家级鉴定。该工程收录的语料从1919—1982年,共分为四个时期采选语料,即第一时期(1919—1949)、第二时期(1950—1965)、第三时期(1966—1976)、第四时期(1977—1982),每一时期都分为社会科学和自然科学两大类,每一大类又分为五个子类。选材来源包括:报纸、期刊、教材、专著、通俗读物(包括科普读物)等。各类都有一定比例,采用随机和有规律抽样的原则来采样。研究的主要目的和结果是要确立"中文信息处理用通用词表",词表的确立考虑了频率(P)、状态数(Z)、均匀性(J)、定型性(D)、覆盖率、词长函数(K)、状态函数(L)、选词函数(F)等。选词函数为:$F = P \times Z \times L \times J \times D \times K$,其中:$P \times Z$为词的使用度,$L \times J \times D \times K$为选词因子,其选词函数可以说既考虑了共时因素,也考虑了历时因素。这个语料库的面向语言信息处理的性质是十分清楚的了。由于要建立中文信息处理的"通用"词表,所以在语料的采选方面更考虑其平衡的特点,因此语料库更接近于

"平衡语料库"。由于立项的当时还处于"汉字信息处理"阶段，所以词表的建立考虑的是"中文"信息处理通用，而不是"汉语"信息处理通用。甚至可以说当时主要考虑的是汉字编码输入的问题，词表当时"不收单字词"（GB2312字符集中已有），"多字词优先"，并明确地说："以二字词为主。但是，因为三字以上词的收录可以**更好地提高编码输入及传输的效率**（黑体为笔者所变），而且词的字数越大越有利，因而，酌情加大多字词的收录。"①这就足以说明其主要为了汉字编码输入的目的了。

不过，这次词频统计采用了人工分词和计算机自动分词相结合的方法，从自动分词的角度看，是进入语言信息处理的开始阶段了。自这个语料库开始，面向语言信息处理的语料库建设一发而不可收。

所以，从建设的目的来看，我们可以把语料库分为两大类：一类是面向语言的本体研究和语言教学的，一类是面向语言信息处理的。二者之间的目的明显不同，虽有差别，但也可以互相参考或服务。例如：北京语言学院出版的《现代汉语频率词典》本来是为对外汉语教学参考的，但是信息处理界也大量借鉴；北京航空学院的"现代汉语词频统计"本来是为信息处理用的，对外汉语教学领域制定HSK（汉语水平考试）的词汇等级大纲时也作为重要的依据之一。更重要的是：因为要得到面向机器的语言规则，基于语料库的统计分析也需要语言学家的支持和参与，计算语言学专家和计算机专家也采取"将欲取之，必先予之"

---

① 参见刘源《现代汉语词频测定及分析》，《现代汉语定量分析》上海教育出版社1989年版。

的做法,帮助语言学界建立语料库和语料库的加工、检索工具。另外,一些接受了对语言进行计量分析和形式分析方法的语言学工作者也同样采取"工欲善其事,必先利其器"的态度,学习语料库的开发或积极与计算机界合作。从 20 世纪 90 年代开始,随着国际计算语言学领域向大规模真实文本信息处理的战略转移,我国计算机界与语言学界在语料库语言学领域的合作进入了一个新的阶段。许嘉璐教授在任国家语委主任期间,与已故中国中文信息学会理事长陈力为总工共同致力推进了国家级语料库的建设,并加快了面向语言信息处理的语言文字标准和规范的研究。①

国际上语料库建设与研究的发展历程也大致如此,也是有面向语言研究和教学的现代化的语料库建设和面向语言信息处理的语料库建设两类,并且这两类正在互相支持,互相促进,互相渗透。本文主要谈汉语语料库的建设与发展,因此不过多涉及国际语料库的问题,只在某些时候需要借鉴时会提到。

二 大规模真实文本汉语语料库

(一) 规范文本与真实文本

从 20 世纪 90 年代开始,国际自然语言处理领域发生了一些重大变化。其重要特征之一就是转向对大规模真实文本的研究和处理。毋庸讳言,以大规模真实文本为基础的语料库及其语言研究和知识自动获取受到高度重视,并且越来越走向深入

---

① 参见许嘉璐《关于语言文字规范问题的若干思考》,《语言文字应用》1998 年第 4 期。

和实用。1993年清华大学黄昌宁教授在《语言文字应用》第2期发表《关于处理大规模真实文本的谈话》,指出国际计算语言学界已经把大规模真实文本的处理确定为未来一个时期的战略目标,这将会给语言文字的研究带来巨大的影响,他还认为这种变化和发展给语言文字研究带来的巨大影响之一就是语料库语言学的崛起,该文引起语言学界的注意。

黄昌宁先生还说:"最原始、最可靠的语言证据只能来自使用中的客观的语言材料。这就是语料库语言学的一个基本观点。"他还认为:"在一个专业领域中能否处理未经编辑或非受限的真实文本以及处理文本的数量之多少,本来就是衡量一个自然语言系统究竟是实用化系统还是实验性系统的准则。"[①]

黄昌宁教授为"真实"至少指出了三点:使用中的、未经编辑的和非受限的。

从这三个特点出发,我们认为"使用中的""未经编辑的""非受限的"文本有一个基本共同点,就是这些文本一般来说是含有一定错误的文本,或者说是含有非规范用法的文本,这样的文本才是真实文本。

但是面向大规模真实文本的这样的转移,却与语言学界传统的语料收集特别是语言规范的研究格格不入。《语言与语言学词典》中"Prescriptive Linguistics"条目有两种解释,一种解释是"规定语言学",或者译作"规范语言学",指的是"一种对待语言研究的态度,它试图建立正确用法的规则,古希腊和古印度

[①] 参见黄昌宁《关于处理大规模真实文本的谈话》,《语言文字应用》1993年第2期。

的语法学家曾试图以**最著名的文学著作作为范本**(黑体为笔者所变)来确定这种规范。这是一个直到今天许多经典语法著作一再重复的传统"。① 我们的早期语料库的语料都是选择的语言大师们的作品,所尊崇的原则正是"以典范的现代白话文著作为语法规范"。

　　实际上,最近从事社会语言学和计量语言学研究的学者,已经注意到"规范文本"的限制,专门进行语料库语言学研究的学者更有清楚的认识,John Sinclair 曾说:"如果对于语言的用法我们有一种更趋向现实的看法,我们必须记录下大量普通作家语言的使用法而不是少数几个天才的和聪明的记者的笔法。""为了研究词在文本中的真实情况,我们需要有大量的关于词的出现情况统计。"②而这和国际计算语言学界向大规模真实文本的战略转移又是不谋而合的。

　　在语言的信息处理方面,面临的问题是:不仅要能处理规范文本,而且必须要能处理大规模真实文本才能走向实用。一方面是处理大规模真实文本的需要,须知按照从"规范文本"提取的语言知识训练出来的语言信息处理系统,就像生活在"无菌环境"中的婴儿,一碰到"真实世界"中的大规模真实文本的非规范现象,动辄"伤风感冒"是必然的。另一方面也是语言本身的客观需求,也要看到语言本来就不是静止的,语言各个层面所有的变化,在一开始都会被视为是不规范的现象,但是一旦跟从者

---

　　① 参见 R. R. K. 哈特曼、F. C. 斯托克著,黄长著等译《语言与语言学词典》,上海辞书出版社 1981 年版。

　　② 参见 John Sinclair. *Corpus Concordance Collocation*(《语料库、检索与搭配》),上海外语教育出版社 1999 年版。

众,就会约定俗成。

语言需要社会规范,使用语言进行交际时要遵循规范,这和允许个人使用语言时含有不规范现象并不矛盾。规范与发展应该是辩证统一的。我们甚至可以说一切创新都隐匿在非规范非约定的现象之中,语言的生命力就体现在规范和非规范的不和谐规律之中。例如:一切新词、新义、新用法一开始总是不在约定和规范之中的,通过"对话"和"讨论",利用"已知"对"新知"作出"解释"或"纠错",新知一旦被大家接受并广为传播,最终将进入约定或规范。如果不能对话或者没有解释,理解就只能是通过上下文进行"容错"式的模糊理解。自然语言理解所面对的众多阅读理解文本,常常就是这种真实文本,只能进行容错式的模糊理解的文本。

因此,在某种意义上说,没有这种面对真实文本的应用,自然语言理解也就没有了生命力,失去了机器学习(新知识)的机会。而在这方面,研究语言的历时变化的社会语言学家,研究变化的成熟度的计量语言学家和研究语言标准和规范化的学者们,同样关注基于大规模真实文本的语言的统计分析。

(二) 经验主义与唯理主义

黄昌宁(1993)在同一篇文章中还认为语料库语言学的崛起反映了"现代语言学研究中经验主义思潮的复苏",在语法研究方面促动"从宏观到微观的回归"。

经验主义与唯理主义在计算语言学界的体现常常被归结为:"基于语料库"的和"基于规则"的。基于语料库就是"基于统计"的,基于规则就是"基于内省"的 。前者是经验主义的,后者是唯理主义的。这两种基本方法和两种方法的结合对计算语言学界的影响之巨大和深远是众所周知的。除唯理主义方法外，经验主义方法和两种方法结合的方法都离不开大规模真实文本的语料库。在对唯理主义盛行和经验主义复苏进行了分析之后，黄昌宁等说："20世纪80年代以来语料库语言学的复兴,在很大程度上反映了语言学界的一种普遍心态,即想要恢复语言研究中人工数据和自然数据的平衡。既然语料库的研究方法和基于内省的唯理主义方法各有长短,为什么不能让二者共存或结合,以充分发挥其互补的优势呢?"①

无论是从面向语言本体研究看还是从面向语言信息处理研究看，超大规模动态连续的语料库，都是民族的国家的数字化的基础资源，语料库的建设和语料库语言学在世界各国的崛起，国家级语料库纷纷出现及在世界各国所处的重要战略地位，都应该引起我们的高度重视。

没有一个强大的不断滚动和不断深入加工的国家语料库，即使进入了汉语信息处理阶段，要想在汉语理解方面取得决定性的重大突破也是十分困难的。我们也许可以说：汉语信息处理的深度是与语料库的加工深度相辅相成的。

许嘉璐(2000)曾说："到目前为止,中文信息处理基本上还停留在'字处理阶段',也就是说计算机对汉语的'认知'是一个字一个字地进行。""如果我们说得'宽宏'一些,最多可以说现在是处在'字和词处理之间'阶段。""中文信息处理技术虽然在有些方面有所进步,但至今还没有跨上'语言处理'这个台阶。"②

---

① 参见黄昌宁、李涓子《语料库语言学》，商务印书馆2002年版。
② 参见许嘉璐《现状和设想——试论中文信息处理与现代汉语研究》，《中国语文》2000年第6期。

如果从应用的角度看,当时的评价也不为过。

(三) 语感是理性主义还是经验主义

理性主义是基于内省的,而内省的规则主要是依据语言学家的直觉和语感。理性主义的典型代表是 N. Chomsky、C. J. Fillmore 以及 Schank 等。

但是什么是直觉?语感是怎么得来的?从表面上看,的确是表现为语言学家的主观"理性",这种理性来自语言学家的直觉和语感(俗称"拍脑袋"),而深入追究的话,语言学家的直觉和语感又是从哪里来的?是否是来自先天和遗传?受篇幅所限,本文不准备讨论这个复杂而目前又说不清楚的问题。公认的看法是至少与后天的语言实践有关,语感和直觉的产生,都是后天的语言实践的结果,直觉和语感都是从客观语言实践获取的。因此,每个人的语言实践的历程不一样,直觉和语感就不会相同。[1] 包括文化水平、阅读范围、交际领域、个人性格等等因素都会影响到直觉和语感的形成与区别。

所以,我认为直觉和语感看似是理性主义的,说到底还是经验主义的。只不过基于语料库的经验主义是用抽样统计的方法获取的大家的(或者说是大众的、公众的)语言实践经验,是一种共时的经验,所以常常费尽心机,务求"平衡";而基于内省的所谓"理性",其实就是某个人自己的语言实践经验,是个人一生的语言实践的积累的结果,是历时的语言实践经验。

---

[1] 参见张普《关于语感与流通度的思考》,《语言教学与研究》1999 年第 2 期。

三 语料库的类型

(一) 平衡语料库与平行语料库

1. 平衡语料库主要是从语料代表性与平衡性出发的。我们曾经提出语料采集时的七项原则,即:语料的真实性、语料的可靠性、语料的科学性、语料的代表性、语料的权威性、语料的分布性和语料的流通性。其中的分布性还要考虑语料的学科领域分布、地域分布、时间分布、语体分布等。

何婷婷认为平衡语料库是"预先设计语料库中语料的类型,定义每种类型所占的比例,并按这种比例组成语料库,如众所周知的 Brown 语料库"。[①]

黄昌宁和李涓子则认为:"语料库的代表性和平衡性是一个迄今都没有公认答案的复杂问题。里奇(Leech,1991)曾指出,一个语料库具有代表性,是指在该语料库上获得的分析结果可以概括成为这种语言整体或其指定部分的特性。早期布朗或 LOB 语料库的结构是经过小心设计的,因此它们通常被分别视为美国英语和英国英语在那一特定时期的代表。当然,代表性和平衡的概念在最终的分析中取决于判断,而且只能是近似的。"[②]

我也曾经在 1999 年说过:"虽然散布和分布的考虑使得语料库的建立进一步科学化,但也仍然存在值得推敲的问题,主要

---

① 参见何婷婷《语料库研究》(博士论文)。
② 参见黄昌宁、李涓子《语料库语言学》,商务印书馆 2002 年版。

的问题是：①各个分布点所选取的语料量的科学依据是什么？②使用度是否已经完全真实地反映了语言的使用情况？"①

例如：以"新闻报刊"语料而言，在不同的语料库中所占的"平衡"比例并不一样。北航现代汉语词频统计语料库中占16.2%，国家级现代汉语语料库中占13.79%，国家"八五"汉语语料库占14.3%②，北京语言学院现代汉语语料库中占24.39%，而著名的布朗语料库和LOB语料库分别各占17.6%。哪个比例是科学的？

又例如：当时（1999）我曾经列举前些年使用度较高的"粮票""万元户""脑黄金""呼啦圈""大哥大"，现在已经用得不多了，而前些年使用度不高的"证券""股票""保险""互联网""光盘""手机""（焗）油"现在用得正火，而现在用得正热的"房改""下岗""分流""克林顿""回归"过两年使用度又会如何？现在使用度还不高的"欧元""埃居""天网""地网""视窗98""远程教育""全数字电视"等过几年又会怎样？今天看来，当时估计的"高的下去"和"低的上升"都"不幸言中"了，那是因为语言在不断变化，所以我们还需要探讨监测语言变化的动态流通语料库。

2. 平行语料库一般说有两种含义，一种是在一种语言中的语料上的平行，例如正在建立的"国际英语语料库"，共有20个平行的子语料库，来自以英语作为母语或官方语言和主要语言的国家，如英国、美国、加拿大、澳大利亚、新西兰、新加坡、印度

---

① 参见张普《关于大规模真实文本语料库的几点理论思考》，《语言文字应用》1999年第1期。

② 参见黄昌宁《关于"八五"汉语语料库选材原则和语料分布的初步考虑》，《中文信息处理应用平台工程》电子工业出版社1995年版，第19页。

等,其平行表现为语料选取的时间、对象、比例、文本数、文本长度等都几乎是一致的。建库的目的是对不同国家的英语进行对比研究。又例如:香港理工大学的"中港台汉语语料库"、香港城市大学的"中文五地区共时语料库"也都是一种平行语料库,要研究华语在不同地区的使用情况和进行对比分析。后者对不同地区采样的媒体、采样的时间、内容、版面、字数等也都有严格一致的规定。这类平行是语料采样的平行,是文本(外)的平行。

另一种平行语料库是在两种或多种语言之间的平行采样和加工,例如:机器翻译中的"双语对齐语料库",两种不同语种的同一内容文本内部平行,法国国家科研中心 CATAB 实验室的"圣经语料库",收集各种不同语种和版本的圣经进行比较研究,多种语言的同一内容文本内部平行。这是语料加工的平行,是文本内的平行。

(二) 通用语料库与专用语料库

所谓通用语料库实际上与平衡语料库是从不同角度看问题的结果,或者说是与专用领域对举的结果。为了某种专门的目的,只采集某一特定领域、特定地区、特定时间、特定类型的语料构成的语料库就是专用语料库。例如:新闻语料库、科技语料库、中小学生语料库、中介语语料库、北京口语语料库等。

实际上我们很难界定什么领域是通用领域,什么样的语料属于通用语料。但是对于专业术语而言,我们确实可以把在各个领域都使用的非专业术语的那些词语叫通用词语。所以通常也没有人能建立一个只用通用词语的文本构成的语料库。

一般都是把抽样时仔细从各个方面考虑了平衡问题的平衡

语料库也叫通用语料库。何婷婷将国家级语料库称为"现代汉语书面语通用平衡样本语料库",黄昌宁、李涓子在描述中国台湾省中央研究院的平衡语料库时说:"他们的最初目标是要建立含200万词次的语料库,几年后又将最终目标确定为500万词次,接近计算语言学界通用语料库的规模。"他们所说的"通用语料库"实际上都是某一种平衡语料库。

(三)共时语料库与历时语料库

1. 所谓共时语料库是为了对语言进行共时研究而建立的语料库。按照索绪尔的观点,共时研究是研究大树的横断面所见的细胞和细胞关系,即研究一个共时平面中的元素与元素关系。中文五地共时语料库就是收集的典型的共时语料,由香港城市大学建立的这个语料库预计采集中国大陆、中国香港、中国澳门、中国台湾省和新加坡五地的1995—2005年10年内的报纸语料,每4天采选一天的报纸,包括社论、第一版、国际和地方版以及特写和评论等内容。每天各地均采集两万字[①]。无论所采集的语料的时间段有多长,只要是研究一个平面上的元素或元素关系,就是共时研究,就是共时语料库。例如北航的现代汉语语料库,采样从1919—1982年,跨度60多年,共分4个时间段采样:1919—1949年、1950—1965年、1966—1976年、1977—1982年,各时间段占不同比例,最后统计出现代汉语词频。时间段的抽样只是一种时间轴的散布,再加上领域轴的散布等,可以使得抽样更合理,频率的科学性得到进一步的调整,但是这个频度表仍然是现代汉语的共时频度表,语料库仍是共时语料库。

---

① 参见黄昌宁、李涓子《语料库语言学》,商务印书馆2002年版,第87页。

2. 所谓历时语料库是为了对语言进行历时研究而建立的语料库。按照索绪尔的观点,历时研究是研究大树的纵剖面所见的每个细胞和细胞关系的演变,即研究一个历时切面中的元素与元素关系的演化。他说:"共时语言学研究同一个集体意识感觉到的各项同时存在并构成系统的要素间的逻辑关系和心理关系。历时语言学,相反地,研究各项不是同一个集体意识所感觉到的相连续要素间的关系,这些要素一个代替一个,彼此间不构成系统。"[①]"历时和共时的对立在任何一点上都是显而易见的。"他认为它们是"在方法上和原则上对立的两种语言学"。因为"共时'现象'和历时'现象'毫无共同之处:一个是同时要素间的关系,一个是一个要素在时间上代替了另一个要素,是一种事件"[②]。

根据历时语料库得到的统计结果就不像共时语料库的统计结果是一个频次点,而是依据时间轴的等距离抽样得到的若干频次变化形成的演变曲线,我们把这种曲线称为变化的"走势图",例如"短信"(2002)和"唐装"(2001)的走势图(图2)。

当然,只要进行了时间轴的抽样设计,一个共时语料库也可以进行历时的研究,一个历时的语料库,除了获得走势图外,当然也可以获得累计和平均的数据,进行共时的研究分析。这就是历时中包含有共时和共时中包含有历时的相对时间观。[③]

[①] 参见费尔迪南·德·索绪尔《普通语言学教程》,商务印书馆 1980 年版,第143 页。

[②] 参见费尔迪南·德·索绪尔《普通语言学教程》,商务印书馆 1980 年版,第131 页。

[③] 参见张普、石定果《论历时中包含有共时与共时中包含有历时》,《语言教学与研究》2003 年第 3 期。

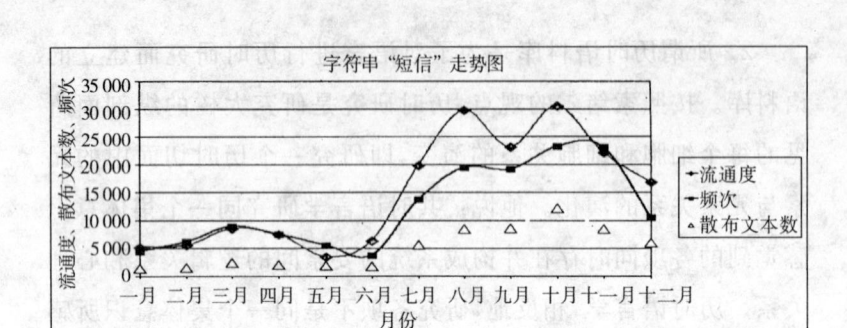

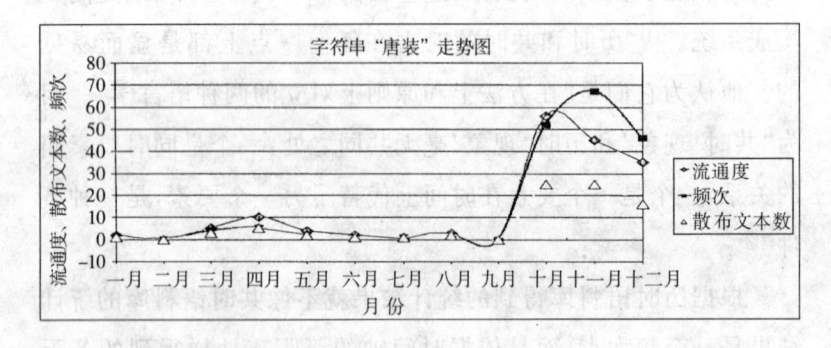

图2　词汇动态变化曲线图

我们认为:是否是历时语料库,有四条基本原则,即:

(1) 是否是动态语料库。

语料库必须是一个开放的语料库,活语料库。其语料的采集是动态的,其库容量将逐步逼近测量种族的信息量。

(2) 语料库的文本是否具有量化的流通度属性。

所有语料都来源于大众传媒,都具有采用不同计算方法的与传媒特色相应的流通度属性。其量化的属性值也是动态的。

(3) 语料库的深加工是否基于动态的加工方法。

语料的加工方法也是动态的。随着语料的动态采集,语料也进行动态的加工。语料是历时的,加工也是历时的。

(4) 是否取得动态的加工结果。

语料的加工结果也是动态的和历时的。即其量化的统计结果不是一个点,而是由无数量化的点构成的一条线,一条可以观察到历时变化的曲线。

据资料记载:英国科林斯出版社和伯明翰大学建立的COBUILD语料库、赫尔辛基历史英语语料库、国家语委的国家现代汉语语料库、北京语言大学应用语言学研究所DCC博士研究室的"DCC动态语言知识更新语料库"都被认为是动态的或历时的语料库,我们可以用上述标准进行衡量。

(四) 其他分类

语料库当然还可以按照其他标准来分类,例如按照语种可以分为单语种语料库和多语种语料库;按照媒体可以分为单媒体语料库和多媒体语料库;按照地域可以分为国家语料库和国际语料库等,例如欧洲和日本都建有多国多语种语料库,英国建有国际平行语料库,受篇幅所限,不具论。

四 汉语语料库系统构成

我们曾经这样概括一个语料库系统的总体构成,即由以下五部分组成,简称"一软四库":

(1) 语言自动处理软件系统。

(2) 语言资料库。

(3) 语言知识库。

(4) 背景知识库。

(5) 语言数据库。

我们这样来描述"一软四库"之间的关系(图3)。

每一个部分还有自己的次级构成,例如:语言知识库是对语料库进行深加工处理的基础知识,至少还要分为6个子库:语音知识库、词汇知识库、语法知识库、语义知识库、语用知识库和汉字知识库,目前已经拥有较多知识的是词汇知识库和汉字知识库。以汉字知识库而言,就包括字音知识、字形知识、字义知识、字量知识、字序知识等。再以字形知识而言,又先分为整字字形知识、部件知识、笔画知识等,整字字形知识还可以再分为繁简体知识、异体知识、新旧字形知识等等不一而足。

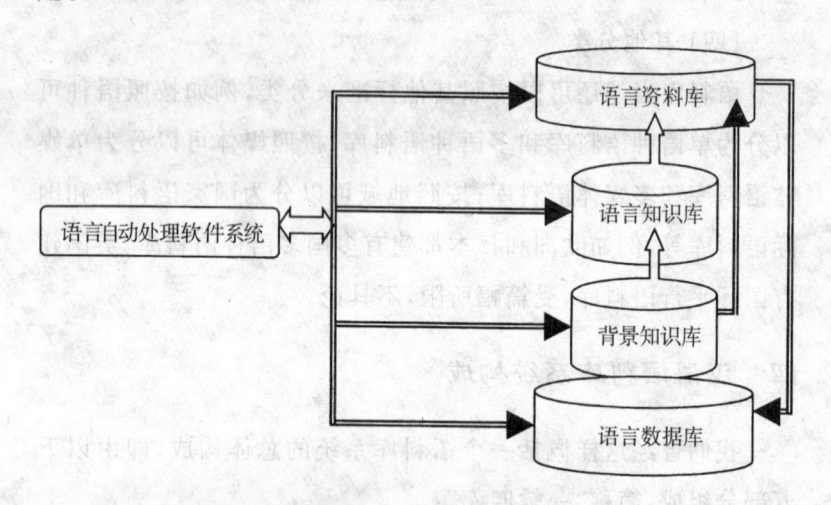

图3 语料库自动处理总体系统图

五 汉语语料库的标记

我在讲述语料库的建设时,一直把语料库的标记分为两大类:文本内的标记和文本外的标记。

(一) 文本内的标记

业界通常所说的语料库标记指的就是文本内的标记,文本内的标记是对文本的语言进行标记。例如:分词标记。因此需要制定分词规范。又例如:词性标记。因此需要制定词性标记集的规范。长期以来在学术界高度重视这种标记,这是对语料库进行深加工的基础,也是做到资源共享、避免大量重复劳动的必要前提和条件。但是信息处理用的标准和规范的推进举步维艰,目前主要制定的是分词规范和词性标记规范。

(二) 文本外的标记

文本外的标记指的是对文本本身进行的标记,例如:文本的作者、出处、分类等有关的属性信息。与"作者"有关的信息可能包括姓名、笔名、生卒年月、籍贯、性别等,与"出处"有关的信息可能包括媒体、出版社、版次、印数、发行日期等,与"分类"有关的属性可能包括学科分类、语体分类、体裁分类、题材分类等等。国家级现代汉语语料库在建立时拟订了 25 种基本的文本属性作为标记。一些特殊性质的语料库还要有另外的属性,例如:北京语言大学建立的"中介语语料库",采集的留学生语料还包括学生国别、母语背景、学习年限、使用教材等信息。

我们认为:"大规模"真实文本是指文本和语料要达到一定的数量和覆盖较广泛的领域,所谓覆盖是指语料和文本在各个不同领域的分布或散布。这些不同领域通常是指由时间轴(反映时代特征)、空间轴(反映地域特征)、学科轴(反映知识特征)、风格轴(反映语体特征)构成的四维模型,语料库中的任何一个文本都可以标记出这四方面的特征。文本也还要有其他方面的特征,例如:作者、版本、出版者等等,这种对于文本本身特征的标记可以叫文本标记,准确地说是文本外标记。带有各种特征标记的文本集合就是文本的有序集合,研究者可以随意提取各类不同文本的集合或交集、并集来进行研究①。这样,我们就可以做到资源共享,由一个母语料库生成各种子语料库。

可惜对于文本外的标记虽然都有关注,但是这类标记的规范研制至今还没有提上议事日程。

六 汉语语料库的流通度属性

(一) 动态流通语料库的新属性

国际国内的语料库都在不断进步,有人分为第一代、第二代、第三代语料库。所谓监控语料库实际上还没有建立,虚拟语料库是要把网络上的一切资源视为是一个大语料库,用的时候再根据需要提取,这实际上是取消主义的原则,很难实施。网上的语料也是动态的,并不为什么人专门保存什么语料。动态流通语料库正在艰难推进,它与其他语料库的最大不同是:其他语料库的语料都是静态的,或者说是"死"的语料,作共时研究的语料,而动态语料库的语料是不断动态补充的,是"活"的语料,可以作历时研究的语料。而动态流通语料库不仅语料是动态的,它与其他动态语料库的不同是语料又多了一种"流通度"属性,这是一种具有量化的属性值的属性。

语料库的比较见表1。

---

① 参见张普《现代汉语语料库建设》,《20世纪中国学术大典·语言学》福建教育出版社2002年版。

表 1　语料库比较表

项目\类型	时期	数量	语种	加工深度	文本方式	流通度属性
第一代语料库	20世纪六七十年代	百万级	单语种	词汇级	抽样	无
第二代语料库	20世纪80年代	千万级	有多语种	句法级	全文	无
第三代语料库	20世纪90年代	亿级万亿级	有多语种	句法语义	真实文本	无
监控语料库	20世纪90年代中	不限量	有多语种	未建立	真实文本	无
虚拟语料库	20世纪90年代末	不限量	有多语种	未建立	真实文本	无
动态流通语料库	20世纪90年代末	不限量	有多语种	词语级（目前）	真实文本	有

（二）流通度的进步

量化的流通度的属性是在频度、使用度、通用度、T 阶频度的基础上发展而来的[①]，其发展可以用表 2 表示。

表 2　频度、使用度、通用度、流通度比较表

项目\分类	频次	文本散布	时间散布	文本复制与阅读
频度	√			
使用度	√	√		
通用度	√	√	√	
流通度	√	√	√	√

（三）流通度在判断新词新义中的作用

我们提出的流通度这种属性是判定新词、新义、新用法是否成

---

① 参见张普《关于大规模真实文本语料库的几点理论思考》，《语言文字应用》1999 年第 1 期。

熟的重要条件。我们提出"流通度"概念,希望通过测量流通度来对语感加以数学界定、加以量化,使得"能不能说"、是否已经"被理解"、"被认可"、"被传播"变得可以通过流通度的计算进行判定。

流通度也是判定方言词语、术语、文言词语、外来词语是否进入普通话、是否进入通用领域、是否合乎规范的一种有效的量化操作标准。①

流行语中的一部分就是新词新语,例如:万元户、克隆、伟哥、非典、疑似、SARS等等。流行语的变化曲线是有其变化特点的,我们曾经把这种曲线的特点概括为四点,即:(1)起点基本为零;(2)上升迅速,曲线上升斜度大;(3)峰值达到相对的高度;(4)达到高峰后有一定的持续期。②

(四) 流通度在监测语言变化中的作用

我们还曾经强调过"历时流通度"这个概念。所谓"历时流通度"就是要测查语言知识在一个具体的时间段中流通度的变化,绘制各语言现象的流通度曲线,这个流通度曲线就是决定一种语言现象是否开始"广为传播"、是否"被接受"的依据,是"被认可"或者被作为垃圾清除的分水岭,也是判定一个词语是否从某一个领域(例如方言、术语、文言、外来等)已经进入了通用领域的量化指标,这也是语言的变化。例如:我们可以检测和公布港台词语进入普通话领域的状况;可以检测和公布IT领域的术语进入通用领域的状况;可以检测和公布近年来字母词在出

---

① 参见张普《信息处理用动态语言知识更新的总体思考》,《语言文字应用》2000年第2期。

② 参见张普《基于DCC的流行语动态跟踪与辅助发现研究》,《第7届全国计算语言学联席学术会议论文集》清华大学出版社2003年版。

版物的使用和变化的状况等等。实际上,我们也可以把历时流通度看做语言现象在流通时间中的一种分布或散布,这就是语言研究时间观的改变。今天语言现象在某些方面的变化和测查手段的更新,已经允许我们进行这种时间观的改变。

流通度的不同曲线还可能帮助我们判定一些过去无法判定的语言事实,为我们提供可视化的判定方法。例如:过去我们对于基本词汇只能进行举例式的说明,很难进行量化的周遍式的描述,现在则有可能发现基本词汇的一种流通度曲线类型。那些一过性的政治词语、新闻词语等也有自己的特有曲线类型。动态流通度的曲线类型研究,将会是一门很有意思的学问。[1]

(五) 流通度在"语感模拟"和自学习方面的作用

我们进一步还想把"流通度"的知识或者说"流通度"的获取方式教给电脑,使电脑通过获得"流通度"来获取"大众语感",或者说是量化语感和计算语感,使语感这个"黑箱"得到流通度这个"白箱"的类比,从而使语言信息处理获得自学习能力。自学习能力的重要前提是自评估、自判断能力,人的语言自评估和自判断能力来自于语感或直觉,机器需要模拟人的语感能力,特别是模拟公众语感能力,才能进行学习后的正确评估和判断。所以流通度理论不仅是在语言学方面使人的"语感"得以量化,更重要的是在信息处理方面有可能使计算机真正获得语言的自学习能力,使智能化进入一个新的发展阶段[2]。

---

[1] 参见张普《基于 DCC 的流行语动态跟踪与辅助发现研究》,《第 7 届全国计算语言学联席学术会议论文集》清华大学出版社 2003 年版。

[2] 参见张普《关于控制论与动态语言知识更新的思考》,《语言文字应用》2001 年第 4 期—2002 年第 5 期。

七 汉语语料库建设存在的问题

（一）只注意语言的标记规范忽视语料库建设规范

我们重视文本内的语言标记规范，花了大量的人力、物力研制相应的语言规范标准，这当然是正确的。但是我们没有及时制定语料库的规范，对于文本的属性这一更高层次的规范，至今没有立项，这是造成语料库大规模重复建设的原因之一。

没有规范语料库的属性，没有规范语料库中文本的属性，语料库的资源就很难重复使用。虽然语料库的文本内的标记是有规范的，这些语言规范保证了基于语料库的语言统计分析结果可以共享，但是很难进行语料库与语料库之间的整合，很难由一些母语料库去整合生成一些新的子语料库。

实际上我们可以由母语料库去生成一些分类的子语料库。例如：

我们可以由国家语料库生成地方语料库；我们可以由平衡语料库、通用语料库生成专用语料库、分类语料库；我们还可以由历时、动态语料库生成共时、静态语料库等。

我们必须精心设计和着力建设的应该是国家的、历时的、动态的、通用的、平衡的语料库。

（二）大规模低水平重复劳动

大规模真实文本的语料库的建设越来越受到人们的重视，于是有不同类型的、不同级别的语料库陆续投入建设。国家级、部委级、省市级、单位级的语料库都有，"863"、"973"自然科学基金、社会科学基金都立项，中国大陆、中国香港、中国台湾省和新加坡都投资，国内、华语圈建立，国外的大学和研究机构也建立。

仅国内的大学,就有不下 15 所建立和拥有不同规模的汉语语料库,有的学校一校就建立不同目的不同规模或不同时期的语料库多个,例如北京语言大学就拥有 5 个现代汉语方面的语料库。

就生语料而言,从几百万的量级到了几千万的量级,又从几千万的量级到了亿级,在 21 世纪初的几年里,生语料库的数字又迅速攀升到几亿、十几亿、几十亿的数量级,我曾听到有单位声称拥有 100 亿的汉语语料库。

多数熟语料库的加工深度,也长期停留在自动分词和词性自动标注,经费与人力充足的单位,分词和标注后的语料要组织人工校对,否则,就听其自然。做到句型标注和统计的、建立树库的寥寥可数。

由于缺乏统一的语料库的建设规范和文本外的标记规范,或者还没有解决知识产权问题,多数语料库还没有做到资源共享,因此可以说语料库的建设基本上还停留在大规模低水平的重复劳动上。

(三) 汉语语料库的知识产权

汉语语料库和世界各国的语料库一样都面临着知识产权问题,这个问题不从根本上解决,就将严重影响我国的语料库建设及其应用,也会严重影响我国的汉语信息处理进程,当然也包括影响我国少数民族的语料库建设和语言信息处理进程。

汉语语料库的知识产权包括两个方面:文本的知识产权和语料库的知识产权及其衍生产品。

文本的知识产权已经受到我国的《中华人民共和国著作权法》的保护,该法规于 1990 年 9 月 7 日第七届全国人民代表大会常务委员会第十五次会议通过,1991 年 6 月 1 日起实行,同时实施国家版权局的《中华人民共和国著作权法实施条例》。计算机软件的知识产权在《计算机软件保护条例》1991年颁布后也受到相应的保护。1998年更成立了中国版权保护中心，不断加强各种版权的保护的力度，并加强与国际知识产权保护组织的交流。同时，《著作权法》、《计算机软件保护条例》和《实施条例》陆续在2001—2002年进行了修订，并且原国家版权局颁布的《中华人民共和国著作权法实施条例》作废，升格为国务院总理签署（2002年国务院359号令）的国务院条例。在相关法律法规颁布之后，计算机软件、计算机网络著作、数字化音像制品的版权保护也都陆续得到研究和加强。

但是，语料库的知识产权却没有得到保护，至今在著作权法、语言文字法、计算机软件保护等相关法规和实施条例中语料库的知识产权都是空白。在语言信息处理领域举足轻重的语料库，由于介于语言、计算机、信息科学与技术、认知科学之间，成了三不管地带。这就严重阻碍了语料库的建设与发展，使得语料库的建设一方面要面对所有入库文本的权利要求，一方面对于语料库花费巨大精力进行了深加工之后的衍生物又得不到权利主张。其实无论是面向信息处理的语料库，还是面向语言本体研究的语料库，更多的衍生物都是基于语料库的统计成果和计算分析。著作权法除保护署名权外，还保护发行权、摄制权、改编权、翻译权等，但是恰恰没有涉及统计权。

我们建议：为了发展我国的信息产业，为了应对信息社会和数字化生存，为了提高我国语言信息的处理量和处理水平，我们必须尽快组织专门人员，研究相关的知识产权法、语言文字法、信息法、计算机软件保护条例等，通过正式的立法或提案渠道，向国务院或人大常委会提出单独的"国家语料库开发保护条例"。

(四)"国家级语料库"不等于国家语料库

"国家现代汉语语料库"是由中华人民共和国国家语言文字工作委员会主持建立的一个现代汉语书面语通用平衡样本语料库,它于1993年开始建设。该语料库的第一批语料数据是1919—1992年的语料,共7 000万字,以后每年递增1 000万字,是目前最大的现代汉语平衡语料库。① 这个语料库通常被称为"国家级"语料库,但是如果叫"国家级"语料库,就只是一般的语料库建设行为,只是级别高就是了,此外还有部委级、省市级、院校级的语料库,自己为了某种研究的需要也可以建立一个个人的语料库。

我们认为:所谓"国家语料库"的建设、开发、保护应该是一种国家行为,在信息社会和数字化生存时代,我们要把语言资料的收集、保护、开发提高到一种对待国家资源的高度来认识。国家要像对待人力资源、地矿资源、国土资源、森林资源、水资源一样对待语言资源,语言资源是国家最重要的信息资源。语料库的建设、保护、开发要站在国家面向未来的一种战略决策高度,要作为一种对待国家资源的行为,才能得到法律的保护,纳入法制的轨道。国家语言文字工作委员会、国家新闻出版署、国家版权局、国家版本库、信息产业部要联合参与"国家语料库"的建设、开发与利用。李宇明同志表达了同样的意思,他说:"当前,

---

① 参见何婷婷《语料库研究》(博士论文);刘连元《现代汉语语料库研制》,《语言文字应用》1996年第3期。

愈来愈多的人已经认识到了环境保护、物种保护、水土保护、文物保护等的重要性和迫切性,社会宣传的力度、采取的保护措施和投入的人力、物力都比较大。但是非常遗憾的是,却很少有人意识到语言保护的重要性和迫切性。"①

我们还认为:未来社会的一个经济大国,必定同时是一个语言大国。衡量一个语言大国的标准:不仅仅是操这种语言的绝对人口数量,更重要的还有以下八条标准:

(1) 以这种语言为载体的大众传媒数量。即报纸、图书、杂志、出版社、广播、电视台站、电影厂、网站等的数量。

(2) 这些大众传媒的发行量。如印数、广播时数、拷贝数、网页数等。

(3) 这些大众传媒的传播率。如阅读率、收视率、收听率、点击率等。

(4) 这些大众传媒进入国际传媒排行榜的情况。

(5) 以这种语言作为第二语言的人口数。

(6) 以这种语言作为国际文件的数量。

(7) 这种语言的语言信息处理水平和处理量。

(8) 是否建立了这种语言的国家语料库或国际语料库。

迄今为止,建立了国家语料库和国际语料库的语言,只有英语。为此,我们呼吁要尽快建立我国的国家汉语语料库,并筹划华语的国际语料库。

---

① 参见李宇明《努力培养双言双语人》,《长江学术》(第四辑)长江文艺出版社2003年版。

贰　分词规范问题探讨[①]

《语言文字应用》推出中文信息处理专栏,并在1997年第1期发表关于自动分词的文章,极有意义,对引起争鸣、加深研究很有好处。下面提出本人的不成熟的看法,供进一步讨论。

一　现行分词规范中的问题

现行《信息处理用现代汉语分词规范》(GB13715)(下面简称"规范")虽经过多次讨论才定稿,但仍有一些问题。除了在该规范编制说明中解释过的(有些解释难以令人满意)以外,再举出一些:

1. 以词类作为规范分词单位的基础。词类系统本身尚无公认标准,如何将词入类也尚无规范可循。如,许多人认为副词是封闭的类,但有人指出某些词如"全速""稳步""大力"等能用作状语且只能用作状语,应归入副词,这样一来副词就不封闭了。

2. 动词的重叠形式。规范要求把AAB形式的动词切成AA/B,有时并不合理。如"散散/步"、"开开/心",切开后语义上无法解释。

3. 语缀。职务名称"教育局长",语义上理解为"教育局之长",但按照规范只能切成"教育/局长",不但不合语义,且同动宾结构词组相混。

[①] 本节摘自宋柔《关于分词规范的探讨》,《语言文字应用》1997年第3期。

4. 缩略词语。缩略词语如"中葡关系""巴以会谈""穆克两族""陇海线""京九铁路""科工贸集团""老少边穷地区"等切分原则不清楚。

5. 专名。国名不切分,一般机构名要切分,这有可能造成两难困境,因为国家有合法性等问题。

二 不同的应用系统对分词单位有不同要求

分词规范难以统一,重要原因之一是不同的应用系统对分词单位有不同的要求。例如:

1. 以词为单位的键盘输入系统为了提高输入速度,把一些高频词组(甚至只是频繁接续的几个字)作为输入的词单位。

2. 校对系统将含有易错字的词和词组作为分词单位。此外,校对系统要求分词单位较大,以便检查被校对文章内的词间二元接续关系是否正确。

3. 简繁转换系统收集简繁对应不唯一的字所组成的词和词组,以便在词语层面上消除转换的不确定性。

4. 语音合成系统收集多音字所组成的词和词组,以便在词语层面上确定字的发音。

5. 检索系统的词库注重术语和专名,且要求分词单位较小,以便提高查全率。

6. 机器翻译系统的汉语词库收词要考虑同英文词的对应。

三 对分词规范的设想

书面汉语是字的序列,词没有明确边界。硬要把汉语的字序列切分成类似英语的词的序列,即简单地在字串内加一些分隔符,会遇到无穷无尽的两难问题,对于实用系统的开发会起阻碍作用。与其削足适履,不如从汉语的实际出发,放弃词的刚性概念,制定一个柔性的、带词内结构的规范。我们初步设想该规范包括如下四部分和一个附则:

1. 分词单位下界,即哪些情况不能切开。分词单位可大可小,我们把作为下界的分词单位称作基本词。许多情况下,基本词就是 GB13715 所规定的分词单位,但对 GB13715 中难以操作的和不统一的规则进行修改,总的原则是能切开的尽量切开(这里谈的是基本词的切分原则,不是分词单位的切分原则)。比如:动宾、动补、偏正结构中可扩展的一律切开,二字以上词语的前加成分、后加成分同词干一律切开,表示儿化音的"儿"同前面的词一律切开,二字以上地名的通名与专名一律切开,国家名同一般机构名一样切分,表示月份、星期、阴历日期的"月""星期""礼拜""初"同数字切开,重叠的动词一律切开,表示概数的并列数字要切开,不成词的并列缩略成分要切开,等等。

2. 分词单位上界,即哪些情况必须同其相邻成分切开,如标点符号同其相邻成分之间,句内主语、谓语之间,结构助词"的"、"地"与其后邻成分之间,多数连接词与其相邻成分之间,等等。

分词单位上界应允许下列结构成为一个分词单位(但不是必须合起来):简单动宾、动补、形宾、形补、偏正结构,动词和形容词的各种变形结构(AAB,A 了一 B,ABAB,AABB 等),时间短语,处所短语,数量名短语,数量短语,数词短语,缩略语(包括部分缩略),地名上下级全称,人名全称,机构名全称,商品名全称,术语全称,词缀所辖范围,等等。

3. 上下界之间的分词单位及其内部结构。在上下界之间，分词单位的大小允许有较大的灵活性，只是要求组合型歧义字段和交集型歧义字段不能错切，要求每个分词单位都应是一个完整的语法成分，并给出内部结构。对分词单位内的结构划分方法，应分别不同情况给出若干规则。机构名、装置名、产品名等应该在定名时由权威部门或权威人士给出名内结构，如国内机构名由该机构或其上级管理部门给出名内结构，国外机构应由有关部门在定出其汉译名的同时给出名内结构。

4. 基本词表。配合下界，应有一个基本词的表，收集内部不可切分之词。非专名、非术语的基本词应尽量收全，专名中可列举的应专表列举，常用基本术语应专表列出。

附则：对于支持上层应用系统的分词系统，若上层应用系统没有提出需要，可以不给出分词单位的内部结构。

此外，考虑到语言学、信息处理方面的需要，可另有一个不属于基本词的常用词语表。表内的词语应给出内部结构，入表与否的基本依据应是频率。各个面向应用的分词系统可以有自己的词库。各种词表、词库的格式设计问题属于语言学研究和软件接口方面的问题，无须在规范中论及。

下面给出若干分词单位内部结构实例：

（全速），（压倒），（性教育），（（不能）不），（前不久），（午后），（（十（七八））岁），（（中小）学），（（京九）铁路），（（科工贸）集团），（峨眉（大酒楼）），（（中华人民共和国）（（地质矿产）部）（地质科学院）），（香港（特别行政区）），（牡丹江），（（（古生物）学）家），（（教育局）长），（（（（世界战争）（（不可）避免））论）者），（经常性），（（多极）化），（计算机），（中央（处理器）），（（（（正负）电子

(对撞))机),(司马相如),(乔治·布什),((散散)步),((散了散)步),(五分之一),((一九九七年)(二月)((二十四)日)),((第一)名),((哪管)(三七(二十一)))。

叁 语料检索方法的研究与实现[①]

一 引言：全文检索和语料检索之比较

全文检索是一种针对非结构化文献的基于全文标引的检索技术，可以自动地建立索引库，无需人工标引，用户能够以文献中的任意字符作为检索入口。由于建库自动化程度高，因此不存在词汇滞后问题。全文检索一般应提供布尔逻辑运算（与、或、非）和位置逻辑运算（关键字是否出现在同一文档中）。全文检索的缺点是为建立索引需要较大的时间、空间开销，但由于计算机硬件和软件技术的迅猛发展，这一问题并不明显。目前，因特网上的各种资源普遍采用全文检索技术。

随着计算机应用的普及和语料库语言学的兴起，出现了一种跟全文检索相关但又有所区别的检索技术：语料检索，它是为从事语言研究、语言教学和语言信息处理的语言学工作者服务的，用户群不大，但检索要求特殊而复杂。语料检索具有以下特点：

第一，一般用户检索时主要关心检索结果的内容，即现实世

---

① 本节摘自陈小荷《语料检索方法的研究与实现》，《E-Learning 与对外汉语教学》清华大学出版社 2002 年版，第 401 页。

界的相关信息,语言学工作者主要关心检索结果在语言形式上的特征,例如语料库中助词"的"的各种用法,"把"字结构的各种表现形式,等等。

第二,全文检索的停用字技术不适用于语料检索。例如,一般的全文检索可以把高频虚词如"的"、"了"、"是"等等作为停用字,从而降低建库的时间、空间消费,但这些东西恰好是语言学工作者所关注的,因此不但不能停用,而且需要详细标引。

第三,全文检索的关键字(字符串或词语串)不管多长,其中的字符都是连续出现的。语料检索不仅需要简单的字符串检索,也需要更复杂的词语/词性模式检索。词语/词性模式是指由一串词语/词性标记规定的检索式,其中每个检索元素可以是只有词语、只有词性标记或同时具有词语和词性标记,检索元素之间可以是相邻关系、任意距离或指定距离之内。为了实现这种检索,需要对语料库进行分词、词性标注(自动或半自动的标引),需要增加基于词语(而非字符)的距离逻辑运算。在尚无较大规模的句法分析语料库的情况下,可以用这种检索部分地实现句法检索的功能。

第四,全文检索一般以文献为输出单位,语料检索则通常以句子为输出单位,这反映了目前语言研究主要在句子这一层级展开。由此而引起的问题是索引项增加,位置逻辑运算更为复杂,不仅要求检索式的各个元素出现在同一语篇(文献)中,而且要求出现在同一段落和同一句子中。

第五,出于语言研究和教学的需要,语料检索不仅要输出包含检索式的句子,往往还要输出所在语篇的属性,例如留学生语料作者的国别、母语背景、年龄、性别等等。这些信息不可能自动标引。一个语料检索工具要考虑如何让用户根据语篇属性来选择检索范围,以及如何输出检索到的句子的语篇属性。

汉语语料检索的特殊性主要体现在汉字上。汉语语料的主体字符是汉字,由于每个汉字用两个字节编码,进行字符串检索时有可能发生错位。[①] 汉语书写不分词,进行词语检索需要先对语料进行分词处理(在检索前分词或者在检索过程中分词),分词结果会对检索结果有影响。如果要进行词语/词性模式的检索,还需要对语料进行词性标注。由于汉语语法体系的分歧,词性标记集的选择也存在一定困难。不过也有容易处理的一面,汉语不像印欧系语言那样有复杂的形态变化,因此词语检索时基本上不必考虑同一个词的各种形式之间的关系。

我们曾于1995年实现了一个面向语言学工作者的、用于留学生汉语语料库的检索工具。[②] 其检索方法的核心是根据用户输入的检索式构造SQL语句,由数据库管理系统来完成实际的检索任务。实践证明,用关系数据库管理系统来进行语料检索,时间和空间的开销过大,检索性能难以满足实用要求。在对这个检索工具软件进行升级时,我们主要考虑的问题是选择合适的数据结构来表示语料文本和词语标引,使得工具软件在检索复杂的词语/词性模式时也能有相当迅速的响应。本文以下即联系这一新版检索工具的研制来探讨汉语语料检索方法:第二部分讨论射串数组作为文本存储结构的优越性;第三部分提出

[①] 指文本中前一个汉字的第二字节跟后一个汉字的第一字节组成某个汉字。字符串较长时一般不会出现错位。

[②] 项目名称为"汉语中介语语料库系统",国家教委"八五"社科规划项目,由北京语言学院承担。检索工具的研制是其内容之一。

对这种存储结构的改进,增加一个射串数组以表示词性标记和文本结构标记;第四部分介绍语篇属性检索方法;第五部分是本项研究的背景和展望。

二 字符串检索:倒排文件和射串数组之比较

全文检索所存储的数据包括文献属性、文本及其索引。建立索引需要占用空间,其目的是以空间换时间。索引的大小跟文本长度、标引项的数目、存储结构的选择以及检索要求的复杂度等因素相关。索引的存储结构通常有两种,一种是倒排文件,另一种是射串数组。

倒排文件由一个主索引表和多个倒排表组成。对字符串检索而言,字符集内有多少个字符,就需要设多少个倒排表。每个倒排表中存放字符在文本中的地址,该字符在文本中出现多少次,倒排表中就有多少个地址数据。主索引表中则存放所有字符及其倒排表的位置。例如,语料文本为:

表3

0	1	2	3	4	5	6	7	8	9	10
今	天	开	不	开	会	?	不	开	会	。

表3第一行是每个字符的地址。生成的倒排文件包含7个倒排表,如表4所示:

表4

。	?	不	会	今	开	天
10	6	3,7	5,9	0	2,4,8	1

假定检索字符串"开会",先在主索引表中找到"开"和"会"两个字符的倒排表的位置,然后将这两个倒排表中的地址进行交集运算,相邻地址只有两对(4,8 和 5,9),即检索到该字符串在语料文本中有两次出现,最后,可以根据这两对地址输出其所在的句子。

一般地,如果以字符为单位计算,语料文本的长度为 N,由于每个字符的每次出现都有一个地址,每个地址用一个整数(4 个字节)表示,因此存放这些地址(即全部倒排表)共需要 4N 个字节。设字符集的规模为 C,主索引表中需存放每个字符的倒排表的起始位置(也是 4 个字节,未出现的字符的倒排表地址置为一个负数,这样就无需存放字符本身),因此主索引表需占用 4C 个字节。原则上说,有了倒排文件就不再需要语料文本,但是若只根据倒排文件来输出检索结果会大大增加时间开销,因此还是应该保留语料文本。对于汉语语料,文本所占空间大致为 2N 个字节。总之,用倒排文件来存储数据,共需要 6N + 4C 个字节。[①]

在主索引表中查找某个字符的倒排表的地址可以直接定位,时间开销忽略不计。时间主要花在几个倒排表的交集运算上。查找单个字符没有问题。查找两个字符构成的字符串,需要对两个倒排表进行一次交集运算。查找 n 个字符构成的字符串,在查找成功的情况下,需要对 n 个倒排表进行 n-1 次交集运算。

射串(Sistring)是字符串,用来存放全部语料文本。由于语

---

① 如果语料文本是 GB-2312-80 编码,则汉字有 6 763 个,加上少量的其他字符,字符集规模 C≈7000。

料文本通常很长,因此将这个字符串比喻为有一个端点、另一端无限伸展的射线,又称半无限串。设语料文本长度为 N,其中每个字符都可以看成是一个射串的起点,因此一共有 N 个射串,它们起点不同,但终点都相同。射串数组(PAT Array)就是登记每个射串的起点的数组,根据其内容排序后作为语料文本的索引库。仍以上述文本为例,生成的射串数组如下:

表5

射串编号	射串起点	射串内容
0	10	。
1	6	?不开会。
2	3	不开会?不开会。
3	7	不开会。
4	5	会?不开会。
5	9	会。
6	0	今天开不开会?不开会。
7	2	开不开会?不开会。
8	4	开会?不开会。
9	8	开会。
10	1	天开不开会?不开会。

其中,射串编号由数组下标表示,射串数组中只需存储每个射串的起点即可,射串内容可根据射串起点在保存全部文本的那个射串中得到,表5第三列只是为了说明方便而设。观察射串数组,可看出所有前缀相同的射串都排在一起,如编号为2、3的射串以"不开会"为共同前缀,编号为7、8、9的射串以"会"为共同前缀,编号为8、9的射串以"开会"为共同前缀。现在假定要检索字符串"开会",先在射串数组中用折半查找法定位到前缀为"开会"

的某个射串(编号为 8),然后向前搜索第一例(这里 8 就是第一例),向后搜索最后一例(这里编号为 9),得出"开会"的出现次数为 2,最后可根据每个射串的起始地址输出检索到的句子。

对于长度为 N 个字符的汉语语料,采用射串数组作为存储结构,需要用 2N 个字节来存放语料文本(这是一个实际的射串),用 4N 个字节来存放全部射串的起始地址,总共占用 6N 个字节的存储空间。跟倒排文件相比,少了主索引表所占的 4C 个字节。

使用倒排文件的时间开销主要取决于检索串长度和串中每个字符的出现次数,使用射串数组的时间开销主要取决于语料文本的长度和检索串的出现次数。为此我们专门作了一个测试。测试用的语料是《人民日报》1996 年全年文本,50MB 字节,约 2 700 万个字符,检索任务是《现代汉语词典》第一版中 47 745 个不同词形的词条,其中单字词 6 611 个,二字词 34 574 个,三字和三字以上的词 6 560 个。测试程序用 VC++编写,在一台 PIV-2G 处理器、512MB 内存的微机上运行。语料文本和索引全部放在内存中,检索时只输出词语频数,不输出所在句子。测试结果,倒排文件检索 11 秒,用时最多的是"中国画",各字频数分别为 191 062,263 480,15 053,用时 40 毫秒;射串数组检索 8 秒,用时最多的是"的",频数为 741 025,用时 210 毫秒。由此可见,倒排文件便于检索单个字符,射串数组便于检索长字符串,但在总的性能上,后者较优。

倒排文件是对每个字符进行索引,射串数组是对每个字符串进行索引。使用射串数组很容易统计任意长度的字符串的种数和出现次数,能对语言信息处理常用的 N 元模型的建立提供支持,这也是我们采用射串数组作为存储结构的一个原因。①

三 词语/词性模式检索:射串数组的改进

词语/词性模式的检索式用巴科斯范式定义如下②:

检索式::＝元素{距离 元素}

元素::＝复合元素|简单元素

距离::＝空格|"."数字"."|".."

复合元素::＝"["("^") 简单元素列表"]"

简单元素列表::＝简单元素{","简单元素}

简单元素::＝词语|"/"词性标记|词语"/"词性标记

词语::＝("*") 字符 {字符} ("*")

词性标记::＝("*") 拉丁字母 {拉丁字母}

检索式中的元素都必须出现在同一句子中,元素之间的距离关系有三种,空格表示相邻;数字两边加圆点表示两侧的元素在指定的距离之内,例如".5."表示相隔不超过5个词;连续两个圆点表示两侧元素可为任意距离。复合元素由若干个简单元素构成,如果不选"^",表示逻辑或,例如"[着/ut,了/ut,过/ut]"表示动态助词"着"或"了"或"过";如果加上"^",则表示否定,例如"[^着/ut,了/ut,过/ut]"表示除动态助词"着"、"了"、"过"之外的任意词。此外,上述定义允许词语的左边或右边出现通配

---

① N元模型是对语言成分出现规律的一种简化,认为当前成分(字符或词)的出现仅仅取决于前面已经出现的N−1个成分。N元模型在语音识别、智能输入法和词性标注等应用中有广泛应用,通常取N=2,3。

② "::＝"表示定义开始,花括号表示其中的成分可出现0次或任意次,圆括号表示其中的成分是可选的,引号表示其中的成分为常量,竖线表示两侧的成分任选。

符"＊",匹配若干个字符,这样就可以检索前缀(或后缀)相同的一批词语,例如,"副＊"可匹配"副食品"、"副作用","＊子"可匹配"桌子"、"椅子"。

留学生汉语语料库的词性标记集内不单列代词,而是根据它的语法功能分散到名词、副词、形容词和数词中,分别标作 nr(名词性代词)、dr(副词性代词)、ar(形容词性代词)和 mr(数词性代词)。这样做会引起一些麻烦,例如"这"、"那"有时是形容词性的(做定语),有时是名词性的(做主宾语)。但也会带来一些方便,例如检索时可以用"/n＊"来表示名词和名词性的代词。另外,把处所词和时间词归入名词,分别标作 ns 和 nt,也主要是出于这种考虑。

词语/词性模式检索最简单的用法是只有一个检索元素。例如"中国"表示检索词语"中国",不会把"发展中国家"里的字符串"中国"也检索出来,这一点有别于字符串检索。[①] "/p"表示检索所有的介词,其实就等于检索所有的介词结构。复杂一点的,例如,

"因为..所以":检索含指定关联词语的复句

"一/dz..就/dz":检索副词"一"跟副词"就"的搭配

"v＊ a＊":检索动词和形容词的相邻出现(可能是述结式)

"[v＊,a＊]/uk":检索动词或形容词后的可能补语

"把/p.5./n＊.3./vt[a＊,vq]":检索"把"字结构,介词"把"后边最多5个词内有一名词,名词后最多3个词内有一及

[①] 但字符串检索也是有必要的。首先,分词的标准和准确程度会影响词语检索的效果,例如用户可能认为"中国人"是一个词,但留学生汉语语料库中切分为两个词,跟用户期望不同。其次,研究中文信息处理的,需要考察字符串的出现频率。

物动词,及物动词后是形容词或趋向动词。

之所以称为"模式",是因为检索式中含有词语变量、词类变量和距离关系表示,①不能直接将检索式跟语料文本进行字面上的匹配。这种检索的主要目的是要在词性标注语料库上部分地实现某些句法检索的功能。当然,完全的句法检索功能只有在句法分析语料库上才能实现,但汉语的句法分析语料库还不多见,或者规模很小,因此词语/词性模式检索目前仍有很重要的价值。

我们确定采用射串数组来作为存储结构,并作了一些改造。改造的目的是要在统一的存储结构上进行字符串检索和词语/词性模式检索。具体来说,有以下几点:

第一,用一个串(Chars)来存储语料文本,大约100万个字符,由于双字节字符占绝大多数,因此,每个字符用一个0~65 535的整数表示。反过来,Chars中的一个整数也能唯一地映射为一个字符。Chars的长度即为语料库的字符数(不是字节数),这样便于位置运算和距离运算,也不会有字符错位的情况出现。虽然语料是经过分词和标注词性的,但Chars中不包含词性标记。生成Chars时,每个语篇都登记了它在Chars中的起始位置,这样就可以根据字符在Chars中的位置确定所属语篇,并检索出语篇属性。然后用一个射串数组(pChars)来对该串所表示的文本进行索引。为了便于检索字符串,我们给每个字符一个指针。

第二,用一个串(POSs)来存储词性标记,词性标记也映射

---

① 词语和词性标记中都可以用通配符,这是"变量"的一层含义。此外,当检索式某元素只有词语时,意味着可以是任意词性标记,当某元素只有词性标记时,意味着可以是任意词语,这是"变量"的另一层含义。

为整数(0~49)。显然不是每个字符都有词性标记,对于不在词首的字符,我们给一个虚拟的词性标记,这样虽然浪费一些空间,但可以使文本串和词性标记串有相同的长度,用下标来维持词语跟词性标记之间的对应关系:字符 Chars[i]的词性标记就是 POSs[i]。然后用另一个射串数组（pPOSs）对词性标记串进行索引,也是每个词性标记给一个指针。

第三,用一个串(Tags)来存储文本结构标记。文本结构标记有 4 种:篇首、段首、句首、词首,其作用是方便输出语篇、段落和句子。每个字符给一个标记,因此这个串跟前面两个串长度相同,这样,字符 Chars[i]的词性标记是 POSs[i],文本结构标记是 Tags[i]。词性标记集只有 50 种标记,本来每个词的词性标记和文本结构标记可以合用一个字节来表示,但考虑到检索工具的可扩充性,我们还是各用一个字节来表示词性标记和文本结构标记。由于文本结构标记不作为检索对象,因此无需索引。

根据前面的讨论,三个串占用空间为 $2N + N + N = 4N$, 两个射串数组占用空间为 $4N + 4N = 8N$, 合计为 $12N$。留学生语料库大约 100 万个字符,上述数据总共占用不到 12MB 空间。现在的微机一般都有 32MB 以上的内存,因此全部存储在内存中。如果语料库规模更大,可以将部分数据放到硬盘上,检索速度会受一些影响。由于该检索工具数据量和运算量都很大,为了避免内存不足和降低检索速度,因此限制为只能运行一个实例。[①]

[①] 意思是说,如果检索工具正在运行,用户无法在关闭它之前再次打开它,实际上也没有必要这样做。

字符串检索时只需在 pChars 中查找,如果查找成功,再利用 Chars 和 Tags 输出句子。

词语/词性模式检索时还需要用到 pPOSs 和 POSs。检索前要对检索式进行分析,检索式符合定义才能开始检索。检索式含有多个元素时,按说可以先查找每个元素,然后再进行交集运算。但有一个困难,pChars 和 pPOSs 是给每个字符一个指针,而距离关系又是基于词语的。因此我们采用另外一种办法:先在检索式中寻找一个出现次数最少的元素作为驱动点,接着找出含该驱动点的所有句子,将句子表示为由若干个词构成的数组。然后逐一检查每个句子是否跟检索式相匹配并输出匹配上的句子。设 es 是存储检索式的数组,base 是驱动点的下标;ws 是存储句子中每个词的数组,leftK 和 rightK 分别是跟检索式的第一个元素和最后一个元素相匹配的词语的下标,初始值均置为跟驱动点相匹配的词的下标,句子跟检索式的匹配采用如下算法:

(一)置 i 为 base-1,j 为 leftK-1~0,查找能跟 es[i]相匹配的 ws[j],如果找得到,置 i 为 i-1,置 leftK 为 j,重复(一),直到 i 为 0,否则匹配失败,结束;

(二)置 i 为 base+1,j 为 rightK+1~句子长度,查找能跟 es[i]相匹配的 ws[j],如果找得到,置 i 为 i+1,置 rightK 为 j,重复(二),直到 i 等于检索式长度,否则匹配失败,结束;

(三)匹配成功,结束。

以上第一步是自驱动点开始(不包括驱动点本身,下同)向左逐一匹配,第二步是自驱动点开始向右逐一匹配。匹配检索元素和词语时,不仅要检查词语的字符形式和词性标记是否匹配,而且要检查当前词语跟左边(或右边)已经匹配上的词语是否符合规定的距离。

四 语篇属性检索:范围选择和属性输出

语篇属性是指语篇本身的一些性质(例如体裁,题材,语体)以及作者的背景情况。语料检索跟一般的全文检索的一个重要区别就是语言学工作者特别关注:在什么样的语料中进行检索,检索出来的句子,其所属语篇具有哪些属性。第一个是选择检索范围问题,第二个是输出语篇属性问题。

留学生汉语语料库共录入5 774个语篇的23种语篇属性,根据7年来的检索实践,新版检索工具选择了7种对语言学习理论研究比较重要的属性提供给用户检索,这7种属性是作者的母语背景、国家/地区、学时等级(反映作者学过多长时间的汉语)、性别、年龄、题材、题型(分平时作文、作文考卷、读后写和听后写、外译汉4类)。

检索范围选择可以有两种方式:一是在检索式中表示要检索具有(或不具有)哪些属性的语篇,二是在检索式之外(即实际检索开始之前)进行选择。第一种方式会使检索式过于复杂,增加用户学习使用检索工具的难度。有些语篇属性具有许多属性值(例如母语有61种,国家/地区有96个,题材有15类),每种属性都应该允许同时选择多个属性值(例如母语背景选择所有的印欧系语言),在检索式中表示也很麻烦。我们采用第二种方式,给用户提供7个列表框进行选择。考虑到用户的检索范围有一定的稳定性,检索工具记录下语篇属性选择的结果并生成一个子语料库。子语料库包括三个方面的内容:一是所选语篇的属性;二是供检索用的数据,包括文本串、词性标记串和文本结构标记串以及作为索引的两个射串数组等等;三是统计数据,包括字频表、词频表(分词性的和不分词性的)、词性标记频率表。全部语料是一个特殊的、缺省的子语料库。下一次运行如果还是在某个已经指定过的范围内检索,就无需重新选择语篇属性,只要选定所命名的子语料库即可。于是我们把检索范围选择分解为两件事,一是选择某个子语料库,二是新建一个子语料库并选择语篇属性,后者的界面如图4所示:

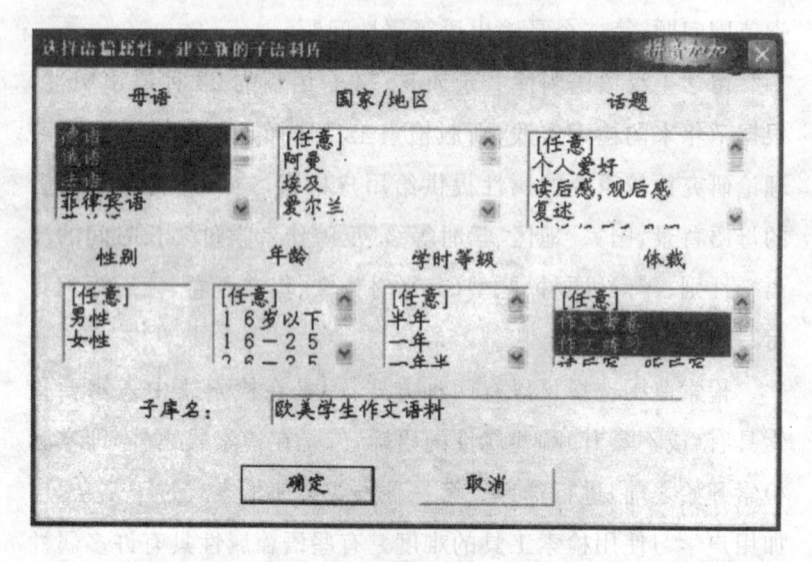

图 4

语篇属性的输出用"输出设置"命令来设置,输出设置包括:词语/词性模式检索时是否需要输出词性标记,输出的句子是否需要根据语篇属性排序以及根据哪些属性排序。例如,在全部语料中检索"把/p.5./ng /vt[着,了,过]",句子按母语背景和学时等级排序(部分):

母语:阿拉伯语　学时等级:一年

例1:【把/p 好吃/a 的/uj 东西/ng 放/vt 着/ut】在/p 桌子/ng 上/fb。/w

母语:朝鲜语　学时等级:两年

例2:"/wh 我/nr 要/vm【把/p 大雁/ng 烹/vt 着/ut】吃/vt。/w"/wk

例3:于是/ck 她/nr 代替/vt 三千/mm 驮/q 大米/ng【把/p 自身/ng 献给/vt 了/ut】佛爷/ng。/w

语篇属性输出采用如下方法来实现:首先,建立子语料库时已经记载了每个语篇的属性和长度(以字符为单位);其次,检索时先对每个匹配上的句子登记地址,根据地址查出在每个排序属性上的属性值;最后,对这些句子所属语篇的属性值进行排序并输出。

检索工具用 VC++ 编程,即使在一般的微机上检索相当复杂的词语/词性模式也能迅速相应。

五　结语:背景与展望

语料检索的用户群较小,不是一般商用检索系统所关注的对象。语言学工作者虽然可以凑合使用网上搜索引擎和光盘文献检索工具来检索语料,但这些工具不能满足他们的特殊需求。语料库语言学的兴起并未显著改善这种状况,国内语言信息处理工作者首先关注的是如何利用语料库来建立语言的计算模型,对语言学家和汉语教师的检索需求考虑不多,语料库的检索工具一般不对外公开提供检索服务。这一点国外做得比较好,例如美国宾州大学的 Penn Treebank 是一个英语的句法分析语料库,Chinese Penn Treebank 是一个汉语的句法分析语料库,英语的词性标注语料库就更多,可从网上获取或去函购买。

关于语料检索的研究,陈小荷[1](1997)介绍了"面向汉语教师和语言学家"的语料检索工具(1995年实现),提出了语篇属性选择和语言符号检索两个概念,描述了词语/词性检索的检索式。孙宏林[2]介绍了供"语言学工作者使用"的语料检索工具(1995年实现),提供例句检索和 KWIC 检索两种功能。岳炳词[3](2001)用射串数组实现了一个语料检索工具,该工具能在大规模汉语生语料库中快速检索字符串和词语,词语检索是根据用户词典进行分词和词性标注(不作兼类词判别),得到分词映射文件后生成另一个射串数组作为索引。本文的贡献主要是比较了倒排文件和射串数组两种存储结构在字符串检索方面的优劣,提出了"词语/词性模式"检索的概念,对射串数组作了一些改造,在统一的存储结构上实现了字符串检索和词语/词性模式检索的共存。我们实现的检索工具还可以在工具的独立性(适用于任意汉语语料库和任意词性标记集)、数据压缩、语料分词和词性标注自动化等方面再加改进。但我们最期望的是尽快建设大规模的汉语句法分析语料库,实现完全的句法检索,使语料检索迈上一个台阶,跟进国际语料库语言学的发展步伐。

---

[1] 参见陈小荷《"汉语中介语语料库系统"介绍》,《第五届国际汉语教学讨论会论文选》北京大学出版社1997年版。

[2] 参见孙宏林、黄建平、孙德金等《"现代汉语研究语料库系统"概述》,《第五届国际汉语教学讨论会论文选》北京大学出版社1997年版。

[3] 参见岳炳词《面向语言学研究的大规模汉语生语料库检索工具——CCRLT》,北京语言文化大学硕士论文2001年。

第二节 现代汉语语料库与中介语语料库

壹 "现代汉语研究语料库系统"概述[①]

"现代汉语研究语料库系统"从1993年5月开始,到1995年底结束。目前已建成了一个2 000万字的粗语料库和200万字经过分词和词性标注的精语料库。其中精语料库是从语体、题材、体裁三个方面全面权衡加以选取的平衡语料库。语料的加工采用机器自动处理加上人工校对的方法,既提高了工作的效率,又充分保证了标注的准确性。

该项目是一项基础工程,其目的主要是为语言学研究工作者提供一个方便高效的研究平台。语言学的研究离不开对语言材料的分析,但语言材料是纷纭复杂的,传统的研究手段依靠"卡片加抽屉"的方式,效率低下,很难适应社会现实对语言学研究成果的迫切需求。我们正处在一个信息化的时代,语言是信息最重要的载体。采用计算机来存储语言材料、统计语言材料以及帮助我们分析语言材料等,已经成为当今国际上语言学研究的新潮流,这就是语料库语言学的方法。和传统的研究手段相比,计算机语料库具有明显的优势。具体来说,其优势体现在效率和方法两个方面。它在效率上的优势表现在:(1)搜集材料

[①] 本节摘自孙宏林、黄建平、孙德金、李德钧、邢红兵《"现代汉语研究语料库系统"概述》,《第五届国际汉语教学讨论会论文选》北京大学出版社 1997年版,第459页。

迅速便捷;(2)材料可以重复利用;(3)材料可以共享;(4)分析整理十分方便;(5)统计十分简单。它在方法上的优势表现在:(1)便于对语言现象的全面把握;(2)可以对口语进行深入研究。在语料库这一研究平台上,很容易组织大规模的合作攻关,汉语研究有望在短时间内取得明显的进展。

本文打算简要地介绍"现代汉语研究语料库系统"的一些基本情况,内容包括:(1)系统的构成;(2)语料的分词;(3)语料的词性标注;(4)语料的检索与统计。

一 系统的构成

(一) 粗语料库

粗语料库的规模为 2 000 万汉字,具体构成情况如下:

《人民日报》(从 1994 年全年中抽出)　　　　1 000 万字
《中国新闻》(从 1992—1993 年中抽出)　　　500 万字
各种著作(包括经济、科普、教育等类)　　　　250 万字
文学作品(录入样本)　　　　　　　　　　　　150 万字
(其中小说 100 万字;散文 30 万字;报告文学 20 万字)
准口语材料(录入样本)　　　　　　　　　　　100 万字
对话　　60 万字(话剧剧本)
独白　　40 万字(包括单口相声、演讲词、讲话、故事等)

从出版时间来看,这些语料除了录入的样本语料中有一部分是 80 年代的出版物外,绝大部分是 90 年代的出版物。应该说这些语料反映了当代汉语的最新情况。

(二) 精语料库

精语料库的规模为 200 万汉字,是从以上 2 000 万字语料

中按规定的比例由程序随机抽出的。

这200万字语料从语体上可以分为口语和书面语两大类。其中口语语料严格地说应该是准口语材料,因为这些并非录音转写材料,而是剧本、相声、评书、演讲等写在书面上的口语材料。之所以这样做,主要是考虑到录音转写十分困难,同时由于人们平常说话往往比较零乱,有大量的啰唆、重复和不完整的现象,如果严格地记录下来,有很多在语法上不好分析。

目前书面语语料160万字,占总数的80%,口语语料40万字,占20%。

表6至表9详细列出了语料的分布情况。

表6 书面语语料的题材分布

分类	政治	经济	文学	文教	社会	科技	体育	地理	历史	军事
比例	15%	15%	18.5%	7.5%	7.5%	6%	4%	2.5%	1.5%	2.5%
字数(万)	30	30	37	15	15	12	8	5	3	5
篇数	140	129	113	83	80	69	19	34	13	32

表7 书面语语料的体裁分布要目

分类	记叙类	议论类	说明类	应用类
比例	52%	23%	2.5%	2.5%
字数(万)	104	46	5	5

表8 书面语语料的体裁分布细目

分类	小说	散文	报道	报告文学	回忆录	论文	评论	说明	提要	公文	书信
比例	10%	5%	30%	4%	3%	9%	14%	1.5%	1%	2%	0.5%
字数(万)	20	10	60	7.5	6.5	18	28	3	2	4	1

表9 口语语料的体裁分布

体裁分类	字数(万)	比例
对话	25	12%
独白	15	7.5%

(三) 抽样原则与方法

语料库有两个层次,相应地就有两级抽样。第一级抽样是从约6 000万字的素材中抽取出2 000万字的粗语料。抽样的原则主要是从文本的完整性、文本长度等方面考虑的,比如,500字以下的文本一律不抽,文本不完整的不抽。

第二级抽样是从1 250万字语料(包括《人民日报》语料1 000万字,文学作品语料150万字,准口语语料100万字)中按设定的比例随机抽出200万字的样本。之所以没有在全部2 000万字语料里抽样,是考虑到《人民日报》是一份综合性的报纸,题材丰富,另外750万字语料在题材、体裁上比较单一,而且这些题材在《人民日报》的语料中也有相当的比例。比如,《中国新闻》的语料基本上都是消息。在设定比例时,我们考虑到题材和体裁两个方面,分别从这两个方面给出一个文本分类体系,并设定两个方面的比例。在具体考虑各类的比例时,基本上本着这样一个原则,即既要全面,又要有重点。比如,从题材方面来说,政治、经济、文学三类的比例很高,而历史、地理、军事类的比例就比较低。从体裁方面来说,记叙、议论占了绝大多数,说明和应用的比例就很低。

具体的抽样步骤是:

(1)建立文本属性库。文本属性包括文件名、字数、作者、出处(书刊名,出版单位)、出版时间、题材类别、体裁类别等。其中题材和体裁类别是在浏览每一篇语料之后填写的。

（2）设定语料分布。

（3）由程序随机抽样。

二　语料的分词

汉语语料库的标注,首先要进行分词。但是,到底什么是词,词和语素、短语之间如何划界,这是汉语语法中的一大难题。虽然有了《汉语拼音正词法基本规则》,1992年国家又颁布了国家标准——《信息处理用现代汉语分词规范》,但在对语料进行分词的实践中,我们发现有许多问题还得不到很好的解决。为了使我们的分词工作有一个比较可靠的依据,为了保证分词的结果有较高的一致性,我们必须有一个可操作性强、高度具体化的分词规范。为此我们作了一个分词实验:选取有代表性的20万字的现代汉语语料,找出其中所有可能的双音节和三音节组合,然后对这些组合进行多角度的分析,其中包括内部结构（组成成分是否单用、内部结构关系、组成成分的功能类、内部能否扩展等）、整体功能类、语义组合情况、音节构造、语体因素等各个方面,在此基础上来检验一下现有的分词理论和方法的有效性如何,最后据此制定出分词细则。这一分词细则在人工校对的过程中又不断得到完善。限于篇幅,我们不谈这些分词细则。

在制定分词细则之前,首先必须在分词的原则和方法上提高认识。通过分词实验,我们在分词的总的原则上有这样几点共识:

（1）词是一个句法·语义范畴。它不是一个纯句法的概念,也不是一个纯语义的概念。具体来说,它是句法语义分析的基本单位。因此,必须从句法语义分析的角度对分词问题进行总体把握。

(2) 词的划分不是绝对的。从某种意义上说,所谓分词只是在词典和规则、词法和句法之间人为地划一条界限。

(3) 应该区分语料中的不同层次。

关于分词原则和方法的深入讨论见孙宏林(1995)[①]。

三 语料的词性标注

(一) 制定词类标记体系的原则

1. 尽量与现有的各种词类体系兼容。目前汉语语法学界的词类体系很不一致,语料库的词类体系应该能够兼容各家体系,这样语料库才能为更多的人所使用。目前词类体系的分歧主要是在大类上的分歧,如果我们把词类分得细一点,利用多对一的映射就很容易实现兼容。目前一般的词类体系是十几类,顶多二十几类,而我们设计了 85 个词类标记(除此之外,非汉字符号、标点还有 27 个标记)。这种兼容是通过词类的模糊检索来实现的。我们的词类标记是一个层级体系,如名词,第一级标记是 n,第二级分为专有名词、普通名词、时间词、处所词、方位词等 5 类,标记分别为 np、ng、nt、ns、nf,在检索的时候,如果只用一个 n,就包括了所有这 5 类,如果你要排除时间词、处所词和方位词,只要加上二级标记就可以了,如 ng/np(标记的含义见"(二) 词性标记集","/"表示"或者")。

[①] 参见孙宏林《现代汉语语料库分词中的若干问题》,《计算语言学进展与应用》清华大学出版社 1995 年版。

2. 为汉语词类中一些难题的解决提供数据。词类是一种语法功能类,但是,由于材料不够充分,各类词到底有哪些功能,或者没有哪些功能,大家的认识往往不一致,这成为汉语词类中许多纠葛的根源。比如,动词的体词用法、形容词带宾语、形容词作状语、形容词带时态助词等,这些我们都加了标记。

3. 尽量多地提供句法信息。一般的词类概念反映的是词的静态属性,比如,我们说一个词是及物动词,表明它可以作谓语,后面可以带宾语等,但是在具体的上下文中一般只实现其部分功能,它后面不一定非要带个宾语。在我们的词类标记体系中,除了静态的词类属性之外,还加上了动态的功能属性。比如,动词根据在上下文中带宾语的情况分为不带宾语、带体词性宾语、带动词性宾语、带形容词性宾语、带小句宾语、带兼语宾语、带双宾语等。代词分为代词作定语、代词作状语、代词作主宾语、代词作谓语等类。我们认为,这样标注有两个好处:其一,有助于提高查准率。其二,有助于这些词类的下位分类和归类。

(二) 词性标记集

本语料库共有 112 个标记,它体现为一个层级体系。如第一位代码 n 表示名词,np 则表示专有名词,npx 则表示专名中的姓氏。全部的标记如下:

npx	姓氏	pg	普通介词
npm	人名	pba	介词把(将)
npu	机构名	pbe	被(让,叫)
nps	地点专名	pza	介词"在"
npr	其他专名	db	否定前副词
ng0	普通名词	dd	程度副词

ngl	离合名词	dr	一般副词
nt	时间词	c	连词
ns	处所词	usd	助词"的"
nf	方位词	usz	助词"之"
va	助动词	usy	助词"似的"
vi	系动词	usi	助词"地"
vf	形式动词	usf	助词"得"
vv	"来去" + VP	uss	助词"所"
vtz	V 作主	utl	助词"了"
vtb	V 作宾	utz	助词"着"
vtp	V 作 NP 偏	utg	助词"过"
vtx	V 作 NP 正	ur	其他助词
vw0	V 不带宾	y	语气词
vwn	V 带体宾	o	象声词
vwv	V 带动宾	e	叹词
vwa	V 带形宾	kh	名词前缀
vws	V 带小句宾	kn	名词后缀
vwd	V 带双宾	kv	动词后缀
vwj	V 带兼语宾	kp	可能中缀
vwc	V 作补语	in	体词性成语
ag0	形容词一般	iv	谓词性成语
agz	形容词作状语	id	副词性成语
agb	形容词带宾语	l	插入语
ags	形容词作主宾语	fhz	非汉字
agx	形容词作 NP 中心语	gsh	数学公式
az	状态词	wbl	（
ab	区别词	wb2	）

mgx	系数词	wb3	"
mgw	位数词	wb4	"
mgg	概数词	wb5	〔
mgm	数量词	wb6	〕
mgh	数词"半"	wb7	《
mgo	数词"零"	wb8	》
maf	前助数词	wb9	〈
mam	中助数词	wba	〉
mab	后助数词	wd8	……
qns	个体量词	wbb	'
qnu	集合量词	wbc	'
qnk	种类量词	wd9	——
qng	名量词"个"	wda-	/
qnm	度量词	wdb	～
qnc	不定量词	wdc	·
qnt	临时名量词	wd3	、
qv0	动量词	wd1	,
qvt	临时动量词	wd2	。
qt	时量词	wd4	;
ra	代词作定语	wd5	:
rs	代词作主宾	wd6	!
rp	代词作谓补	wd7	?
rd	代词作状语	@	段落标记

（三）兼类词的处理

在连续的文本中,要给每一个词都标上词性,遇到的最困难的问题就是兼类问题。一个词在词典中可以给出几个词性,但在特定的上下文中,它的词性只能是唯一的。在词类体系上实现兼容比较容易,但在具体词的标注上要实现兼容就困难多了。比如在"改革给人民带来了实惠"中,"改革"是动词还是名词?"实惠"是名词还是形容词?不同的人就有不同的看法。我们在处理兼类词的时候,仍然本着尽量与各家观点兼容的原则。在兼类词中,最突出的问题就是动词、形容词的体词性用法即所谓"名物化"的问题。在这类问题上,我们既不是简单地给它标上一个动词或形容词,也不是简单地标上一个名词,而是在一般的词类标记后面加上一个功能标记。具体来说,如果一个动词在基本意义不变的情况下作了主语,我们就给它标上 VTZ,第一级标记 V 表示它是一个动词,第二级标记 T 表示它在上下文中作体词性用法,第三级标记 Z 表示具体是作主语,如前面例子中的"改革",再如:

写作成为少数人的职业

死亡是大自然赐给人类的恩惠之一

同样,如果一个动词作宾语,我们就给它标上 VTB,如:

发出赞叹 遭到拷打 招来羞辱

比出国容易 对于生与死有了崭新的认识

我们认为,这样处理有好处,可以使持不同观点的人都能得到他们所想要的结果。例如,有的人认为动词作主宾语仍是动词,利用第一级标记 V 就可以得到这一结果;有的人认为,动词在主宾语位置上改变了词性,变成了名词,那么他只需要把 VTZ 或 VTB 归入名词就可以了;可能还有人认为,动词在主宾语位置上,既不是动词,也不是名词,而是另外一个词类,那么他只需要把 VTZ 或 VTB 归入另一类就可以了。

四　语料的检索与统计

（一）系统概述

语料标注完之后，还必须把它建成一个库，提供检索和统计的手段。虽然目前市场上已有一些很成熟的全文检索软件，利用这些软件都是基于字串的检索，还无法有效地利用分词并带词性标记的语料。因此我们开发了一个基于词、词性的检索和应用系统。该系统在 FoxPro for Windows 系统下实现具有建库、检索、浏览、输出统计等功能。采用标准 Windows 图形式用户界面，使用方便，功能齐全，特别适合对计算机不太熟悉的语言学工作者使用。

（二）语料的检索

语料的检索主要有两种检索方式：例句检索和 KWIC 检索。例句检索就是根据用户的检索条件，在语料库中检索出所有符合条件的例句。KWIC（Key Word in Context）就是检索出特定词语及其上下文。

1. 例句检索

用户的检索要求是多种多样的，由于计算机尚不能理解自然语言，因此首先必须对用户的检索要求进行形式上的规定。这种规定既要便于计算机理解，又要让用户掌握起来比较容易，还要求有充分的表达能力，以尽量满足用户的要求。为此，我们规定了以下的检索范式，它包括 10 条基本规则和 2 条为了简化的附加规则。

基本规则：

（1）检索式：= 检索串

(2)检索式:=(检索串[/检索串[/......]])

(3)检索式:=检索式+检索式

(4)检索串:=检索元素

(5)检索串:=检索串+检索串

(6)检索元素:=[<允许间隔>]词形

(7)检索元素:=[<允许间隔>]:词性

(8)检索元素:=[<允许间隔>]词形:词性

(9)允许间隔:=k(k 为数字,表示本元素与上一元素或句首最多相隔 k 个元素)

(10)允许间隔:= *（表示 k 值不定）

附加规则：

(11)"<*>"与".."同义

(12)"+.."或"+<*>"可省写为".."

以上规则中,":="表示"可以是","/"表示析取,如"a/b"表示"a 或 b 其中之一","+"表示有序合取,如"a+b"表示"a 与在 a 之后的 b"。中括号表示其中的内容是可省的。

省略"<允许间隔>"或".."表示间隔为零。

以下举几个实例加以说明：

(1)..是:V..的:y

表示动词"是"后面跟语气词"的",之间距离为任意个词。

(2)..:A+:UT

表示形容词后紧跟一个时态助词

(3)..把:p+(..着/..了/..过)

表示介词"把"后面跟"着"、"了"或"过",之间距离为任意个词。

(4)..一:M+:Q+(..都/..也)

表示数词"一"后面紧跟一个量词,后面再跟"都"或"也"。

(5) ..一:d+<6>就

表示副词"一"后面跟一个"就",之间最大距离为6个词(间隔0—6)个词。

概括起来,检索范式支持以下操作:

(1)位置运算。一般的语言学检索都包含位置运算,如"..是..的"表示"的"必须在"是"之后出现。用户可以制定检索元素之间的间隔。

(2)逻辑运算。目前我们的检索支持"与"和"或"两种逻辑运算。如"..:A+(了/着/过)"表示形容词后面紧跟着一个"了"、"着"或"过"。

(3)词性的模糊检索。如前所述,本语料库的词性标记体系是一个具有继承机制的层级体系,因此用"前端匹配"很容易实现模糊检索。这也是本语料库的一大特色。比如,标记A包括了所有以V打头的标记即所有形容词,标记AG只包括所有的性质形容词的标记,而AGZ则只包括性质形容词作状语的情况。

利用这些检索范式就可以构造出各种各样的检索式,在现有语料库的基础上能够满足语言学研究的一般需求。

检索出的例句可以在屏幕上浏览,当需要更大的上下文时,还可以切换到句子所在的段落。在浏览例句的过程中,可以删除不要的例句。关键词都以特殊颜色显示,这样看起来非常醒目。

经过浏览,删除了一些不需要的例句之后,就可以把例句输出到文本文件、例句库或打印机上。输出时,关键词两端加上醒目的标记"【 】"。

2. KWIC 检索

在 KWIC 检索中,我们可以快速地查到任意的检索元素(包括一个特定的词、特定的词性标记或一个带词性标记的词)及其上下文。上下文的长度可以分别在 1 至 10 词之间任意定义。这里,词性标记同样可以采用模糊机制。下面是标记 kp(可能中缀)的部分检索结果(前后文分别为 8 个词):

,这……"刘富立即张口结舌说	不	出话来。@吴所长带
老头这个乐呀,嘴都绷	不	住了。老头说:"哪
、生物主义的观点今天已经站	不	住脚了。对方四位同学
对!对!女英雄!比	不	了,比不了!咱们就
老家儿死了,罪恶深重,提	不	到露脸!@"好!
:"烧我哪,你管	得	着管不着哇?高兴我
拿人家两块糖,人家赚	得	出来吗?""告诉您说
"丢东西啦,问问丢	得	了丢不了,哪里找去
什么吧!"傻子也得说	得	上来呀!别说,他还有
试,重新过……@你骗	得	了别人,你骗得了你

(三)语料的统计

在语料库上可以很快地统计出词频、词类频率、词类共现频率、平均词长、平均句长等。目前,国内尚无带词性的现代汉语词频统计结果,我们希望本语料库的词频统计结果尽快能够出版,以满足各方面的需要。目前,词频统计的结果(包括词语、词性、频次)可以在检索系统下按任意顺序浏览。

特定条件的统计和检索是同步的,按照检索式给出的各种条件,检索后就会报告其频次。

贰 建立"汉语中介语语料库系统"的基本设想[①]

一

"汉语中介语语料库系统"[②]是一个利用第一语言为非汉语的学生(以下称为"汉语 L_2 学生")的汉语书面语料,全面、细致地记录他们汉语学习过程中的语言表现和研究他们汉语习得过程的计算机软件。该软件将收集不同背景和不同学习阶段的汉语 L_2 学生的书面语料 100 万字以上,并对语料属性、语料中的字、词、句和段落篇章等单位与项目进行完备的计算机处理,以实现对各种条件和要求下的语料数据进行便捷的机器检索和提取。研制该软件旨在为研究汉语 L_2 学生学习和习得汉语的规律提供有关学生书面语言表现的各种单项的或综合的资料和信息,从而为建立和发展作为外语或第二语言的汉语学习理论,为丰富和完善对外汉语教学理论做一些基础性的准备工作。

汉语中介语语料库建设是对外汉语教学学科理论研究中一项基础性的课题,也是一项迫切的任务。中国对外汉语教学经过几十年的探索和发展,已经取得了比较丰富的实践经验和一定的理论成果。但是,"长期以来,我们的研究重点集中在学和

---

① 本节摘自储诚志、陈小荷《建立"汉语中介语语料库系统"的基本设想》,《第四届国际汉语教学讨论会论文选》北京语言学院出版社 1995 年版,第 537 页。

② "汉语中介语语料库系统"为原国家教委"八五"社科规划研究项目、国家汉办"八五"科研规划项目,研制人员储诚志、陈小荷、张旺熹、张伟、魏苹、宋旗。1993 年立项,1995 年 11 月 15 日通过专家鉴定。鉴定认为该语料库在汉语作为第二语言教学领域里取得了开创性成果,"达到了国际领先的水平"。——作者补记

教的内容以及执教者怎样教这两方面,学习者怎样学则成了我们理论研究最薄弱的环节。由于对学习者的学习规律知之甚少,因此我们对语言教学规律,对语言本身的认识都受到了限制。""所以,要进一步推动我国语言教学事业尤其是对外汉语教学事业的发展,加强语言学习理论的研究,就成了问题的关键。"①鉴于这种情况,有关学者于1992年5月聚集北京,专门召开"语言学习理论研究座谈会",会上提出了一项富有学术远见的愿望和号召:"要把引进国外各种语言学习理论同研究汉语言文字的学习规律结合起来,创造出我们自己的、富有生命力的汉语言学习理论来。"②

"研究语言学习理论必须从学生在语言学习过程中的语言表现入手"(吕必松,1993b)③,"以中介语研究为突破口"④。对于汉语 L_2 学生的语言表现(即学生的汉语中介语资料),我们以前也做过一些搜集工作,但多局限于零散地摘录学生的病句错词。这既忽视了没有语病的语料对于研究学生的学习规律所具有的价值,也没有记录语病的背景来源和语境,而且数量有限,不成规模和系统。因此,这些语料满足不了多方面的、系统全面的理论研究和开发应用的需要,难以成为创立和发展汉语言学习理论的充分可靠的语料基础。

建立"汉语中介语语料库系统",正是针对以上现实情况和研究需要而作的一种努力。

---

①② 参见《语言学习理论研究座谈会纪要》(张旺熹执笔),《世界汉语教学》等三刊编辑部1992年。
③ 参见吕必松《论汉语中介语的研究》,《语言文字应用》1993年第2期。
④ 同注①②。

二

"汉语中介语语料库系统"的建立将朝着以下目标和要求开展工作:

(一) 语料的内容系统全面

首先,学生从学习的零起点开始,他们在学习和习得汉语过程中各个阶段上的书面语料都是语料库收集的内容。其次,语料来源于各种各样的学生对象,他们具有互不相同的社会属性(如国籍、民族)、语言背景(如第一语言与外语)、学习环境(如中国与外国)和个人特征(如年龄、性别、性格、学习动机)。第三,既全面收集一般学生的书面语料,也跟踪一定数量的特定的学生对象,对这些不同水平阶段上特定学生的书面语言表现进行完备的记录。做到了以上这三点,对于学生的学习情况,就既可以纵向地研究他们汉语习得过程的动态轨迹,又可以横向地研究整个过程中某一特定阶段的静态状况;既可以针对一般学生进行规模研究,也可以着眼于特定学生进行个案研究。

(二) 规模大,数量充足

建成后的语料库将容纳各类汉语 L_2 学生的语料样本 100 万字以上,以后还可以在此基础上不断扩充。这样的规模和数量将为有关研究工作提供比较充分的语料基础。

(三) 散布均匀,代表性强

进入语料库的语料样本将综合考虑各种属性背景因素和话题内容的选择情况,① 合理计算不同属性和话题的语料的入库

---

① 有关语料属性背景因素的具体内容,详见本文第三部分开头。

比例,力求做到选样科学、散布均匀,有较好的典型性和代表性。选样的代表性和科学性越强,以后研究语料的结论就越有普遍性和可靠性。

(四)信息完备,加工细致

本语料库主要收录学生的成段、成篇的语料,包括作文考卷、作文练习、读后写或听后写、外译汉四种类型。[①] 每篇语料在字、词、句、篇各方面都保留学生写作时的原始面貌,同时完备地记录该篇语料及其写作者的背景情况。[②] 考虑到各种开发应用前景和研究的需要,语料库将对语料在字、词、句、篇及语料的背景属性等各个方面进行全面、细致的处理和标记,以使语料库能按照用户的要求灵活地提供各种单项的或综合的信息资料,便于用户从不同的角度对学生汉语学习和习得方面的问题作单项或综合的研究。

(五)用户界面友好,检索便捷

由于要对语料样本中字、词、句、篇和语料属性等项目进行全面细致的处理,并设计相应的计算机检索系统,语料库将具备快捷、灵活、全方位的检索机制。目前的汉语语法理论还存在不同的体系,各种语法体系对汉语的词类和句子结构等问题的认识和处理方法不尽一致,[③] 不同的用户对不同体系的熟悉和偏

[①] 主要收录学生成段、成篇的语料,目的在于保留语料的篇章特征,尤其是句子和语词的上下文语境。当然,学生在学习的初始阶段(从零起点开始)还不能写出成段的话,这阶段收集的书面语料只是单句的练习材料。

[②] 同注[①]。

[③] 比如:时间词、处所词、区别词能不能独立成类,各种兼类词怎么处理,句首的时间词、处所词是状语还是主语,动词后的数量词是宾语还是补语,有没有兼语结构,等等。如此之类的问题学术界都有较大的分歧。

爱情况也不相同。因此，如果在语料库中只依据某一种语法体系来处理和标记语料，势必会给不习惯这种体系的用户带来检索的不便。针对这种情况，本语料库在处理语料时尽量兼容各家体系，使不同用户都能方便地根据自己熟悉的体系对语料库进行检索，对不同用户都保持友好的界面。①

（六）软件系统具有充分的开放性和良好的可维护性

可以用系统中的语料处理模型和计算机软件随时分析、处理新的语料，使语料库的容量不断得到扩充。语料的标注和检索系统也可以随时增删或修改。保持软件系统的开放性和可维护性，将使该软件的开发使用价值更大、更长久。

总之，我们希望"汉语中介语语料库系统"成为一个规模较大、选样科学、信息完备、加工全面、可以进行全方位检索的汉语中介语语料库软件。

三

前文说过，本语料库收集的主要是汉语 L_2 学生写作的成段、成篇的语料，同时完备地记录每篇语料及写作语料的学生的背景属性。这些背景属性有：学生姓名、性别、年龄、国别、是否华裔、第一语言、熟悉的其他外语、文化程度、性格、学习汉语的动机、以往学习汉语的经历和环境、写作语料时的汉语水平和学习环境、本篇语料的类别和写作时间、提供语料的教师等，一共十五项内容。②

---

① 计算机兼容各种体系是一种技术上的处理，而不是把不同体系合并成一个体系。
② "学生姓名"和"提供语料的教师"两项内容在建成后供用户使用的语料库中将被隐去，只以代码形式出现。

本语料库系统的基本结构可以分成语料处理模块、数据库、用户功能模块三个部分。语料处理模块负责对语料进行字、词、句、篇及语料属性等项目的细致的计算机处理和加工,并把处理和加工的结果提供给数据库。数据库主要负责存放语料处理模块对语料处理后的各种结果和数据记录,以供用户功能模块的检索和调用。用户功能模块是为用户设计的检索、统计和提取数据库中各种数据信息的手段和机制,它所检索和提取的一切数据事先都存放在数据库里。下面我们对语料库系统的这三个构成部分进行一些具体的剖析。

(一) 语料处理模块

这是语料库系统内部对语料进行各种不同的处理和加工的各功能模块的总称。其中包括原始语料登录、语料属性登录、字处理、断句、词处理、结构处理(句法分析)几个部分。下面分述这几个部分的功能和作用。

1. 原始语料登录:就是将原始语料登录进计算机。这是计算机处理语料的第一步。收集起来的语料经过选择和确认,在背景属性和话题选择上符合典型性和代表性等要求,就可以通过"原始语料登录",成为语料库中的原始语料样本。

2. 语料属性登录:就是登录每一语料样本的十五项背景属性。样本的属性与样本本身分开登录,但在语料库内一一对应地存放。

3. 字处理:在汉语 L_2 学生的原始语料中,规范汉字与非规范汉字并存。非规范汉字有错字、别字、繁体字、拼音字(以拼音代汉字)和空缺字(即写不出来就空着不写的汉字)等五种情况。本语料库保留学生汉字书写的原貌,同时标注出非规范字的规范形式,并对规范汉字和非规范汉字的各种情况分别作出不同的索引标记。

4. 断句:学生的语料样本是成段、成篇的,"断句"即是将这种成段、成篇的语料切分成一个一个的句子。

5. 词处理:词处理的内容比较多,包括分词、规范词与非规范词处理、词性标注、篇章连接词标注四项工作。分词就是把句子中连成一体的词一个一个地切分开来。学生语料中的汉语用词也是规范词与非规范词并存。非规范词除了学生的生造词以外,还有一些他语词(即来源于学生第一语言或其他外语的词)。语料库对语料样本中的规范词和非规范词都作出不同的处理和索引标记。语料在分词以后,即可对切分出来的词逐一进行"同性标注",让语料中的每一个词都有确定的词性标记。有些词在语料中的主要功能是起篇章关联作用,如"首先"、"其次"、"再说"、"总之"等,是一种"篇章连接词"。对这种词,语料库在词处理时还要作出特殊的"篇章连接词标记"。

6. 结构处理(句法分析):就是对语料样本中所有的句子逐一进行句法结构分析,并详细标记分析的结果。学生语料中的句子有些是符合汉语语法规范的,还有不少不符合汉语的语法规范。这种非规范句子中的毛病多种多样,千奇百怪。对于规范的句子,本语料库在作结构处理时分析并标注出句中各个层次上的结构项和结构关系。① 对于非规范的句子,不可能按照描写规范语法的体系对其结构关系和结构项作出完全的分析,

---

① 结构项如主语、谓语、动词、中心语之类,结构关系如主谓结构、定中结构、动补结构之类。

但句中的短语一般都可作层次切分。切分出来的各个层次上的短语有些是符合规范的,即可分析并标注出其中的结构关系和结构项;有些不符合规范,但可以看出其中的错误明显是由于用错了哪一语法规范,这时也可以对这一短语作出一种特别的标记,说明其错误与某一语法规范相关。例如,假定语料中有"我吃饺子在学校食堂"这一非规范句子,我们可以依据层次切分出"我吃饺子在学校食堂"、"吃饺子在学校食堂"、"吃饺子"、"在学校食堂"、"学校食堂"几个短语,其中"吃饺子"、"在学校食堂"和"学校食堂"三个短语符合规范,我们即可标出动宾结构、介词结构和定中结构等关系;"吃饺子在学校食堂"这一短语不符合规范,但我们可以看出其中的错误明显是安排错了语序,其正确形式应该是"在学校食堂吃饺子"这一状中结构。这时,我们虽不认为"吃饺子在学校食堂"也是状中或"中状"结构,但可以作出一个特殊标记,表明它是用错了的状中结构(比如标成"错误的状中")。根据这种方式,我们可以对语料中的规范句子和一部分非规范句子进行结构分析。不过,学生语料中的非规范句子或短语并不都像"吃饺子在学校食堂"那样容易看出毛病所在,有些句子可能很难看出是怎么错的。对这种句子,除了在词处理时标注句中词的词性以外,本语料库并不强求对其作彻底的句法分析,而是只作出一种便于检索的标记。

以上所介绍的是本语料库处理和加工语料的六个内部模块及其大致的功能。至于研制这六个模块所涉及的一些技术处理细节和有关的汉语规范和规则,需要进行专门的讨论,本文暂不涉及这方面的内容。但这里应该说明一点:由于目前的汉语研究,尤其是汉语语法研究还不能提供一套严密、完善的规则系统和可以操作的描写手段,对汉语中介语语料进行描写和研究的成果也非常有限,我们研制使机器自动处理语料的软件模块的工作会因此遇到一些一时难以克服的困难。就现实的可能性而言,六个模块中的"断句"、"字处理"和"词处理"三个部分基本上可以由机器独立地执行有关的语料处理工作,只需要人工校正一下处理的结果;至于"结构处理(句法分析)"这部分工作,在很大程度上则需要以人机互助的方式来完成。

(二) 数据库

数据库包括存放语料处理模块对语料进行分析和处理的结果的五个基本库——样本库、语料属性库、字库、词库、句库,此外还有一个同义词库和一个相关语法点库。同义词库和相关语法点库与前面的五个基本库不同,其内容不是根据语料处理模块对语料进行处理的结果生成的,而是根据汉语词汇的语法项目内部的关联情况以及学生语料用词和语法的一般情况来确定的。

1. 样本库:存放通过"原始语料登录"进来的语料样本。
2. 语料属性库:存放通过"语料属性登录"进来的样本属性。
3. 字库:分类存放语料样本中规范用字和各种非规范用字的数据信息。
4. 词库:存放语料样本中规范词和非规范词使用情况的数据信息、词的词类属性(即词性)信息、篇章连接词的出现情况的信息,等等。
5. 句库:存放语料样本经过"断句"处理得到的每一个句子以及这些句子经过"结构处理"得到的句法分析结果。
6. 同义词库:存放在意义和用法上差别细微,学生容易用混的一组组同义词语。如"岁"与"年纪"、"年龄","会"与"可能"、

"也许"、"大概","有点儿"与"一点儿","又"与"再"、"还",等等。① 对这类同义词语数量和范围的确定,主要依据汉语词汇系统的实际和汉语 L_2 学生语料中用词情况的实际。凡是学生容易用混的同义词,都尽可能收进本系统的同义词库。

7. 相关语法点库:存放在语法意义和功能上差别细微,学生容易用混的一组组相关的语法点。如能愿动词与可能补语,介词"把"与"被、叫、给、让","V得/不动"与"V得/不了"、"V得/不起",②"跟……一样"与"比"字结构,等等。确定一组组相关语法点也应根据汉语语法系统和学生语料中语法错误的实际情况。凡是汉语 L_2 学生容易用混的语法点,都可能收进相关的语法点库。

(三) 用户功能模块

这部分模块是检索、统计和提取数据库中各种数据和信息的一个综合机制。这部分模块是面向用户的。它可以根据用户的需要,灵活地输出语料库中字、词、句、篇或语料属性等各种单项的或综合的数据,为用户的研究服务。

1. 汉字方面:可以检索任意属性范围内的汉语 L_2 学生的用字情况,比如日本学生用字情况,欧美学生用字情况,高等水平学生用字情况,初等水平学生用字情况,或者年龄在35岁以上的初等水平的欧美男学生的用字情况,如此等等;③可以生成

---

① 显然,这里所说的同义词与一般现代汉语词汇学著作中所说的同义词不完全是一回该。

② V表示动词。

③ 学生汉语水平的等级划分是一个比较复杂的问题,目前还没有可靠的按照学生习得过程确立的客观依据。在这种情况下,吕必松教授建议根据学生的汉语输入情况(即所学教材的语言难度)把学生水平分成初、中、高三等,每等又各分上、中、下三级。本文所说的"高等水平"、"初等水平"即指这样的等级水平。参见吕必松(1993a)。

学生的用字字表和各种非规范字使用情况表,进行字频、字次等数据统计;查找错别字或其他非规范字的出处;自动进行字形结构分析,等等。

2. 词语方面:可以检索任意范围内的学生的用词情况,生成学生的用词词表和非规范词使用情况表;进行各种词频和词次统计;查找非规范词语或某个特定词语在语料中的出处,生成相应的语料子库(词语出处表);检索同义词或其他语义相关词语的使用情况①;检索某一词类的词(如副词、连词、介词)的使用情况;进行语料用词的构词分析,等等。

3. 句子和结构方面:可以检索任意属性范围内的学生使用语法点的情况,并对各种语法点的分布情况进行统计(比如中等水平学生的语料中一共使用了哪些语法点,各种语法点的出现频率怎样,等等);生成任意一个语法点学生使用情况语料子库(比如"把"字句语料库、连动句语料库、动态助词语料库、动补结构语料库、疑问句语料库,等等);检索非规范句子或结构的出现情况,并生成相应的语料库;检索相关语法点的使用情况②;等等。

4. 篇章和语料属性方面:可以根据任意指定的语料属性范围去检索该范围之内的语料样本,并生成相应的语料子库,比如初等水平学生的语料库,初等水平日本学生的语料库,年龄在35岁以下的初等水平日本男学生的语料库,等等;也可以根据

---

① 这一功能可以提示用户注意学生因同义词的细微差别而犯的错误,如"能"与"可以","有点儿"与"一点儿","岁"与"年纪"、"年龄",等等。

② 这一功能可以在用户检索调用甲语法点的语料时,提示用户注意与甲相关的、学生常易用混的乙、丙等语法点的语料。比如能愿动词与可能补语、"跟……一样"与"比"字结构,等等。

指定的语料样本去查找该样本的背景属性信息,比如查找语料写作者的第一语言和汉语水平,等等;可以根据任意语言单位(一个词、一个句子或一个段落)检索任意篇章范围内的上、下文语境(从前后句到篇章全文);检索语料中篇章连接词语的使用情况;等等。

此外,语料样本中标点符号的使用情况也可以通过用户功能模块检索出来。

总之,用户功能模块所提供的检索机制是灵活、准确和全方位的,凡是有关语料样本的字、词、句、篇和背景属性乃至标点符号等各种数据和信息,都可以进行全面的或局部的检索与提取;检索什么,检索多少,一般都能随用户的意愿和要求进行。

以上详细剖析了本语料库系统内部结构的基本情况,这些情况大致可以归结如下:

"汉语中介语语料库系统"基本结构

语料处理模块	数据库	用户功能模块
原始语料登录	样本库	用字情况检索
		字频、字次统计
语料属性登录	语料属性库	特定字出处查找
		非规范字检索
		字形结构分析
字处理:		
规范字与非规范字处理	字库	用词情况检索
		词频、词次统计
断句	句库	分词类用词检索、统计
		非规范词检索、统计
		特定词出处查找
词处理:		同义词使用情况检索

分词	词库	构词分析
规范词与非规范词处理		
词性标注		语法点使用情况检索、频率统计
篇章连接词标注		
	同义词库	特定语法点出处查找 非规范句法结构检索 相关语法点使用情况检索
结构处理(句法分析)		语料样本及其属性检索
	相关语法点库	句子的上下文检索 篇章连接词检索、统计 标点符号检索、统计

四

建立汉语 L_2 学生的语料库是一件重要的工作。我们希望"汉语中介语语料库系统"的研制能切实地推动作为外语或第二语言的汉语学习理论的研究,也希望所有关于汉语研究、汉外语言对比研究、汉外文化对比研究、汉语偏误分析和汉语教学理论研究的工作,都能借助这一语料库软件的帮助,取得更多更好的科学成果。[①]

但是,我们也应该看到,汉语中介语语料库建设也是一种新的尝试。汉语中介语语料不像规范汉语那样具有相当稳固的规范系统,而是跟其他语言的中介语一样,具有一种动态多变的性质。这一方面是因为学生的中介语出现于从零开始到最终习得汉语的整个学习过程中;另一方面也在于影响外语或第二语言

[①] 参见吕必松《论汉语中介语的研究》,《语言文字应用》1993年第2期。

习得的因素复杂多样,学生不同的语言背景和学习环境,不同的种族与文化属性及个人特征都能制约其中介语的面貌和特征。目前的汉语研究还没有形成一套周密完善的汉语描写手段与规则系统;汉语中介语的这种"动态多变"的特点,更使得现有的描写手段难以胜任对汉语 L_2 学生语料的分析与处理。因此,我们研制"汉语中介语语料库系统"将会遇到一些不可避免的难题,诸如语料的分词、词性确定、结构分析与标注、篇章因素的认定、同义词和相关语法点的确立,等等。我们将努力探求解决这些难题的妥善办法,也希望得到海内外专家同仁们的指点与帮助。

叁 "汉语中介语语料库系统"介绍[①]

一

"汉语中介语"是指第一语言不是汉语的人在学习汉语过程中所使用的语言。[②] 这种语言介于说话人的第一语言和目的语(汉语)之间,是动态多变、不断发展的,不像第一语言那样具有相对稳固的规则系统;但是,另一方面,中介语的发展变化也有一定的内在规律,表现出某些普遍性或群体性的特征,因而成为语言学习理论的研究对象。

---

① 本节摘自陈小荷《"汉语中介语语料库系统"介绍》,《第五届国际汉语教学讨论会论文选》北京大学出版社 1997 年版,第 450 页。

② 该系统也收入了一些自称第一语言为汉语的留学生的语料。这些语料是否属于汉语中介语,可能会有争议;但是这些留学生长期生活在海外,他们原先使用的汉语跟现在所要学习的汉语之间显然有不小的差别。

第二节 现代汉语语料库与中介语语料库

"汉语中介语语料库系统"是一个计算机软件系统。该系统收集了汉语中介语语料350多万字,其中经抽样而形成的核心语料100多万字作了断句、分词和词性标注等加工处理。除了语料加工软件之外,系统还提供了一个面向汉语教师和语言学家的语料检索工具。有关该系统的立项、实施和鉴定等情况,可参考储诚志等发表于《世界汉语教学》中的文章[①]和报道[②],这里不必赘述。

该系统的设计思想是,尽可能真实详尽地反映汉语中介语的本来面貌,为汉语教师全面、系统地观察学生在学习过程中的语言表现提供语料和方便快捷的检索手段。在教学实践方面,它可以帮助教师了解学生,了解汉语学习过程和影响学习的各种因素,从而有效地优化学习条件,自觉地按照学习规律来组织教学、提高学习效率;在学科建设和理论研究方面,一个有相当规模的语料和较完备的语篇属性信息的汉语中介语语料库,可以成为建立和发展汉语学习理论的坚实基础,为对外汉语教学的总体设计、教材编写、课堂教学、成绩测试和水平考试等各个环节的研究工作提供依据。从这个意义上说,该系统是对外汉语教学学科理论建设的一个基础工程。同时,该系统也可以从汉语中介语这一特殊角度为一般的汉语研究提供新的思路和新的切入点,因为不少汉语事实和规律是深藏在本族人的语感背后,为本族人所习焉不察的,汉语中介语语料可为语言学家研究

---

① 参见储诚志、陈小荷《建立"汉语中介语语料库系统"的基本设想》,《世界汉语教学》1993年第3期。

② 参见《"汉语中介语语料库系统"研制成功》("学术动态"),《世界汉语教学》1995年第4期。

这种规律提供启发和线索。① 值得一提的是,北京语言学院的另一个语料库系统——"现代汉语研究语料库系统",与"汉语中介语语料库系统"几乎同时完成,这两个语料库的语料可以为汉语中介语研究和一般的汉语研究提供各种相互比较和参证的统计数据。

计算语言学研究方面,"语料库语言学"是一个新的分支,主要研究计算机可读的自然语言文本的采集、存储、加工、检索、统计以及在自然语言理解等领域中的应用。语料库语言学在理论上是经验主义的,认为大规模语料中已经包含了人们使用和理解语言的全部知识,现有的外在化知识是不完整的,甚至是错误的。不过,语料库语言学研究的一般是本族人使用的自然语言,中介语研究是否也可以借鉴、运用语料库语言学的理论和方法,语言学习理论跟计算语言学这两方面的研究是否可以有机地结合起来,值得积极认真地探索,"汉语中介语语料库"系统的开发,也为这种探索提供了一定的条件。

"汉语中介语语料库系统"的主要研究成果是:

第一,设计了语篇属性登录、语料收集、话题分类、预处理、抽样、断句、分词和词性标注等工作方案;

第二,收集并加工了有相当规模的汉语中介语语料,并且可以继续扩充;

第三,登录了较为完备的语篇属性(23种);

第四,开发了断句、分词、词性标注及相应的校对软件,语料

---

① 陆俭明论及虚词在汉语学习的重要性时,有一个很生动的例子("是……的"的搭配问题)表明了汉语中介语语料对于汉语研究的价值。

抽样和语料检索等软件。

本文的主体内容包括以下三个部分：

语料抽样　介绍语料的基本情况、语料抽样的目的和细则以及抽样方法；

语料加工　介绍语料加工的基本流程和方法、分词规范和语法标记集；

语料检索　介绍语料检索工具的使用方法。

我们准备从这三个方面谈谈系统的设计思想如何实现，最后检讨该系统存在的问题并提出若干改进的措施。

二　语料抽样

系统原打算收集原始语料 100 万字，项目实施过程中，北京语言学院加大了投入，语料收集工作进展比较顺利，共得原始语料 350 多万字。尽管在语料收集时我们尽量注意各种属性的语料在数量上平衡，但是由于各种条件的限制，实际收集到的语料还是不够均匀。大致情况如下：

作者的第一语言有 59 种，其中日语背景的占 40.97%，朝鲜语背景的占 21.79%，英语背景的占 8.5%，其他语言背景的所占比例总和不超过 30%，他加禄语、葡萄牙语、保加利亚语等背景的语料在我们的语料库里分别只有一篇。

作者年龄方面，64.23% 的语料是由 16—25 岁的学生写的，25.19% 的语料是由 26—35 岁的学生写的，其他年龄层次的作者所写的语料较少。

学时等级方面，3 级（写作时读第三学期，其余以此类推）最多，占 28.49%，2 级次之，占 20.52%，其他各级语料较少。

话题类别方面,字数最多的是生活经历和见闻类,占 21.14%,政治思想、社会文化和教育类,读后感、观后感类,旅游类,人/物介绍类也占相当比例,而个人爱好类,工作情况类,季节和天气类,交通情况类和应用文类所占比例都在 3% 以下。

语料类型方面,作文练习占 63.45%,作文考卷占 15.31%;读后写/听后写占 19.21%,这类语料仿写的成分较多,似不宜多取。

在几个主要的语篇属性中,只有作者性别的分布比较均匀,男性占 50.93%,女性占 47.93%,另有一些语料作者性别未登录。

以上各种比例数字都是按字数计算的。

对原始语料要不要抽样,向专家咨询时,专家们有不同意见,我们自己也曾反复权衡。抽样必然加进一些主观因素,但如果不抽样,原始语料分布不均匀,从中得出的统计数据的价值反而降低。

语料抽样的目的是要尽可能客观、全面地反映汉语学习过程中各种因素的交互影响,使核心语料中各种属性的语料分布比较均匀。为此,我们的主要做法是"损有余而补不足"。但是也要考虑汉语教学中不同种类的学生人数和语料来源差别悬殊的实际情况,损和益都不能过分,过分了也会影响核心语料的实用性和统计数据的价值。例如,目前日语和朝鲜语背景的学生占很大比例,核心语料库应该基本反映这一事实。另外,我们还考虑了研究者对某些属性的语料更为关注的实际情况,例如英语背景的语料比例不高,我们希望在核心语料中适当提高它的比例。

根据抽样的目的,结合原始语料的实际情况,我们制定了以下几条抽样细则:

(1) 同一作者一般最多抽取 4 篇;在同等情况下,被抽篇数较少的作者的语篇优先抽取;

(2) 第一语言方面,按字数规定以下抽取比例:英语占 15%,俄、法、西、阿、德、意六种合占 20%,日语占 25%,朝鲜语占 15%,对于总篇数在 10 篇以下的小语种语料,在同等条件下优先抽取;

(3) 尽量做到每种第一语言、每个国家或地区至少抽取一篇;

(4) 作者年龄方面,15 岁以下和 51 岁以上的作者的语料全部抽取,36—50 岁作者的语料占 8%,其余年龄层次的语料随机抽取;

(5) 话题类别方面,个人爱好类等 5 种较少的语料全部抽取,读后感、观后感类和复述类分别占 8% 和 5%,其他种类的随机抽取;

(6) 学时等级方面,1 级占 6%,2、3 级各占 20%,9 级占 8%,其余各级随机抽样;

(7) 语料类型方面,读后写/听后写占 15%,作文考卷和作文练习随机抽取;

(8) 上述 7 条未涉及的语篇属性都作随机抽样。

实施抽样时,先把必取的语篇放到核心语料中去,对剩下的语篇采用多方控制(篇数、字数、作者等)、随机抽样、动态平衡技术来处理。具体地说,用随机函数取一篇号,查其语篇属性,如果是应该优先抽取的则取之,若必不取的则不取,若可取可不取,则记下"备取"次数,待备取次数达到某值(例如7次)才取;每取一篇后,即改变各控制变量,直到抽取了100万字左右并且各控制变量都满足或基本满足预定要求为止。由于涉及的语篇属性较多,而且不少抽取条件比较复杂,因此我们用自己设计好的程序作了多次试抽样,比较各次抽样结果,最后选定了较为满意(即跟预定要求最为接近)的一种抽样结果。今后如果需要扩大语料规模和重新抽样,只需对抽样程序稍作修改即可。

三 语料加工

语料加工的基本流程是:

第一,文字预处理。原始语料中的非规范字,包括错字、别字、繁体字、异体字、拼音字(以拼音代汉字)、空缺字(写不出来就空着不写的字)等等,一律标出相应的正字;教师所作批改一律还原。拼音字跟拼音词有区别,例如"告su"中的"su"是拼音字,需要订正为"诉","gaosu"是拼音词,我们不作订正,这是因为拼音字会影响自动分词的正确率,而拼音词没有影响。

第二,录入。尽量忠实地反映原始语料的面貌,但为了便于以后对字词的处理,一律用正字录入;为了便于将来检索非规范字,在对应的正字之前加一特殊标记。

第三,文本过滤。滤掉字处理程序加上的各种控制字符,以便后续处理。

第四,预处理信息登录。将正字之前的特殊标记去掉,登录该正字在语篇文件中的位置,以便将来检索对应的非规范字。

第五,断句。机器自动断句主要依据五种标点:句号、感叹号、问号、冒号和分号,不管它们是全角形式还是半角形式的;由若干个不适当的空格所分隔开的一串文字,计算机也认为是句子。断句的同时还记下段落划分情况。句子太长且不合理处,人工校对时予以调整。由于我们语料检索的基本单位是句子,因此断句是必要的;另外,断句也有利于后面的自动分词。

第六,分词。机器自动分词时主要使用最大匹配法,用于匹配的词库约有5万词。歧义切分(主要是交集型歧义)的处理,我们采用词尾字纠错技术,例如"留学生活"根据最大匹配法切出"留学生活",再查"生活"也是一个词,这样就发现"留学生活"是一个交集型歧义切分字段。为了避免误切,我们只是用特殊标记标示出歧义切分字段,例如"留学生*活",以提醒校对人员。在分词校对软件中,我们存放了汉语水平考试的词汇8 000多个以检查分词的正确性:所校对的分词语料中,任何未在该词汇中出现的词以及由该词汇所确定的各种歧义切分字段都高亮度显示,以帮助校对人员提高校对质量和速度。

第七,词性标注。自动词性标注采用基于语料统计的方法。① 先交互式标注一批语料(约10万字),作为初始训练集,登记每个词性标记的词典概率(用词性标记的出现频度来近似地表示)和转移概率(用每两个词性标记的共现频度来近似地表示);然后用前进—后退算法(Forward—backward)对其他语料作自动标注。采用这种算法的好处是速度快,而且可以计算所定词性标记的可信度。对于语料中的未登录词,则在预定的开放词类(如名词、区别词、形容词、动词)中猜测其词性标记并记下可

---

① 参见白拴虎《汉语词切分及词性标注一体化方法》,《计算语言学研究与进展》清华大学出版社1995年版。

信度。自动标注后的语料,经人工校对后再加入训练集并调整词性标记的词典概率和转移概率,可使以后的自动标注正确率得到提高。这样循环几次,直至标注完全部100多万字核心语料。

在词性校对软件中,我们采用逐句校对的方式:先显示句子中每个词语及词性标记,其中未登录词和可信度低于某个阀值(例如9.0,可由校对人员随时调整)的词语高亮度显示。校对人员可将光标快速地移到某字、词或高亮度词上进行校对,可随时调出某词的其他可供选择的词性标记来参考。词性校对时还允许对前面遗留的分词错误再行校对。

我们依据《信息处理用现代汉语分词规范》(国家标准)制定了"汉语中介语语料库系统"分词规范。跟国家标准略有不同的是,本规范主要考虑汉语中介语语料的一些特殊性、词语检索以及将来作句法分析是否方便。

语料中有许多非规范词,例如:

房屋子　　中学校　　外国家　　黑暗暗
(房屋)　　(中学)　　(外国)　　(黑暗)

这些词怎么切分都不合适,而且强行切分之后便都成了规范词,非规范词问题就变成非规范短语问题了,这样不利于检索;所以我们对这些词一律不切分。

汉语的形态比较贫乏,重叠是主要的构词形态。我们把各种重叠形式都看成是词,一律不予切分,例如:

个个　一个个　看看　看一看　看了看　看了一看
大大　高高兴兴　雪白雪白　研究研究

这样做的理由是,重叠形式是一个词,检索和统计时,不应看成是基本形式的两次出现。当然,这样处理之后,某些重叠形式中的"一"和"了"不便检索和统计了,不过这个问题不是很严重。重叠形式中的"一"作为数词本来就比较勉强;重叠形式中的"了"可认为是词缀,我们甚至可以把"了、着、过"都看成动词的词缀或词尾,[①]之所以没有这样做,主要是考虑到语言学家一般认为它们是助词。

我们根据词的语法功能对语料中的词进行划分,另加某些词素和标点符号,共得18个大类51个标记:

(1) 专有名词 nm　处所名词 ns　时间名词 nt
　　普通名词 ng　代名词 nr
(2) 性质形容词 a　名形词 an　代形容词 ar
(3) 区别词 bb　区别词兼副词 bd　代词性区别词 bdr
(4) 状态词 z[②]
(5) 助动词 vm　趋向动词 vq
　　及物动词 vt　不及物动词 vi
　　及物名动词 vtn　不及物名动词 vti
　　可作补语的及物动词 vtc　可作补语的不及物动词 vic[③]
(6) 系数词 mx　位数词 mw　序数词头 mt　概数词尾 mg
　　分数词 mf　代数词 mr　概数词 ma　数词组合 mm
(7) 量词 q

[①] 参见朱德熙《语法讲义》,商务印书馆 1982 年版。
[②] 区别词,又称"非谓形容词"。代词性区别词如"每"、"各"。状态词即《语法讲义》中说的状态形容词。
[③] 动词这个类里,先看是不是助动词、趋向动词,然后才看属于以下哪个小类。关于名动词以及名动词中又分及物和不及物的问题,参见朱德熙(1986)。

(8) 粘着方位词 fb　自由方位词 ff①

(9) 程度副词 da　代副词 dr　其他副词 dz

(10) 并列连词 cc　前导连词 ch　后续连词 ck②

(11) 介词 p

(12) 叹词 i

(13) 结构助词 uj　动态助词 ut　可能助词 uk　其他助词 uz③

(14) 拟声词 o

(15) 语气词 y

(16) 前缀 h　后缀 k

(17) 不易判定词类的非规范词 *④

(18) 无配对的标点 ww　左标号 wh　右标号 wk

可以看出,以上的词类体系基本上是规范汉语的词类体系。用这样的词类体系来描写汉语中介语,理论上可能有些问题。我们现在这样做主要是出于词语检索和统计的需要。规范汉语的词类体系也不止一家,我们的原则是:

第一,吸收语法学界比较成熟的研究成果,采用一般用户比较熟悉的词类名称。

第二,词类划分适当细一些,这样可以在各家体系之间取得

---

① 方位词是语法上的概念,语义上往往既表示空间的方向或位置,又表示时间的方向或位置。粘着方位词如"前"、"之前"、"上",自由方位词如"前面"、"上头"。

② 前导连词和后续连词是指用于偏正复句中的配对的连词,如"因为"和"所以"。

③ 可能助词是指用于可能补语之前的"得"和"不",其他助词如"所"、"似的"等等。

④ 这种非规范词往往连它的意思都很难理解。容易判定词性的词应标出明确的词性,如"房屋子"、"中学校"等标为 ng。

某种"兼容性"。例如,有的用户认为区别词、状态词也是形容词,检索或统计时只要把这两类也考虑进去就行了。

第三,尽量为句法结构检索提供方便。一般来说,在只标词性的语料中难以检索句法结构,但有些词类或小类的标记可以作为某些句法结构的特征。例如,我们标注了可能助词,这样只要把含可能助词"得"、"不"的句子检索出来,也就得到了可能补语的用例了。

第四,为将来作句法结构标注打下基础。例如,动词的功能最为复杂,可以作主语、宾语、谓语、定语、定中结构的中心语和补语等等,相应地,我们对动词的小类划分也比较细,目的是尽可能地分化动词这个大类的功能。这样,考虑某个动词是否作补语,就可以看它是不是 vq、vic 或 vtc;"动词+名词"的组合可能是述宾结构,也可能是定中结构,根据我们的动词小类划分,这种歧义只发生在动词是及物名动词 vtn 的情况下。又如,我们把代词分散到形容词、区别词、副词和数词等词类中去,主要是考虑统一用语法功能的标准来划分词类,将来作句法分析时比较方便;当然,这样一来,检索代词就会麻烦一点,但我们认为付出这样一点代价是值得的。

四 语料检索

信息检索主要有两种:主题检索和全文检索。主题检索以主题词表为基础,主题词表中的词语一般是表示概念的实词和短语,不在主题词表中的词无法检索。全文检索不需要主题词表,文献中任何符号及其组合都可以成为检索对象。汉语中介语语料库系统的检索工具是面向汉语教师和语言学家的,检索的对象是任意词语和词性标记及其组合,因此必须采用全文检索方式。

一般的文献检索都需要对文献的属性预作标引,汉语中介语语料检索也不例外,而且语篇(文献)的属性项目特别丰富。如前所述,我们标引的语篇属性多达 23 种,这是由汉语教师和语言学家对汉语中介语研究的特殊需要所决定,因为光有例句说明不了多少问题。现有的全文检索系统,有的是把语篇属性和字词指派都用检索表达式来规定。由于汉语中介语语料的语篇属性种类繁多,有些属性(如第一语言、国家或地区、话题)的属性值①也很多,如果要在检索式中规定语篇属性,检索式可能很长很复杂,何况检索式中还要说明检索哪些字、词和词性标记。考虑到我们的用户对复杂的检索式可能不喜欢、不习惯,为方便起见,我们将语篇属性的选择跟语言符号的检索分开进行:语篇选择采用菜单方式,初始时默认为选择了全部核心语料,用户可在任何时候对任意属性进行设置,选择其中某个或某些属性值;语言符号的检索用检索表达式,例如:

把/p.5.ng..vt

表示要检索这样的句子:含介词"把",之后最多 5 个词出现普通名词,再后面出现及物动词。这实际上就是检索"把"字句,这样的检索式对汉语语法研究工作者来说是不难掌握的。对于语言符号的检索,如果采用菜单方式反而会显得麻烦。需要说明的是,这时语言符号的检索范围限于用户最近设定的语篇集合之内,如果用户认为这个设置不合适,可以先恢复到选择全部核心

---

① 例如,"第一语言"这个属性,就有"日语"、"朝鲜语"等几十个属性值。

语料，然后再逐一选择语篇属性，直到满意为止。

　　语言符号的检索分为两种，一种是以字（包括中文标点）为单位的检索，另一种是以词（包括标点）为单位的检索。如果要检索跨越词界的汉字串，如"的时候"，或者对系统如何分词不甚清楚，就可以使用"汉字串检索"，否则就使用"词语/词性检索"。在我们的系统中，这两种检索是十分类似的，下面仅以"词语/词性"检索为例作较详细的介绍。

　　检索之前，先检查输出目标、输出单位、输出格式和输出排序等项设置是否符合需要。输出目标有三种：输出到屏幕，这是缺省设置；输出到文件（输出的用例个数有一定限制）；不输出（只看检索到多少用例）。输出单位有三种：句子，这是缺省设置；当前句子连同上下句；自然段。输出格式可以是原文（不分词），也可以是分了词并加了词性标记的。输出排序是指是否对所输出的用例进行排序，缺省设置是不排序，如需排序，应指定1—3个排序关键字（即语篇属性代码，例如按第一语言、性别和学时等级排序，"第一语言"便是用例排序时的主关键字）。

　　检索时需要输入检索表达式，如果表达式合法，系统将在所选语篇范围内找出所有与该表达式相匹配的句子，并报告句子个数和检索所用时间。

　　检索表达式是由1—30个检索元素构成的序列。检索元素有三种：

　　（1）简单元素

　　简单元素可以是词语，如"我们"，可以是词性标记，如"ng"，也可以是指定了词性标记的词语，如"把/p"，表示介词"把"。

最简单的检索表达式只含一个检索元素,上面三例都是合法的检索表达式。

(2) 析取元素

由若干个简单元素构成,简单元素之间用逗号隔开,两边加方括号,表示只要发现其中一个简单元素就算匹配,例如:

[着/ut,了/ut,过]

表示用例中有动态助词"着"或动态助词"了"或词语"过"。如果在左方括号与第一个简单元素之间用了符号"^",则表示用例中不能有方括号中的任何一个简单元素,例如:

[^着/ut,了/ut,过]

表示用例中既没有动态助词"着",也没有动态助词"了"和词语"过"。

(3) 特殊元素

"<<"表示句首,">>"表示句尾,这是两个虚设的标记。例如:

<<我们

表示要检索位于句首的词语"我们"。又如:

的/y ww>>

表示要检索位于句尾的语气助词"的"。注意,严格意义上的句尾通常是一个标点,所以加了一个元素"ww";当然,汉语中介语语料中也有很多句子的句尾没有任何标点。

当检索表达式中不止一个元素时,元素之间可用三种符号表示距离:第一,用空格表示两个元素紧挨着;第二,用".n."表示两个元素之间最多相隔 n 个词语(n=1..100);第三,用".."表示两个元素之间可为任意距离。第二种符号在前面已经见

过,下面再举两例:

vi [着,了,过]

表示要检索不及物动词带动态助词的句子,

一/dz..就

表示要检索副词"一"后面任意距离出现"就"的句子。

我们的用户往往还需要对具有某些属性的语料进行字、词和词性标记的统计,例如日语背景的男性作者的语料用了多少个词、每个词的使用频度,韩国的朝鲜语背景的作文考卷中用了多少名动词、每个名动词的使用频度,等等。这样,我们的检索工具就需要有根据语篇属性选择来生成任意子语料的字表、词表的能力,一般的文献检索是不考虑这个要求的。我们把语篇属性选择跟语言符号检索分开的另一个好处是,用户选择语篇属性之后,既可以接着作字词检索,也可以接着作字词统计。这里说的字词统计只是使用检索工具中的"数据浏览"功能。数据浏览包括四个方面:

(1)词库:有词语、词性标记、使用频度等;

(2)词性标记库:有词性标记、使用频度等;

(3)字库:有汉字、使用频度等;

(4)语篇属性库:有第一语言、国家或地区、性别、年龄等23个语篇属性以及语篇原文。

以上四个方面的浏览都可以有两种方式:一种是浏览全部语料的数据,因为这种数据已经预先建库,所以能够及时响应;另一种是只浏览所选语篇范围之内的数据,这时系统需要一些时间筛选数据并建立临时数据库,因为我们无法预先断定用户可能要生成哪些属性组合的子语料,如果事先把每种可能的子语料——建库,显然空间浪费太大。

五 结语

汉语中介语语料库系统建造之中和建成之后,在北京语言学院内部陆续有一些试用,已发表或将要发表的有熊文新(1996)[①]、陈小荷(1996)[②]和王建勤(1996)[③]的论文。通过试用,发现了一些问题,主要是以下几个方面:

第一,语料规模不够大。特别是需要用统计学方法来研究某个问题时,语料规模不够大就显得更加突出。有的用户希望追踪研究某位作者的全部语料,但是如前所述,同一作者的语篇一般最多抽取4篇入选核心语料,也就是说,最多4篇作了分词和词性标注,这就对这项研究有所限制。抽样还是有必要的,不过应该扩大深加工语料的规模。现在350万字语料中只有100多万字作了分词和词性标注,这主要是因为人工校对工作量太大。解决这个问题的办法,除了进一步扩充语料之外,还应考虑如何在分词和词性标注过程中提高自动化水平。

第二,语料加工的广度和深度还不够。有的用户希望检索成语和惯用语,但目前尚未作这方面的标注。除了词性标注之外,还应考虑作义项标注和句法标注。义项标注后,可以分化多义词,提高检索和统计的准确性;句法标注后,可以提高句法结

---

① 参见熊文新《留学生"把"字结构的表现分析》,《世界汉语教学》1996年第1期。

② 参见陈小荷《跟副词"也"有关的偏误分析》,《世界汉语教学》1996年第2期。

③ 参见王建勤《"不"和"没"否定结构的习得过程》,第五届国际汉语教学讨论会论文,北京,1996年。

构的查全率和查准率,这两种标注意义都十分重大。问题是目前汉语义项标注和句法标注的自动化都还处于实验阶段,短期内恐怕难以取得重大突破。

第三,语料检索速度不够快。一般地说,检索速度取决于计算机硬件、编程语言、检索方式等因素。全文检索、尤其是语言符号的全文检索,其检索速度还跟检索表达式的长度、复杂度以及其中语言符号的出现频度有关。比如说,主题检索一般不会去检索频度很高的虚词,但语言符号检索中,越是频度高的语言符号越容易成为检索对象。好在语文工作者对语料的检索速度一般没有太高的要求,一次检索时间即使用几分钟也还是可以忍受的。不过,今后可以考虑在软件设计方面再想办法加快检索速度。

肆 汉语句型教学语料库[①]

一 语料库的建立、发展及应用

语言学的研究必须以语言事实作为根据,必须详尽地、尽量地占有材料,才有可能在理论上得出比较可靠的结论。传统的语言材料的搜集、整理和加工完全是靠手工进行的,这种工作费时费力、枯燥无味。计算机出现后,人们可以把这些工作交给计算机去做,大大减轻了人们的劳动。后来,在这种工作中人们逐

[①] 本节摘自胡翔《语料库在汉语句型教学中的应用》,《数字化对外汉语教学理论与方法研究》清华大学出版社 2004 年版,第 522 页。

渐创造了一整套的理论和方法,形成了一门新的科学——语料库语言学(Corpus Linguistics),并成为了自然语言处理的一个分支学科。

语料库语言学在过去的 20 年中得到了长足的发展,已成为现代语言学的一个重要分支。现代语料库是载有大量信息的、可以用计算机处理的语言资料的集合。目前语料库的规模越来越大,可以储存和处理亿万字符的语料,可用于特定的和一般性的各种研究目的。研究者可以根据自己的需要,给语料加上识别和分类标记,然后使用索引、检索、统计等手段,得出有关语言使用情况的频率和概率信息,再借助相关的语言学理论对数据进行定量和定性的分析,或描写有关的语言特征,或论证有关语言的假设。

目前已经建立和正在建立的语料库大致可以分为下列几大类型:

1.以语料所代表的媒体形式分类可分为:

(1)书面语语料库;

(2)经过转写的口语语料库;

(3)视频语料库;

(4)上述几种形式的混合语料库。

2.以语料库设计结构分类可分为:

(1)均衡结构语料库;

(2)无结构的开放式的监控性语料库;

(3)由若干子语料库叠加而成的语料库网。

3.以语料的来源分类有:

(1)单语种语料库;

(2)多语种并行语料库。

4.以语料的时效分类有：

(1)共时语料库；

(2)历时语料库。

5.以语料的处理方式分类有：

(1)未经标注的文本语料库；

(2)经过标注的文本语料库。

6.以语料的使用者分类有：

(1)研究者语料库；

(2)学习者语料库。

建立语料库可以只是为个人的研究服务,也可以是为了给广大的语言研究者提供语料资源。语料库可以用于词典编纂,语言研究,机器翻译,话语辨认和话语合成,也可以用于研究语言习得、语言教学的课程等等。建立语料库的目的决定了收集语料的范围与规模,决定了是建立抽样语料库,还是建立兼收并蓄的全面语料库。

语料库语言学已经逐渐对语言教学产生了直接的影响。语料库作为大量真实语言资料的来源,近年来在语言教学中得到越来越广泛的应用。例如,可以根据语料库中的句型统计,生成有频率或分类的句型表,准备各种练习题,回答教师和学生对某个语言问题提出的疑问等。语料库本身并不是目的,而只不过是一种更好的手段或工具。对我国语言教学研究而言,对语料库的研究开发将有助于推动量化研究的发展,深化语言教学研究中"数据驱动"这一原则,使教师和研究者掌握这一有力工具,结合自身经验和语言直觉,真正体现语言教学的科学性、艺术性和技术性。

二 应用语料库统计出常用汉语句型表

句子是语言使用的基本单位,也是汉语教学、语法研究、语言信息处理的基本单位。因此,从计量语言研究的角度出发,调查现代汉语句型的使用频率,研制出一个体现汉语特点、突出汉语语法教学终点的常用句型表,建立一个经过专家分析研究的句型语料库,是一项非常有实用意义的基础工程。这项工程的成果,应该能为对外汉语教学的教材建设、语法教学、汉外对比研究以及汉语水平测试提供有关句型方面的科学数据和丰富的句例;为语法学界的研究工作提供语法专题研究所需要的数据和句例资料;为信息界人工智能的开发、自然语言处理提供句型模式和经过加工的熟语料库。

在语言教学中,通过语料库统计出的常用句型表可以为确定教学大纲中的句型范围以及选取标准提供客观依据。如果一个句型在所教的语言中频频出现,那么这个句型对于学习者的目的行为很可能也是重要的;学习者以后在阅读该语言或听别人说话时会经常遇到那个句型,而且在与别人交往时也会用到它。因此,来自语料库的句型统计数字对句型教学具有很大的指导意义。

我们对人民教育出版社出版的28万字的小学语文课本进行了句型分类统计和句法结构分析,建成了"小学语文课本句型语料库"。为什么选择了"小学语文课本"作为我们进行加工的语料?这主要是因为"小学语文课本"基本上是规范的自然语言,选用句型也体现了由简单到复杂的循序渐进的原则。可以说,在语言结构的要求上,"小学语文课本"更接近我们对外汉语教学基础阶段要达到的目标。

为了确定句型,首先必须确定句子。我们是遵循以下原则来确定句子的:

(1)需有完整的句法结构形式;

(2)能表达相对完整的语义;

(3)有成句的语调。

我们在切分句子时,遇到的是大量的复句。对复句,我们是这样处理的:复句中的分句,凡能独立成句的,按单句处理(忽略句中的关联词语);如果只有一个分句能够独立成句,那么该句作为单句处理,其他不能独立成句的按不完全句处理。复句中的任何一个分句都不能独立的,仍保留为复句。复句、不完全句均不作单句句型统计。

一至十二册"小学语文课本"共切分出单句16 297句,紧缩句132句,不完全句578句(如"傍晚回到家"、"他抬头一看"),复句1 200句(如"他一会儿弯弯腰,一会儿压压腿")。

关于析句方法,我们采用了句子成分分析和层次分析相结合的方法。在划分句法成分时,我们使用了"定+主+状+谓+补+定+宾"这种格式。但各成分之间是有层次关系的,并不是都在同一层面上。比如:宾语的定语与主语的定语就不在同一层面上。这种层次关系可在析句过程中体现。比如:一个动词谓语句可以分为主语部分和谓语部分。主语部分可由"定语+主语"构成,谓语部分可由"状语+谓语+补语+宾语部分"构成,即:

句子 {
　主语部分:定语＋主语
　谓语部分:状语＋谓语＋补语＋宾语部分
　　　　　　　　　　　　　↓
　　　　　　　　　　　定语＋宾语

　　句型就是句子的类型。如果根据句子的结构特征来划分，就是句子的结构类型；如果根据句子内部的语义关系来划分，就是句子的语义类型；如果按照句子的语用功能来划分，就是句子的语用类型。所以根据不同的标准，就可以划分出不同的句子类型，如上述的结构句型、语义句型和语用句型。我们所统计的句型，主要还是以句子的结构特征为标准划分的结构句型。区分这类句型的主要依据是句法成分的性质和它们在句中的配置形式。像句子的语序、句法成分的多少和充任某些句法成分的词语性质等，都是决定不同句型的因素。

　　通过大量的统计调查和细致的句法分析，找出每一个句型的结构特征，按照它们的层级关系，排列出一个网络系统，使语料中的每一个句子都能在这里找到自己的位置，就基本建立起了一种句型系统的模式。通过这个句型系统的模式，我们就能很清楚地了解各种句型之间的相互关系和位置，对句型的学习和研究起到一个导航的作用。网络系统下面可按照具体内容系统分项编制各个分库。分库的内容可包括:(1)对该语法项目的研究综述;(2)不同教材中对该语法项目的处理情况;(3)列举有关论述该项语法的参考文献;(4)应用建议。例如，特殊动词谓语句中"有"字句的分析如下：

　　1.结构形式：主＋有＋宾
　　2.句义表达：主要表示领有、具有、含有、存在、发生或达到某种程度、数量等。大部分"有"字句的谓语是在上述各种意义上对主语的说明。也有的谓语是对主语的描写。

3. 语义与功能：

(1)这类句式中的"有"表示领有，宾语为主语所领有的物、人等，但均指"身外之物"。有时宾语为主语本身所有的习惯、特点、爱好等。

(2)"有"后可以带动态助词"了"，表示领有的实现，即主语已取得对宾语的所有权。

(3)全句之末可以带语气助词"了"，表示变化或新情况的出现。

4. 参考例句及其分析：

(1)地主的　　　/仆人/有　　　/一把　　　　/小提琴
名词充任的定语　主语　有　数量词充当的定语　名词充当的宾语

(2)你们　　　　/马上/就　　/会有/个新　　/木盆
代词充任的主语　副词充任的两个状语　会　有　两个定语　名词充当的宾语

(3)你　　　　　　/现在　　　　/有　　　　/一支
人称代词充当的主语　时间词语充当的状语　　有　　数量词充当的定语

/笔　　　　/了
名词充当的宾语　句尾"了"

(4)农民们　　/有　　　　/了　　　　　　　/水车
名词充任的主语　有　谓语动词后的动态助词"了"　名词充当的宾语

下面依次列出结构上有特点的"有"字句的句式及其否定式、正反疑问式、特指疑问式等以及一些主要的教材和语法书中对该语法项目的处理情况；列举有关论述该项语法的参考文献等等。

各分库最后综合成为一个为对外汉语教学服务的有特色的应用型语料库，而该语料库应该是开放型的，它应随着学术研究的发展而不断汲取最新成果来充实它的内容,提高它的质量和水平。

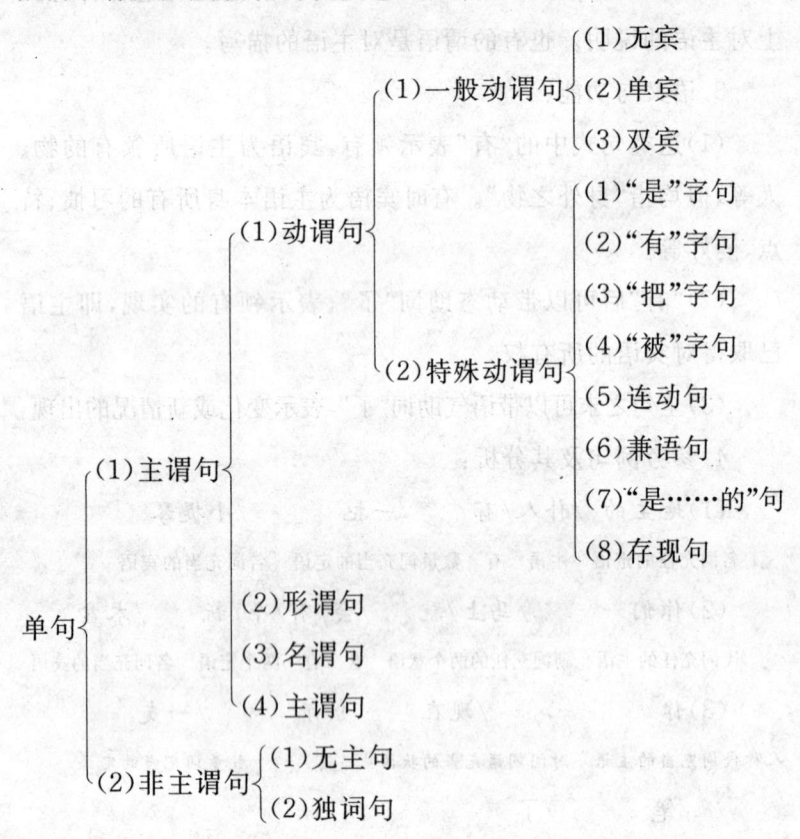

单句
- (1)主谓句
  - (1)动谓句
    - (1)一般动谓句
      - (1)无宾
      - (2)单宾
      - (3)双宾
    - (2)特殊动谓句
      - (1)"是"字句
      - (2)"有"字句
      - (3)"把"字句
      - (4)"被"字句
      - (5)连动句
      - (6)兼语句
      - (7)"是……的"句
      - (8)存现句
  - (2)形谓句
  - (3)名谓句
  - (4)主谓句
- (2)非主谓句
  - (1)无主句
  - (2)独词句

三 学习者语料库在句型教学中的应用

　　语料库为语言教学提供了更为真实可靠的语言材料,在教学大纲制定、教材开发、词典编纂等方面将发挥愈来愈重要的作用。但对于从事对外汉语教学事业的教师来说,仅依赖汉语本族语料库是不够的,因为汉语本族语料库只能为我们提供汉语语言典型结构和用法的可靠信息,却难以说明这些结构和用法对于学习者的难度。所以汉语教学的改进,不仅有赖于真实的目的语语料库,还有赖于真实可靠的学习者的目的语运用信息库,即中介语语料库,也就是我们常说的学习者语料库。前者能提供典型的汉语运用信息,而后者能够告诉我们在汉语学习中,哪些困难是普遍性的,哪些困难只存在于某一学习群体。学生在学习过程中的一些典型的、带有倾向性的错误,经过分析、归类,输入计算机,教师可以利用学习者的母语与目的语进行对比,也可以在不同的学习者语言之间进行对比(如不同母语背景的学习者在学习困难上的差异),可以了解学生对某些句型的掌握状况和他们的实际语言水平,以制定相应的语言教学的策略。利用学习者语料库所得到的信息将更加可靠。从北京语言大学建立的汉语中介语语料库多年来的使用情况看,基于学习者语料库的分析也不同于传统的错误分析。学习者通过语言接触自己发现规则,作出假设,并在语言运用中不断检验和修正自己的假设。语言学习也不再被视为教师—学生之间的单纯的知识传授。随着各种语料库的发展,学习者和教师将得到大量的语料资源和在线帮助,学习者的语言接触和语言输入将远远突破以往的限制,困扰语言学习的"真实材料"问题和真实交际问题将得到有效解决,使语言学习更富于交互性和个体性。对于教师而言,教师不仅可以分析学习者的语言形式错误和语用错误,还能通过对比分析进一步观察学习者使用规避策略的情况。学习者语料库将能提供直接方便的帮助。这种帮助包括实时错误分析、机助教学、针对性个人化练习、学习评价等。对于研究者而言,学习者语料库是学习者从开始学习到最终接近或达到学习目标的一个真实展现,它所表现出的普遍性或群体性偏误倾向,往往可以折射出我们所要研究的对象的特征,引导我们发现深隐在语感背后的、习焉不察的现象和规律，从而全方位地拓展我们的研究领域，进一步揭示研究对象的组织结构和发展规律，为完善汉语理论体系和丰富汉语理论提供一些新的材料、思路、角度和方法。另外，研究者可以利用学习者语料库对发现的普遍性或群体性偏误倾向进行调查和量化分析，有助于准确地发现学习者在习得过程中的难点和教学中的薄弱方面。而针对这些习得和教学过程中实际遇到的具有普遍性的疑难问题进行研究，其研究成果可直接用于教学实践。

四 教师在应用语料库进行句型教学中的能动作用

小学语文课本句型语料库可以提供有关不同的句型用法和意义的真实信息，可以此检验教科书中提供的解释和说明。通过语料库所提供的索引系统，教师和学习者都可以体验不同的句式在不同语境中的确切用法，以增加感性认识；语料库可对某一个句式提供丰富的例句和分析，使教师在比较中观察到同一句型不同句式之间细微的语义、语用差异；语料库还可提供句型使用的频率信息和用法，平时靠教师语言直觉无法确定的问题可迎刃而解。

语料库的应用对语言教学思想和方法的革新和转变提出了新的要求。在语言教学过程中，其基本思想是教师既是组织者，又是教学工具的开发者。语料库在语言教学中的应用不仅不会削弱教师的作用，反而为教师提供了更为广阔的创造空间。方便快捷的自动处理使得教师有更多的精力和时间致力于教法的改进，设计更富创造性的教学活动，并使他们能够充分发挥创造力,集中精力利用可用资源,通过基于语料库的课件开发向学习者尽量提供语言的真实运用的典型实例,使学习者在自我探索中真正掌握目的语在句型结构、句型的用法以及搭配语境诸方面的系统知识,并在实际运用中获得交际能力。另外,对广大语言教师而言,实现以上诸环节的技术只能是从属性的,并且容易学习掌握。这样才能使作为开发者和应用者的教师把主要精力放在内容的选取和呈现上,而不是迷失在复杂的技术操作中。语料库在语言教学中的应用是一个尚待进一步开拓的领域,随着这一应用过程技术环节的简化和语料库资源的普及,语料库最终将成为普通语言教师手中的常用工具。

伍　汉语语素数据库初探①

现行的对外汉语教学语法体系中,一般只有词、词组、句子三级语法单位,语素不作为教学的基本单位。语素在词汇获得过程中到底起什么样的作用和怎么起作用,目前还没有系统、深入研究。但是,近些年来,研究者越来越意识到语素在词汇教学中的作用,也进行了相关的研究。王又民(1991)②以数据库为基础,对现代汉语常用的3 000词进行了词类、语素结合情况、构词方式、识词方式等方面统计分析,提出"初级汉语词汇采用

---

① 本节摘自邢红兵《基于〈汉语水平词汇等级大纲〉的语素数据库建设》,《数字化对外汉语教学理论与方法研究》清华大学出版社2004年版,第457页。
② 参见王又民《汉语常用词汇分析及词汇教学》,《第二届青年科研报告会论文选》北京语言学院教务处1991年。

'单音词(汉字)——语法(构词法)——复合词'一体化方法"。张凯(1997)①以《现代汉语常用词表》(1988)和三部词典为基础,建立了3 500常用字和次常用字字库及由70 743词构成的词库,通过计算机对库中汉字的构词等级、构词率、累计构词率、完全构词、累计完全构词等信息进行统计,将3 500汉字划分为五个等级,确定汉语构词基本字,提出对外汉语教学词汇量的限度。吕文华(2000)②在对《汉语水平词汇等级大纲》语素分析的基础上构想语素教学的方案,以《汉语水平词汇等级大纲》中构成1 033个甲级词的921个语素为例,分析了语素构词方法和功能、语素义和词义、结构义等,根据导出词义的不同途径,将复合词中的词义结构分为四大类,提出语素教学的构想,并在此基础上提出语素教学的步骤和操作。冯丽萍(2002)③通过实验方法,发现中级水平的留学生已经具备了一定的结构意识和语素构词意识。邢红兵(2003)④通过对留学生偏误词的统计分析,初步得出留学生能够较好地掌握汉语的构词规律,语素的构词能力和构词位置等因素都会影响留学生复合词的产生。我们觉得语素在留学生词汇获得过程中会起到很重要的作用,但是需要对一些汉语语素构词作系统的、量化的研究。在作这样的研究之前,建立一个语素数据库是非常必要的。

---

① 参见张凯《汉语构词基本字的统计分析》,《语言教学与研究》1997年第1期。
② 参见吕文华《建立语素教学的构想》,《第六届国际汉语教学讨论会论文选》北京大学出版社2000年版。
③ 参见冯丽萍《词汇结构在中外汉语学习者合成词加工中的作用》,北京师范大学博士论文2002年。
④ 参见邢红兵《留学生偏误合成词的统计分析》,《世界汉语教学》2003年第4期。

一 建立语素数据库的意义

建立汉语教学语素数据库的意义可以从以下几个方面来看：

第一，有研究证明，语言材料的统计规律和人脑所储存的知识十分接近，这说明人的语言知识的获得和语言材料有直接的关系。我们建立这样的数据库系统，首先就是希望了解有哪些规律包含在语素构词过程当中。这些属性可以通过统计数据来说明。比如哪些语素是常用语素，哪些语素构词最透明等。

第二，为汉语词汇教学及相关的研究提供基础材料，比如结构类型频度及其分布、语素的数量、语素的构词能力、语素的构词位置等等，以及各个等级语素的分布情况。特别是为留学生词汇习得、词汇的产生和心理词典等方面的研究提供最基本的实验材料。为对外汉语教学中生词表的制定和对外汉语教材的编写提供参考依据。

第三，直接用于教学。我们统计到的复合词结构类型、语素义项频度、语素构词能力、语素构词位置等方面的相关数据，可以为对外汉语词汇教学提供一些除传统的搭配、解释方法之外的新的思路和方法。例如，有些语素的构词能力非常强，那么教师在教授学生时，是否就可以尽早地把在词中出现的这个语素的意义教授给学生，以使其较早形成语素意识，增强学生对生词的理解能力和造词能力。再如，有些语素的构词位置相对固定，那么学生掌握了这个规律，是否就可以较快地提高自身的造词能力。

二 数据库系统的组成

本数据库系统主要包括词库和语素库两部分。语素按其构词能力和构词位置分为自由语素、半自由语素和不自由语素。能够独立成词的语素叫自由语素,例如"地"、"牛"、"火"等;不能够独立成词,只能同其他语素自由组合成词,在构词时位置不固定的语素叫半自由语素,如"民"、"宣"、"语"、"言"等;不能独立成词,而且同别的语素组合成词时位置固定的语素叫做不自由语素,例如"阿"、"第"、"子"、"们"等。由一个语素构成的词叫单纯词,由两个或两个以上的语素构成的词叫合成词。词库由单纯词库和合成词库两个部分组成,单纯词和语素是一一对应的关系,不需要标注。因此,我们重点介绍合成词库和语素库。

(一) 合成词数据库

1. 合成词数据库的字段

合成词数据库中包含了词形、词性、读音等基本信息,同时对语素构成复合词的信息进行了标注,在此基础上形成了合成词数据库。合成词数据库的字段如下:

序号:该词在《汉语水平词汇等级大纲》中的顺序;

词形:该词的词形;

读音:该词的读音;

词性:该词的词性;

HSK 等级:该词在《汉语水平词汇等级大纲》中的等级;

结构:该词的结构类型;

语素1:该词中第一个语素;

语素音1:该词中第一个语素的读音;

语素1素性:标注了第一个语素是名词性的、动词性的、形容词性的还是其他的;

语素义1:该词中第一个语素的义项;

语素 2：该词中第二个语素；

语素音 2：该词中第二个语素的读音；

语素 2 素性：标注了第二个语素是名词性的、动词性的、形容词性的还是其他的；

语素义 2：该词中第二个语素的义项；

语素 3：该词中第三个语素；

语素音 3：该词中第三个语素的读音；

语素 3 素性：标注了第三个语素是名词性的、动词性的、形容词性的还是其他的；

语素义 3：该词中第三个语素的义项。

2. 结构类型标注

对合成词中各结构的分类，本文主要参考了胡裕树《现代汉语》(1979)①、朱德熙《语法讲义》(1982)、黄伯荣《现代汉语》(1991)②等合成词划分标准，并根据数据库统计标注自身的特点，借鉴清华苑春法、黄昌宁"汉语语素数据库"③的分类方法，制定了本数据库结构类型的标注规则。综合来看，合成词的结构类型分为三种：第一种是由词根与词根组合形成的复合词；第二种是重叠式，即由两个相同的词根重叠而成；第三种是附加式，由一个表示具体词汇意义的词根和一个表示附加意义的词缀构成。

本数据库中，结构类型标注共分为 17 类。单纯词主要包括

---

① 参见胡裕树《现代汉语》，上海教育出版社 1979 年版。
② 参见黄伯荣、廖序东《现代汉语》，高等教育出版社 1991 年版。
③ 参见苑春法、黄昌宁《基于语素数据库的汉语语素及构词研究》，《世界汉语教学》1998 年第 2 期。

叠音词、连绵词、音译词三类，统一标注为 dc，不再细分。复合式包括联合式 bl（包括动语素联合 blv、名语素联合 bln、形语素联合 bla 和其他联合 blq）、偏正式 pz（包括定中结构 dz、状中结构 zz）、述宾式 sb（包括介宾结构 jb）、主谓式 zw、补充式 bc（包括述补结构 sbu、名量结构 ml）；附加式 fj 包括前缀结构 qz、后缀结构 hz、述介结构 sj；重叠式 cd。有一些词是结构难以分析的，比如"几何"，将其定为特殊结构 ts。还有一些结构是非词的，比如"……分之……，得了"等，将其定为其他结构 qt。具体标注规则如表 10 所示。

表 10 双音节结构类型

单纯词		dc		蜘蛛，徘徊，蘑菇	
合成词	联合式 bl	动语素联合		blv	指示，治理
		名语素联合		bln	子孙，踪迹
		形语素联合		bla	真实，整齐
		其他联合		blq	刚才，全都
	偏正式 pz	定中结构		dz	来宾，乐观
		状中结构		zz	普及，热爱
	述宾式 sb	述宾结构		sb	下班，享福
		介宾结构		jb	据说，自古
	主谓式		zw		地震，目睹
	补充式 bc	述补结构		sbu	减少，判定
		名量结构		ml	车辆，事件
	附加式 fj	前缀结构		qz	老虎，阿姨
		后缀结构		hz	孩子，跟头
		述介结构		sj	处于，难以
	重叠式		cd		刚刚，娃娃，仅仅
特殊结构		ts		方程，牢骚，果然	
其他结构		qt		……极了，……的话，对了	

3. 语素义标注

我们按照《现代汉语词典》(2002年增补版,以下简称《现汉》)中每个字作为语素的意义为依据,对合成词中的语素意义进行了标注。在《现汉》中,有些语素只有一个义项,我们称为单义语素,有些语素有多个义项,我们称为多义语素。由于一个汉字可以代表多个语素,产生了很多同形语素,有些语素是同形异音,例如"好"有两个音,"hao3"、"hao4",还有些语素同形同音,但是意义不同,例如"长"(zhang3)在《现汉》有长[1](年纪较大的意思),长[2](生长的意义)。在本库中,这两种同形语素都分别算作一个语素。具体标注规则如下:

(1)单义语素。我们将构词中的单义语素标注为d;

(2)多义语素(指词典中的多义语素,不论在本库中出现几个义项),用1、2、3……表示该意义在词典中语素所列义项中的排列顺序;

(3)如果是同形异音语素,在统计时可根据音区别,因此标注方法同b和c;

(4)如果是同形同音语素,则按语素和语素义项在词典中排列的顺序标注为1$1或1$2、2$1等;

(5)固定结构、特殊结构、其他结构三类所包括的语素不予以标注。

在标注时,有些结构很难分析,如qt、ts、dc这三类结构,我们不对其中的语素进行标注。还有一些结构中的语素意义很难分析,如"保姆"的"姆",我们将其标注为"$"。此外,《现汉》对一些词语的释义不够全面或不够准确,有时候很难找到合适的标注义项,因此我们在标注时,根据所遇到的语素意义,对库中的词典义项进行了一些添加。

(二)语素数据库的建立

在复合词数据库标注的结果上,提取出构成复合词所有语素和单纯词的信息形成了语素数据库。该库中的字段包括该语素的字形、读音、义项数、构词总数、构词位置、各等级语素构词数等,具体如下:

语素:语素字形;

语素音:语素的读音;

语素义项号:该语素在《现汉》中的义项号;

语素成词:语素能否独立成词及其在 HSK 词汇中的等级;

语素构词总数:该语素在复合词数据库中所构成的词的总数;

语素构词位置 1:该语素构词时处在前位的词语数量;

语素构词位置 2:该语素构词时处在后位的词语数量;

语素在四个等级的构词总数:该语素在复合词数据库中所构成的词的总数;

语素在四个等级的构词 1:该语素构词时处在前位的词语数量;

通过语素数据库,我们将可以查询语素义项总数、构词能力、构词位置、各等级构词能力等信息。比如语素"白[1]",读音为"bai2",构词总数为"12",构词时位置在前的有 4 个,位置在后的有 8 个,在 12 个词中共有 4 个义项(义项的具体标注在语素义项库中),在甲、乙、丙、丁四级中的构词数分别为 0、2、5、5。

三 数据库的初步统计结果

我们以双音节词为例,介绍构成全部双音节词的语素的相关统计数据。构成双音节词的语素共有 2 619 个,它们共有 4 699 个义项。这些语素共参与构成 12 681 词次,平均每个语素构词 4.84 个,每个义项构词 2.70 个。语素构词数在 1 到 120 之间,构词数为 1 的语素有 935 个,例如"爽"(爽快)、"松"(松树);构词 120 个的语素只有一个"子",构成的词有"镜子"、"夹子"等。语素和语素义项具体构词数分布如表 11 所示。

表 11 语素及语素义项构词能力表

构词数	1	2	3	4	5	6—10	11—15	16—20	20 以上	总计
语素数	935	432	266	178	137	364	145	69	93	2 619
语素义项数	2 244	926	512	323	207	368	84	18	17	4 699

从上表可以看出,大部分语素的构词能力都比较低,构词数在 5 个以下(包括 5 个)的语素占总体语素的 74.38%,尤其是构词数在 1 到 3 之间的语素占总体语素的 62.35%,这说明学生学到的大部分语素都是构词能力较差的语素,只有极少一部分语素构词能力较强。随着构词能力的增高,语素数量呈现明显下降趋势,构词数在 20 以上的只有 93 个语素,其中构词数在 50 以上(包括 50)的语素有 6 个,分别是"大"(58)、"不"(61)、"动"(52)、"人"(74)、"心"(57)、"子"(120)。大部分义项的构词能力也比较低,构词数在 5 个以下(包括 5 个)的义项占总体义项的 89.64%,构词数在 1 到 3 之间的义项占总体义项的 78.36%。随着构词能力的增高,义项数也呈现明显下降趋势,这

种下降趋势比语素的下降趋势更显著,构词数在15个以上的义项只有35个,数量远低于同等级的语素数。

四 结论

本文希望通过建立一个为教学服务的汉语语素数据库,并在此基础上探索数据库方法在语言教学和相关研究中的运用和作用。我们将在此基础上,继续探讨对外汉语教学中熟悉语素对复合词习得的作用。这样的研究主要包括以下几个方面:(1)确定教学用基本语素,并按照构词能力等方面的属性将语素分等级;(2)语素的构词能力,包括能否独立成词、构词时位置是否固定等;(3)语素的表义度分析,分析每个语素在各个等级构词时语素意义对整词意义的贡献。

第三节 汉语教学语料库建设设想

壹 汉语口语教学语料库[①]

我国对外汉语教学界在注重语言交际技能全面训练的基础上,更注重听和说的培养。因而以往的教材大多使用听说法。该教学法对语言的认识是结构主义语言学观点,其心理学基础是行为主义。20世纪80年代以后,功能主义语言学在我国广

---

① 本节摘自赵金铭、郑艳群《汉语口语教学与多媒体口语数据库的建立》,《南京大学学报》2002年特刊。

为流传,于是在教学法思想上交际法也盛行一时。不论怎样,学语言总离不开开口讲话,所以说话教学或称口语教学,任何时候都占有相当重要的地位。

近年来,国内出版了一批专供外国人学习汉语口语用的教材,各自从不同的角度,对如何编写口语教材,如何上好汉语口语课,作了一些非常有意义的探索。但是,什么是真正的汉语口语,如何编写旨在提高汉语口语表达能力的口语教材,以及如何突出口语课的课型特点,使之和其他汉语技能课有明显的分工,应该说是至今没有很好解决的问题。(林焘,1996)[1]在现代教育技术日渐深入人心的时代,无论是课堂教学还是网络教学,如何将现代科技应用于汉语教学,以及如何改进现有口语教学方法,提高教学效率,也是我们面临的新课题。

我们研究了众多探讨汉语口语教学的文章,翻阅了大部分汉语口语教材,从中寻出一个新的亮点,试图为汉语口语教学开辟一条创新之路。这就是为外国人学习汉语口语建立一个多媒体口语语料库。在这个语料库中,包含了日常生活、交际中真实口语会话的文字、录音、录像,并且是以数字化方式存储在计算机中的,具有较强的可操作性。对交际项目的标注、语言点的标注、句型的标注、词汇的标注等等,又会使语料库具有更多的功效。

凭借这个语料库,可以编写出体现汉语口语特点的教材,可以实施体现口语教学特点的教学设计,可以为学习者的汉语口

---

[1] 参见林焘为刘德联、刘晓雨编著的《中级汉语口语》所写的序,北京大学出版社 1996 年版。

语水平测试提供命题材料。总之,可以由此探讨提高汉语口语教学水平的新路子。因多媒体口语语料库融口语结构形式、交际功能项目、会话场景为一体,所以为了设计与建立汉语多媒体口语语料库,必须首先把有关汉语口语及其教材、教法等若干问题理清楚。鉴于目前对外汉语教学界对汉语口语认识上的不甚明确,我们认为应该对汉语口语有个科学的界定,弄清楚什么是真正的汉语口语,它与书面语的本质区别何在,它自身有什么特点,口语本身和口语表达的关系如何,怎样编写口语教材,如何突破口语教学,等等。在理清头绪的基础上,设计汉语多媒体口语语料库的结构,完善语料库的内容,充实语料库的功效,探索口语教学的新思路。

一　口头为语,书面为文,语与文不一致

就目前世界上存在的语言而论,无一不是声音代表意义而文字又代表声音。语言是直接的达意工具,而文字是间接的;语言是一种符号,而文字又是符号的符号;语言是主,文字是从。如果用一个过程来表示则为:

意义──声音(语言)──文字(记录语言)。

吕叔湘曾指出过语言可以包括文字,如英语中的"language"一词有这样的含义。但是,他主张语言要用"口语"和"笔语"来区别,其表现形式为声音的是口语,其表现形式为形象的则为笔语。(吕叔湘,1944)[①]笔语是口语的代表,但编进口语教材中的笔语并不一定是口语,因为笔语之中,有的和口语大体相符合,

---

[①] 参见吕叔湘《文言与白话》,《吕叔湘语文论集》商务印书馆1944年版。

有的和口语距离很近,也有的和口语相去甚远。这也就是说,写出来的话并不能和口中说的话完全符合。例如,语调就是语言中极重要的成分,可是文字里表示不出来。像停顿、轻重、强调、语气等在口语教材中都无从表现,因为它是声音的。例如,"谁说的?"一是表示疑问"是谁说的",二是表示否定"你说的不对"。但现代科学技术,如音频、视频及视听媒体,却能把真正的口语全方位地展示出来。在我们将要建立的语料库中,一个意思要用口语表达时,它的使用场景,特定的语言环境与特定的听话人,说话人的语气、情态,甚至所辅以的身势语,都可以有声地、形象地显现出来。这样的表现手段,直观、形象,不仅理解起来快,而且减少了教师在课堂上讲解所花费的时间,从而增加了学生练习口语的机会。

以往的教材从现成的笔语中去寻求口语材料,是既难得又不标准的。吕叔湘认为:"要是丢开语调不说,也只有现代的一部分剧本和一部分小说里头的对白可以算是一致,大多数文字是和实际语言有出入的。"(吕叔湘,1944)叶圣陶曾认为:"口语为语,书面为文,文本于语。"故而提倡"写话",怎么说就怎么写。(叶圣陶,1980)①但我们认为即使把"话"写出来,也不一定是标准的汉语口语。这可以说是我们建立多媒体口语语料库——这个活的语言库(语料库)的最根本的出发点。

二 对现代汉语口语的科学界定

口语本身当属语言范畴。陈建民认为:"根据我国的实际情

---

① 参见叶圣陶《语文教育书简》,《叶圣陶语文教育论集》教育科学出版社1980年版。

况,所谓汉语的标准口语,应指受过中等教育以上的操地道北京话的人日常所说的话,这是我们研究当代汉语口语的主要语言材料,是外国朋友学习汉语口语的活教材。"(陈建民,1984)[①]王若江进一步将"汉语口语课的汉语口语"定性为:"当代的普通话,包括用正式发言风格和非正式发言风格说出的。"并阐释为"汉语口语应是普通话的口语,不是北京土话;是受书面语引导的具有中等文化程度以上北京人的口头语言;口语应包括对话、独白、辩论、演讲等多种形式"。(王若江,1999)[②]这样看来,汉语口语作为语言范畴,是一种客观存在,是一种语言系统,因此它无论是从语音、词汇、语法及语音上的上加成素诸方面,都应有科学的规定性,都是可以描写的,都是有规可循的,而不是任意的。将在语料库中出现的口语的句子,如"什么钱不钱的。""我三十岁了都。""你怎么还不去你?""看你说的。"便都是口语系统中才有的语言现象,都是可用口语规则来解释的。这也就是说,不是任何一个人说的普通话,都可以作为标准的汉语口语。

　　常规的汉语教学,或许在听力课上可能还多少使用一些电教设备,如录音机等,或是到多媒体教室,老师可以自由控制录音资料何时播放、何处停止、播放多长时间,不必再倒带。而口语教学,人们通常以为有了老师与学生面对面的交流就是最好的方式了,以为划分成了小班教学可以增加学生的练习机会就已经很好了。人们一致认为,口语教学最不需要任何现代科技

[①] 参见陈建民《汉语口语》,北京出版社1984年版。
[②] 参见王若江《对汉语口语课的反思》,《汉语学习》1999年第2期。

的介入,事实并不是这样。老师的课堂用语,老师与学生之间的对话,都是按照课本上的书面语,或老师"规范"了的口语,不完全是真实情境中的口语。我们在教学中就经常遇到这样的情况:当老师稍不注意,流露出真实的口语时,学生反倒瞪大了眼睛不知所云了。而这个时候,无论是老师还是学生的第一个反应是"说得太快",并没有意识到症结所在。

三 口语本身与口语表达

上一节,我们弄清楚了什么是口语本身。那么,说话就是口语表达。口语表达不等于口语本身。个人的口语表达属于言语范畴,它是口语的具体运用,多少带有个人的风格与色彩,多少带有随意性。

从个人的口语表达,到形成标准的汉语口语,有一个复杂的加工过程。人们是如何加工的呢?我们可以"用录音机把人们说的话录下来,各种风格的话,受过教育的和没有受过教育的,有准备的和没有准备的。录下来了就一个字一个字地写出来,然后把它整理成可以读下去的文字。拿这个去跟逐字记录的比较,可以看出人们通过什么样的过程把口语提炼成书面语"。(吕叔湘,1984)[①]

从吕叔湘描述的过程来观察,我们可以看出如果这是受过教育的"人们说的话",这是人们的口语表达;"一个字一个字地写出来"这是口语;"整理成可以读下去的文字"这是书面语。"人们说的话"是有声的"语";"一个字一个字写出来的"是有形

[①] 参见吕叔湘为陈建民著《汉语口语》所写的序,北京出版社1984年版。

的语;"整理成可以读下去的文字"是书面的"文"。这三种形式在多媒体口语语料库中都有体现。即同样的内容我们用不同的形态表现,都以数字化的方式存储在计算机中了。而在传统的纸本教材中就做不到。传统的口语教材由于受到以纸张为信息载体的线性表达和只有文字单一媒体的表现手段的局限,只能以文字来表现口语。这样就不能全面、准确、客观地表现汉语口语。

"语"和"文"无论是用词、造句上,还是结构上,处处都会表现出风格上的差异,"文"还不是一般意义上的书面语,它正是我们所要研究、所要教给外国学习者的汉语口语。即:

"人们说的话"——口语表达——有声的"语"(纯自然的)

"一个字一个字地写出来"——口语——有形的"语"

"整理成可以读下去的文字"——书面语——书面的"文"(教材的)

这样的汉语口语是不是可以写出来呢?老舍已经为我们树立了写口语的典范。他说:"按照我的经验,我总是先把一句话意思想全,要是按照这点去造句呢,我也许需要一句很长很长的话,于是,我就用口语的句法重新去想,看看用口头上的话能不能说出那点意思和口语上的话怎样说出那点意思。这么一来,我往往发现:口语也能说出很深奥的意思,而且说得漂亮、干脆。用这个方法造句,写出来的一篇东西,虽不能完全是口语,可能颇接近口语了。"(老舍,1951)[①]这个过程可图示如下:

---

① 参见老舍《怎样运用口语》,《语文学习》1951 年第 2 期。

要表达的意思──→书面语造句──→ { 口头上能否说出──→口语句子
　　　　　　　　　　　　　　　口头上怎样说出

这是将书面语改造成口语的过程,与前述吕叔湘的做法相反相成。这样所得的口语,不仅是个人的口语表达,也是口语书面语。

前述三种形式将在多媒体口语语料库中都有体现。而在传统的纸本教材中就体现不出来。传统的口语教材由于受到以纸张为信息载体的线性表达和只有文字单一媒体的表现手段的局限,只能以文字来表现口语,不能全面、准确、客观地表现汉语口语。

四　口语的表现形式与口语的多媒体表现性

人们借助于各种辅助手段,在边想边说的情况下所说的话,虽是个人的口语表达,也可能是标准口语。人们说话无非是一个人说或是与人一起说,因此口语大致可分为"独白体口语"和"会话体口语"两大类。(董兆杰,1986)[①]陈建民所认可的五种口语形式,大体上也可以归入这两大类。诸如:(1)日常会话(包括问答、对话);(2)在动作或事件中作出反应的偶发的话;(3)夹杂动作的话;(4)毫无准备地说一段连贯的话;(5)有提纲的即兴发言。(陈建民,1984)[②]需要指出的是,并非有声语言皆为口语。在对外汉语教学中学生所听的口语录音材料,有的并非口语。录音者依据教材中的材料照本宣科地朗读,这只不过是书

[①]　参见董兆杰《口语训练》,语文出版社1986年版。
[②]　参见陈建民《汉语口语》,北京出版社1984年版。

面语言口头化而已。凡是念稿子,或按照事先准备好的稿子来说,严格地讲,都不算口语。比如电台的新闻广播,戏剧、电影中所背的台词,讲解员背诵的解说词等,只能算是念或背出来的书面语。

在常规的教学中,由于受教学手段的限制,我们在教学中不可能教那种"有声的'语'"。教师依靠黑板、粉笔和教师的教学口语、身势语,所能表达的要么非常有限,要么花费了很多时间,而且不是十分真实。网络教学更是如此,如果仅凭文字,即使是用他的母语,由于不够直观,学生需要一个理解的过程,另外还有理解深度的问题。如果用目的语的话,恐怕理解起来就更困难了。

口语的表现形式是多方面的,有语音、语调和轻重音的影响,也有身势、动作的影响。因此,汉语教材中的口语表现应该具有多媒体性。也就是说,只有这种多媒体的形式所记载的汉语口语才是真实的、标准的汉语口语。

五 书面口语的不十分稳定性与语料库的规范问题

作为现代汉语标准语的普通话,目前还不是十分稳定。把它作为传授给外国人的标准的汉语口语,还有不易把握之处。有几种经常起作用的因素在干扰着它。最明显的是方言的影响,不自主地搬用一些古汉语的词语和句式,以及外国语言成分的直接或间接地吸收。朱德熙又特别强调了"口语的不稳定性主要表现在知识分子说的话上头。知识分子大都说所谓'普通话'"。(朱德熙,1987)[①]而这正是我们作为编写口语教材、从事口语教学的基本素材。于是,陈章太提出了口语规范问题,并提

[①] 参见朱德熙《现代汉语语法研究的对象是什么》,《中国语文》1987年第5期。

出一是指口语本身规范的标准和要求;一是指口语表达的规范和要求。(陈章太,1983)①这是因为:(1)口语发展变化较快,不断出现创新成分。比如我们常看到的:手术中,营业中;清洁牙齿,方便顾客;掌声鼓励,电话联系;等等。(2)口语是初始语言,比较粗糙,有不少不规范、不准确的赘余成分,如:笑什么笑;没票买票。(3)口语是人们最早习得的语言;(4)口语是沿着合乎语言规则简易化趋势发展的。这样看来,无论是口语本身还是口语表达,都有待于订出标准进行规范。这样,我们无论编教材、组织教学才有所本。我们设计和建立多媒体口语语料库不可避免地要遇到这个问题。

究竟什么样的素材可以纳入语料库呢?从认识到什么是标准口语,到采集用于教学的多媒体素材,再到建立多媒体口语语料库,可以说是汉语口语教学和研究的一种新的方法。语料库中的大量素材将来源于各种生活中的交际场景和教学实录,也有根据语言教学的需要重新加工的内容。建立语料库的主要目的就是为了让人们反复拷贝和重复使用,减少资源浪费,提高资源共享的效率。所以,语料库中的素材一定要保证其规范化和可靠性。素材的规范化和可靠性是我们在语料库建设伊始就必须考虑的因素。②

素材的规范化,是指按照"标准口语"所界定的口语采集。因此,素材必须经过有经验专家的审核检验,以免重新陷入对口语理解的误区。数据的可靠性,是指在语料库存贮、传播、引用过

---

① 参见陈章太《略论汉语口语的规范》,《中国语文》1983 年第 6 期。
② 参见郑艳群《关于建立对外汉语教学多媒体素材库的若干问题》,《语言文字应用》2000 年第 3 期。

程中不得发生遗漏,或者被病毒侵蚀的现象。这种现象轻则破坏了数据,导致素材质量下降,重则造成内容的错误及出现其他不良影响,所以必须采取一定的防范技术措施,让使用者放心使用。

六 对外汉语口语教材的不足之处

由于对现代汉语口语存在着认识上的不明确,对汉语口语缺乏科学的界定,作为现代汉语口语的普通话又处于不十分稳定的状态,亟待给予规范化。所以,对外汉语口语教材中就存在着一些尚待改进的问题,这主要是由于对口语的理解不够全面而引起的。教材中最突出的就是以口语表达为口语本身。其表现就是教材编写者将叙述体改为甲、乙对话或者 A、B 对话,以为只要是会话体,就是口语。比如:

A:你这么忙,还来送我们,这使我非常感动。
B:为朋友送行是件愉快的事情。

又如:

A:在这短短的时间里,我们既提高了汉语水平,又游览了名胜古迹。就要离开这里了,我还真有点儿舍不得呢!
B:学习虽然结束了,我们之间的友谊却是刚刚开始,希望你们有机会再来。

其次,在教材的课文或会话中掺杂一些北京方言土语,以为即是口语,如"颠儿了"、"没门儿"、"真逗"、"没治了"等。再次,所用语言为人工编造,不够生动、自然,有时出现一些文言虚词,如"若、而、则"等。有时句子显得书卷气太浓,如"愿你们在这里生活愉快"。最后,也是最重要的就是忽视了汉语口语交际中句式灵活多变的特点,忽视了口语交际中最重要的表现手段——语音手段(包括语调、轻重音、停顿、语气等)在表情达意上的作用。(北京口语调查组,1987)①这一点在纸版本教材中确实是难以体现的。

如何编写(编制)口语教材,口语教材的载体应是怎样的,这些是在我们对口语教学有了新的认识之后,应该着手解决的问题。有了多媒体口语语料库,开展标准的口语教学就有了技术支持和质量保障。语料库中的数据可以在教学中根据教学需要随时调出,直接使用;可以嵌入到某个课件中;可以重新组合,组织成不同层次、不同功用的软件,甚至再添加到语料库中。这不但可以提高课堂教学、网络教学课件的生成效率,还可以使口语教学的真实性有所保障,为多媒体口语教材的研制奠定基础。

心理学的实验研究表明,人们通过声、图、文、像等多种媒体获取信息,不但效果好,而且更容易将所学的内容形成长时记忆。因此,汉语教学中面临着教学方法和教材改革的问题。汉语教学中应该使用高水平的、与现代科技相适应的教材和课件,这些教材的编写和课件的制作离不开多媒体语料库的支持。

语料库的建立与应用,使语言交际能力的提高,不仅是依靠速成、强化的手段,而且是要在充分调动视觉、听觉能力的基础上,即可轻松地实现。在应用价值上,主要是可以改进目前存在的单调的教学模式,探讨应用多媒体语料库的多种教学模式。只有在多媒体口语语料库或在多媒体口语教材中,才能充分体

---

① 参见北京口语调查组《"北京口语调查"的有关问题及初步研究》,《第二届国际汉语教学讨论会论文选》北京语言学院出版社 1987 年版。

现口语的这个特点。

七 多媒体口语语料库的结构、内容和功能

语料库中的数据是以交际项目为单位的。同一个交际项目可以有多个记录。每一个记录主要包含如下属性：

(1)交际功能项目内容；

(2)项目描述；

(3)语言点及语言点等级；

(4)句型；

(5)词语注释；

(6)口语文本；

(7)语音文件及长度；

(8)录像文件及长度。

面向对外汉语教学的多媒体口语语料库，从计算机的角度来看，它是一种多媒体的语料库；从语言学习的角度来看，它是一种辅助学习资料；从口语教学角度来看，它是口语教学元件的集合；从口语研究的角度来看，它是一种多媒体口语语料库。在语料库的基础上，借助方便的人机操作界面，以及检索和分析工具，可以实现按句型检索、按语言点检索、按交际项目检索、按常用语检索，这些不同的检索方式将为教学、学习、研究提供帮助。因为，语料库可以为教师备课、课件制作、教学光盘研制以及多媒体口语教材的编写，提供较全面的语言材料和相关属性和可靠的数据；为研究新时期对外汉语口语教学模式提供可借鉴的方式方法；为推广标准的汉语口语教学提供有力的保障。语料库中的数据含有多元化的学习材料，可以作为外国人学习汉语

口语的补充材料直接使用。口语教学及口语研究,需要口语事实作为背景和依据。语料库的建立正是教学和研究的基础条件,这种对口语的研究,反过来又会对口语的认识和口语的教学起到积极的推动作用。

八 多媒体口语语料库与汉语口语特点的体现

口语是口说、耳听的一种言语形式,它是靠声音来传递信息的。人们说话总是因人、因事、因环境而发。所以口语最突出的特点是口语表达时有特定的语言环境和确定的听话对象。口语表达的内容及其表达方式,以及选择使用的口语词汇与句式都要受到环境和对象的制约,有着很强的针对性。以往的对外汉语口语教学,凭借书本练习会话,无场景,无语境,教授者就写于书本上的语言传情达意,学习者就书本上的语言练习口语。于是,学习者出了课堂就听不懂社会上人们之间的口头对话,自己也无从用口头语言表述自己的意思,语言交际难以达成。更有甚者,学习者只听得懂自己老师讲的话,与别人则难以沟通。我们建立多媒体口语语料库,可以把声音形象与视觉形象结合起来,在真实的场景中提供鲜活的口语,使交际在特定的语境中达成。学习者可以学到真正规范的真实口语。依据多媒体口语语料库组装成的口语教材,在教学中学生可以实地操练。活的口语只存在于情景之中。有人曾针对对外口语教材中情景对话的语域特点,进行了区分和归类,大致分为:演说体、郑重体、客气体、熟稔体、俗俚体。(张宁志,1985)[1]这些语言现象在多媒体

---

[1] 参见张宁志《口语教材的语域风格问题》,《语言教学与研究》1985年第3期。

口语语料库中都会以具体的语言形式，配以恰当的交际项目，并在一定的场景中展现出来。无论是独白，还是会话，从言语风格上都会涉及这些语域，而这在以往的教材中是未加区分的。

汉语口语本身的特点在语言要素上体现得最为明显。语音上的特殊表现，语气和语调在口语表达中所具有的特殊意义，是很难在纸本教材上表现出来的。词汇上的口语化，如俗语、谚语及习用语的恰当使用，也须有一定的情景展现，脱离了具体的语境就口语词学习是难见功效的。口语短句多，省略多，停顿多，附加成分多。此外，诸如句法上的易位、追加、重复、插说等，更是口语独特的语法现象。近年来，不少学者运用口语调查材料对一些重要的语法范畴在口语不同语体中的实际表现手法作了一些研究，比如对口语对话语句中论元关系的研究，对话语体中指称现象研究，对话语体中副词性小句的研究，对口语叙事体中关系小句的研究，等等。这些研究都在不同程度上揭示出汉语口语与书面语的差异。（方梅，2002）[①]这些成果在编写教材及其教学设计中，以及语料库的建立中都应适当吸收。

为了在教材中体现口语的特点，有的教材作了一些有益的探索，如在每个单元后设"口语知识"和"口语常用语"两项内容，既起到巩固已学的汉语知识的作用，又能把这些知识集中到口语的角度来认识，对学生提高口语能力无疑有很大帮助，这是非常有意义的尝试。（林焘，1996）[②]

[①] 参见方梅《口语语法研究的现状与前瞻》，商务印书馆青年语言学者论坛 2002 年。

[②] 参见林焘为刘德联、刘晓雨编著的《中级汉语口语》所写的序，北京大学出版社 1996 年版。

我们相信随着多媒体口语语料库的建立,会使对外汉语口语教学的探索逐步走向成熟,形成有特色的、真正体现汉语口语特点的、完整科学的口语教学体系。

贰 汉语中介语语音语料库[①]

一

大型语音语料库的建立以及基于语料库的研究是近年来国内外语音研究的潮流之一。以汉语和少数民族语言为例,中国科技大学、中国科学院声学研究所和中国社会科学院语言研究所等单位联合建立了汉语语音识别语料库,该语料库被列入国家863计划[②];中国社会科学院民族研究所先后建立了藏语和哈萨克语等少数民族语言的语音声学参数数据库[③][④];香港大学和香港理工大学联合建立了香港广州话语音资料库[⑤]。语音语料库为语音现象的大规模定量研究提供了较为便利的条件,使研究成果更为客观可靠和更具有应用价值。

对第二语言语音特点的研究是语音学的重要研究课题之

[①] 本节摘自王韫佳、李吉梅《建立汉语中介语语音语料库的基本设想》,《世界汉语教学》2001年第1期。

[②] 参见陈肖霞《连续话语语料库的语音切分和标记》,《语言文字应用》2000年第2期。

[③] 参见鲍怀翘、徐昂、陈嘉猷《藏语拉萨话语音声学参数数据库》,《民族语文》1992年第5期。

[④] 参见鲍怀翘、陈嘉猷、徐昂《哈萨克语语音声学参数数据库》,《第三届全国语音学研讨会论文集》(未出版)1996,第56页。

[⑤] 参见苏周简开、Robin Thelwall《香港广州话语音资料库成立过程》,《第三届全国语音学研讨会论文集》(未出版)1996,第53页。

一,在几种重要的国际性语音学刊物,如 *Phonetica*, *Journal of Phonetics*, *Speech Communication* 上,有关第二语言语音的研究时有报道。在两年一次召开的国际语音科学大会上,近年来语音习得(speech acquisition)已被列入专题之一。在第二语言习得的研究领域,语音习得的研究在国际上也已具有较为成熟的研究模式,即方法是实证性的,手段是仪器性的,结果是定量的。

令人遗憾的是,在汉语语音学和汉语中介语研究的学术领域内,语音习得一直没有得到应有的重视,有关汉语作为第二语言语音习得的研究在数量上较之句法、词汇和汉字习得的研究可以说是微不足道,在质量上也不能令人满意。大多数的研究方法是经验型的;手段仍然是仅仅依靠口耳之觉;结果是定性的,然而也是不够深入的,甚至往往带有较大的片面性。造成这种状况的原因是多方面的,而原因之一就是数据太少,并且缺乏代表性。与句法、词汇和汉字习得的研究相比,语音习得研究的数据采集工作更为费时费力,它需要制作专门的发音语料,在专门的发音场所进行录音,而且往往还需要借助一些仪器和软件对语音信号进行声学分析。一个能提供大量原始语音资料和声学参数的数据库无疑会使研究者在数据采集和测量分析方面节省大量时间和精力,并且可以避免或减少一次性小规模采样可能给研究结果带来的片面性。事实上,从语言学和语言教学的角度看,中介语语音的研究较之母语语音的研究更加需要作大规模的分析。中介语是一种不断发展变化的语言,由于各种背景因素的影响,每个学习者的发音总是各有其特点,唯有进行较大数量的采样分析,才能揭示语音习得中的共性特征,从而为教学实践提供可靠的理论参考。一个具有一定规模的汉语中介语语音语料库的建立,无疑会为汉语作为第二语言的语音习得研究提供便利的研究条件和可靠的研究数据。

二

在已经建立的语料库中,北京语言文化大学的汉语中介语语料库为我们建立汉语中介语语音语料库①提供了很好的借鉴,但二者也存在相当大的差别,其中最突出的差别就是汉语中介语语料库以文本形式与用户见面,而我们拟建立的汉语中介语语音语料库以文本、语音和声学参数三种形式与用户见面,其中的后两种形式是用户最关心的。

本语料库的建立(其流程图如图 5 所示)包括以下五个主要过程:1.发音人和发音素材的确立;2.录音;3.数据库系统和数据库管理系统的建立;4.原始资料的登录;5.对部分录音的声学分析和声学参数的登录。下面对这五个过程逐一加以说明。

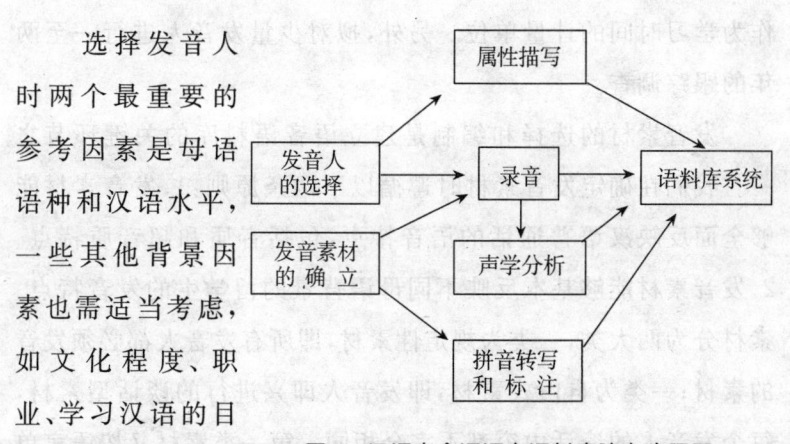

选择发音人时两个最重要的参考因素是母语语种和汉语水平,一些其他背景因素也需适当考虑,如文化程度、职业、学习汉语的目

图 5　汉语中介语语音语料库建立流程图

---

① 参见储诚志、陈小荷《建立"汉语中介语料库系统"的基本设想》,《世界汉语教学》1993 年第 3 期。

的、除汉语以外的其他外语背景等。参照汉语中介语语料库,有关发音人的所有描写我们也定义为发音人的背景属性。在人数分布上,理想的状态是不同属性的背景具有同等的人数,即所谓分布均匀,但实际操作上很难做到。例如,来华较多的韩、日学生的样本很容易采集,因而在语料库中的数量就会比较多;而母语为小语种的发音人由于来华总数较少,因而在语料库中的数量也会比较少,汉语中介语语料库的情况也是如此。需要特别指出的是,对于不同程度汉语水平的发音人,我们有意进行非均匀分布的选择,这是由于语音习得在一定阶段以后出现明显的僵化现象,这种现象出现之后,语音水平会长期甚至永远处于停滞状态,因此,我们采样的密集度将随汉语水平的升高而逐步减小。也就是说,我们对学习时间的分段不是均匀的,在语音进步较快的初级阶段,分段较为密集,如,两星期、一个月、两个月、一学期;而在语音没有明显进步的中级阶段以后,则以学期或年度作为学习时间的计量单位。另外,拟对少量发音人进行一至两年的跟踪调查。

发音素材的选择和编制是建立语音语料库的关键环节之一。我们在确定发音素材时遵循以下两条原则:1.发音素材能够全面反映汉语普通话的语音特点,包括音质和超音质特点。2.发音素材能够基本反映不同母语背景的留学生的发音特点。素材分为两大类,一类为规定性素材,即所有发音人都必须发音的素材;一类为自由式素材,即发音人即兴进行的谈话型素材,每个发音人的谈话内容都不完全相同。第一类素材又按语言单位的大小分为十余类,如单音节、双音节、句子等。从音质来说,这类发音涵盖了普通话中的所有音位;从超音质特征来看,这类发音包括了二音节和三音节字组中所有类型的声调组合、轻音、变调(包括类变和字变)和基本的语调类型。第二类素材包括回答问题和给定话题的谈话,由于无法进行人工干预,这类素材难以囊括普通话中所有的音质和超音质特征,但风格更接近自然语流。显然,两类素材为用户提供的服务是不同的。由于第一类素材对所有发音人都完全相同,因此,利用它可以进行大规模的量化对比研究,对于研究特定语音单位的习得状况尤为方便。第二类素材由于是发音人自主发出的,因此与发音人的自然语音更为接近,从中可以发现一些第一类素材无法反映的现象。同一组内的发音素材随机排列。

录音拟在消声录音室内进行,对于规定性发音,为了消除因汉字的误读而产生的发音错误,对所有材料都给出汉语拼音。上声只标本调,"一"和"不"不标调。录音前给出一定时间以熟悉发音素材。每一条独立的发音素材都以一张卡片的形式出现。

录音工作结束后,在已建成的数据库框架内对发音人背景属性、发音素材(文本)和录音进行登录。对原始录音的声学分析和语料库系统的结构将在下文介绍。

三

为了便于用户检索,需对发音文本进行拼音转写和标注。由于本语料库是语音库,用户关心的是各种语音单位,因此需对所有以汉字形式出现的文本进行标准发音的标音转写。考虑到汉语拼音是用户最熟悉的汉语标音符号,因此我们实行拼音转写。由于发音素材中包括了小至音素、大到篇章的各种不同级别的语言单位,因此,为了便于检索,还需对转写后的拼音文本进行一定程度的标注,例如,对于声母和韵母的标注,对于音节的标注,对于节奏单元的标注等。对于自主发音素材,即回答问题和自由谈话的处理,一律按正确发音转写。这样做的目的,一是为了与非自主发音的文本保持一致,二是因为本语料库不是一个评价性的语料库,因此不对发音人的发音作标音性的描写,因为任何这样的描写都会带入建库者的主观因素,从而影响语料库的客观性。

为了便于不同类型用户的使用,我们拟对一定数量的录音进行声学分析,并建立一个声学参数数据库,使用的语音分析系统为 Kay CSL 4300。

目前国际上通用的中介语语音的分析方法基本上有两种,一种为听辨分析,即请一定数量的操母语者对学习者的发音进行听辨,或作辨别选择,或作等级评分;另一种是利用声学仪器对发音进行物理分析,得到声学参数,与操母语者的参数进行对比。从本语料库中得到的语料都适用于这两种方法。但声学分析是一项相当费时的工作,而且从目前的状况看,相当多的用户由于主客观条件的限制,无法进行第二种分析。在仪器分析已成为语音学基本研究手段的今天,不对学习者的语音进行声学分析,中介语语音的研究是难以深入下去并与语音学的其他分支学科进行对话的。对已经存在的语料的声学分析是对语料库的深加工,一个中介语的语音声学参数库无疑会为中介语语音的研究提供更为科学、更为深入的研究资料。

由于时间和经费的限制,在语料库建立的初级阶段拟选取部分有代表性的发音人的语料进行分析。拟对以下几种特征进行测量：1.单元音和复合元音起始点与目标值的前三个共振峰，它们决定了元音的音色；2.辅音的 VOT，与辅音的清浊和送气与否相关；3.二字组和三字组中音节的时长分布；4.单音节、二字组和三字组的基频曲线及特征值（最高点、最低点和转折点）。得到的数据将填入声学参数数据库内。声学参数库在本语料库系统中将作为一个子库存在，它是由语音语料库派生出来的，不能离开母库而独立存在，但语音语料库的其他构成成分和功能可以离开声学参数库而独立存在。由于声学参数库是一个开放型的数据库，因此，在拥有充裕的时间和充足经费支持时，可以不断填入新的内容。在声学参数库内，还将提供所分析元音、辅音、音节的三维频谱。

需要指出的是，声学参数库提供给用户的是语音的物理性质，这些参数在语言学上的意义仍需用户去作评价，因此声学参数库是一个描写性的但非评价性的数据库。

四

汉语中介语语音语料库系统在软件方面的重点与难点是发音素材的存储与处理、语音的查询与播放。

在本系统的分析与设计中，我们采用了目前比较流行的编程风格，即基于 Browser/Server 的结构，前台用户界面以大家都非常熟悉的 Internet Explorer 为基础，后台使用 Office 套件中的数据库管理系统 Access，编程用 Active Server Pages (ASP) 技术。

在语料库系统中，有四种素材需要存储：

（1）发音人属性素材，存储的是学习者的十余种背景属性，如国籍、母语、学习目的、学习时间等。

(2)发音文本素材,存储的是用来请发音人发音的各种素材,按不同的语言单位分为十余类。对于这些文本素材,既要存储其汉字形式,也要存储其相应的拼音形式。

(3)发音语音素材,存储的是发音人对发音文本素材所做的实际发音,其最终形式是将这一发音结果播放出来。

(4)声学参数,存储的是对部分原始发音进行声学分析后得到的数据。

这四种素材在存储中,既有相对独立性,又有很强的关联性。

其相对独立性表现在:首先,它们是性质不同的四种素材,在存储时彼此之间没有任何制约性的关联。其次,用户在检索时可以只按(1)的属性、(2)的属性或(4)的属性进行,检索出的语料首先以(2)的形式与用户见面,需要何种形式的语音播放,即(3)的播放效果,用户可以自由选择。

其关联性表现在:(1)和(2)存储的最终目的是为界定(3)和(4),即语音素材和声学参数需要有两个非常重要的定义,其一是发音人属性,其二是文本属性。有了这两个基本属性后,记录和播放最终的发音结果以及声学参数才有意义。

在存储设计中,每一种素材用一个数据表存储。为了能准确地反映四种素材之间的关系,在存储设计中,我们作了以下处理:

1.对前三种素材分别进行了编码,最终的编码结果在录入这些素材时由软件系统自动生成。其中发音人属性编码由发音人的主要特征,如国籍、母语等的代码经过一定的处理后生成,每一个发音人属性编码可以唯一标识一个发音人;发音文本编码由发音文本素材类别代码、类内序号(在某一类文本素材中的序列编号)和文本含义标识码(篇章类的文本分多条记录保存,除了整篇是一条记录外,该篇中的每一句也单独作为一条记录来存储)。发音语音素材编码由发音人属性编码和发音文本编码组合而成,每一个发音语音素材编码可以唯一地反映出具体的发音人和具体的发音文本。

2.在发音语音素材表中存储的语音信息,只是保存该语音的语音文件名,并非语音本身。语音信息全部以语音文件的形式保存,语音文件名的组织管理规则是:(1)每一个发音人的所有语音文件都保存在各自的文件夹中,其文件夹名与其编码相同;(2)所有语音文件的名字与其对应的发音语音素材编码相同。

本系统的功能分为两大模块(如表12所示):素材登录模块和用户功能模块。素材登录模块主要是用于四种基本素材的自动编码、登录和查对等工作,是系统初期开发和后续开发时研究人员用于素材登录的功能模块;用户功能模块是使用者对该系统中的各种素材和研究结果进行检索和统计的功能模块。

在检索中,除了可按发音人属性、发音文本类型和声学参数类型进行检索外,由于对发音文本的拼音形式进行了标注,因此,也可按语音单位进行检索。首先,可按单个音素进行检索,普通话中所有声母均为单音素,此外还有一定数量的单音素韵母;其次,可按音素组合进行检索,这样可以检索到所有的复韵母,包括儿化韵。音素组合的最大单位规定为音节,因此利用音素组合进行检索也可检索到所需音节。再次,可按声调、声调组合和语调进行检索,声调的最长组合规定不超过 3。轻音音节在标记时采用与声调相同类型的代码,因此按声调检索可以检索到轻音。语调检索只对语句的检索有用。以上三种语音检索可以组合进行,例如,可以检索声母为 m、声调为阴平的所有音节。发音人属性检索、发音文本属性检索和语音检索也可以组合进行,例如,可以检索母语为日语、学习汉语一年的所有发音人所发的声母为送气音的单音节或含声母为送气音音节的所有字组和句子。本语料库系统的检索原则是,含有符合检索条件语音单位的所有记录均会被检索到,例如,检索含有拼音 a 的记录,被检索到的发音素材就有:单元音 a、所有带拼音 a 的单音节、所有含带 a 音节的字组、所有含带 a 音节的句子。

表 12 系统功能结构示意图

汉语中介语语音语料库系统	发音素材登录模块	
	发音人属性表	登录与编码
		组合查询
	发音文本素材表	登录与编码
		组合查询
	发音语音素材表	登录与编码
		组合查询
	声学参数表	登录与编码
		组合查询
	用户功能模块	
	按发音人属性	查询与播放
		查询结果保存
	按发音素材类别	查询与播放
		查询结果保存
	按音素或音素组合	查询与播放
		查询结果保存
	按声调或声调组合	查询与播放
		查询结果保存
	按声学参数	查询与播放
		查询结果保存
	组合查询	查询与播放
		查询结果保存
	查询结果	查看与播放

检索结果首先以文本形式出现,对语音播出的方式有两种选择,一种为在一定时间间隔下连续播出所有记录的语音,一种

为点击记录文本后播出,即点击一条记录,则播出与这条记录对应的语音。检索结果可以自动生成一个子库,供用户连续使用。本软件系统具有以下特点:(1)系统是基于 Browser/Server 结构的网络版软件,便于系统的更新和升级;(2)发音素材与语音文件分开存储,使用户的检索效率大大提高;(3)发音素材基于编码存放,可以节省存储容量,提高系统的性能;(4)软件具有充分的开放性和良好的可维护性。

与子库"声学参数库"一样,汉语中介语语音语料库本身也是一个开放型的数据库,其语料数量可以不断地得到增加;在语料增加的过程中,数据的分布也将逐步向理想状态逼近。我们希望,这样一个数据库的建立,可以为汉语作为第二语言的语音习得研究和汉语语音学的研究作出一份贡献。

叁 汉语专业阅读材料语料库[①]

一 汉语阅读材料语料库的开发建设是培养国际化高级汉语专业人才的需要

如何加快学科建设、以适应培养国际化高级汉语专业人才的需要,是我们应认真思考和探索的问题。审视目前汉语言专业(对外)本科教学现状,还存在以下几方面的不足,对此,我们提出相应的解决对策,即开发建设有专业倾向的汉语阅读材料

---

① 本节摘自方向红《试论有专业倾向的汉语阅读材料语料库》,《数字化对外汉语教学理论与方法研究》清华大学出版社 2004 年版,第 495 页。

语料库。

(一)专业课教材与学生实际汉语水平、理解接受能力之间的差距较大

汉语言专业(对外)本科课程设置分三类:语言技能课、专业课、文化课,其中专业课包括现代汉语、古代汉语、语言学概论等。在此专业基础上,不少学校还拓宽了专业方向,开设国际经贸方向、汉英双语方向等,国际经贸方向的专业课又有中国对外贸易、中国经济、中国涉外法律等。汉语言专业下的国际经贸方向不同于国际经贸专业,前者仍然以培养高级的汉语交际能力为主,适当学习国际经贸相关的一些基础知识而非精深的国际经贸专业知识。目前汉语言专业(对外)本科教学实践中普遍缺乏专门为留学生编写的专业教材,只能使用中国学生所用的教材,由教师在具体教学过程中在内容上进行一些删减。即使这样,专业教材的难度远远超出学生的实际汉语水平和专业知识的理解接受能力。留学生在刚刚完成一两年的基础汉语课的学习后,马上过渡到汉语言专业课学习,往往会出现知识、理解能力上的断层。因此,我们针对学生实际的汉语语言水平和理解接受能力,来构建有专业倾向的汉语阅读材料语料库,提供给学生一些专题性的、生动丰富并包含一定专业知识的语言材料,这样的阅读材料可以激发其学习兴趣,增强学生对汉语语言知识的感悟能力和接受能力,引导其入门并进一步扩大知识面。

阅读材料语料库不同于现代汉语专业教材。"有专业倾向的阅读材料"是对专业知识课的一个必要补充。如果在本科一、二年级的时候就有计划、循序渐进地让学生大量接触这样的有专业倾向的阅读材料,可以为学生学习专业课打下一个宽广而

坚实的基础。

进一步来看,汉语阅读材料语料库还可以在一定程度上帮助留学生克服在论文写作中资料收集及阅读理解、写作方面的困难。目前适合留学生的汉语知识水平、能够让他们在自学的情况下大概读懂的专业文献并不多,而留学生撰写语言实习报告或学位论文又迫切需要这方面的资料。浅显的有专业倾向的汉语阅读材料对学生撰写语言实习报告、中国文化选修课作业、学位论文等既可以起到资料的作用,又可以进一步在论文写作方面起范文作用。我们在语料上标注材料的来源,还可以提供学习者进一步研究的依据,因此,阅读材料语料库又可以起到资料索引的作用。

(二) 汉语专业阅读的不足

从课程设置体系上看,汉语言专业(对外)本科的阅读课仍然归属于语言技能课,教学目的是扩大学生的词汇量(一般词汇而非专业词汇)或培养学生的阅读能力,训练学习者的阅读技巧。目前汉语言专业(本科)阅读课使用的教材绝大部分是"通用阅读教材",而不是"有专业倾向的阅读教材"。从严格的意义上来说,这并不能满足汉语言专业(对外)本科教学培养高级汉语言交际能力的要求。汉语言专业(对外)本科阅读课还有必要增加"有专业倾向的"阅读课,目的在于拓宽和加深学生的汉语言专业知识及相关的文化知识。

(三) 教材的不实用性、滞后性造成教学效果与培养目标的差距

就目前汉语言专业(对外)本科的教学效果而言,还有一些不尽如人意的地方,如留学生学到的知识与实际使用所需要的知识存在一定的差距。究其原因,与教材内容的编排也有一定

的关系。如陶炼[①]指出,文学取向的高级汉语课本,对于学生的专业知识学习与能力培养,实在贡献不多;反而因为占据了比较多的课时,影响和制约了学生的专业知识与能力的学习和培养,在目前专业知识课本的汉语水平远远高出学生的实际接受能力的情况下,专业知识取向的高级汉语课程便是十分实在而有用的一门课程。虽然他谈的是高级汉语课程内容的问题,在培养学生的高级汉语交际能力的目标上,他的观点与我们提出的开发建设有专业倾向的汉语阅读材料语料库的设想是一致的。

另外,语言是随着社会的发展而发展的。由于教材从计划的制订、编写到审定、出版有一个相当长的时间过程,其内容相对于社会发展潮流来说总是难免有一些滞后,使得学生从课本上学到的知识与在实际生活工作中的运用存在一定的差距,不能很好地满足学生毕业后很快地适应实际工作的需要。阅读材料语料库的建设比之阅读教材的优越性在于它的适时性,即可以不受这一工作流程的时间限制。语料库可以及时充实内容,补充一些当代的丰富而又贴近社会现实的包含一定汉语言知识的语料,增进学生对当代一些汉语语言文化现象的正确理解。

(四) 满足学生个性化的需求

留学生的本科教育有不同的年龄层次,有不同的职业需求,很难做到像中国大学生的本科教育那样整齐划一。另一方面,学生受汉语知识水平、专业方向的限制,知识面往往比较狭窄。开发建设有专业倾向的汉语阅读材料语料库可以给学生充分选择的自由,满足学生个性化的学习需求,语料库作为网上教学资

---

① 参见陶炼《试论汉语言专业(对外)高级汉语教学的取向》(摘要)。

源,可以开设一些网上选修课。学生可以不受时间的限制,能动地、积极有效地、富于创造性地学习,根据自己的兴趣爱好更多地获取自己所需要的知识,学生甚至还可以突破专业方向课程的限制,较为自由地构建自己的知识体系。

总之,在全球信息化的时代,我们对教材的观念不应再局限于传统意义上的课本,而应充分利用现代化的教学设备(如多媒体教室),开发建设网上阅读材料语料库,实现资源共享。作为一个动态更新的容量巨大的知识库,汉语阅读材料语料库应比传统意义上的阅读教材内容更新鲜,更贴近当代社会现实,包含的信息量更大,因而更能满足培养现代化高级汉语专业人才的需要。该语料库也可满足语言生和其他专业留学生等汉语学习者课外阅读的需要。

二 汉语阅读材料语料库的规划、设计及选材原则

汉语阅读材料语料库取自国内最新出版的汉语语言规范性较强的正式刊物,包括报刊、杂志、汉语语言学专业类书籍等。阅读材料语料库的建设目标是科学性和系统化,难易度的把握要与汉字大纲、汉语词汇大纲、语法大纲、HSK测试大纲接近。语料的加工、标注工作包括收集、摘录语料,注出语料来源以备进一步检索;开发查找软件,提供关键字检索、相关内容阅读材料的链接等。

语料库的选材原则主要应遵循以下两条:

(一) 实用性原则

我们应根据《高等学校外国留学生汉语言专业教学大纲》制定的培养目标来构建有专业倾向的汉语阅读材料语料库。作为

第二语言学习者，留学生在学习汉语言知识的同时，还必须了解、熟悉与汉语言相关的文化心理现象，这样才能对汉语有较为全面的、理性的认识。语料库应更多地关注社会现实中的汉语语言现象，提供与汉语言有关的中国社会关系、社会习俗、历史、宗教、文化、科技、经济、贸易、政治等方面的信息，既贴近学生的实际生活需要，所选语料对其解决现实中的问题有所启发，帮助留学生扩大知识面，更全面地了解中国，又有利于他们在中国学习和工作时更好地运用汉语进行交际的能力，并且所选语料始终保持与专业知识课程保持密切的相关性，真正体现出培养高级汉语专业人才的专业特点。

考虑到留学生毕业后不论是回国还是留在中国工作，大多数人从事的是国际交流工作，针对学生就业的需要，我们在建构汉语阅读材料语料库时还要注意适当选取一些具有汉外对比性质的阅读材料。一方面有利于学生在中外语言文化的同异中正确习得汉语，另一方面也帮助学生在了解中国相关国情的同时也了解世界各国的相关国情等，培养学生适应现代信息社会的实际生活和工作能力，从而在毕业后能很快地适应工作。

（二）浅显性原则

建设有专业倾向的汉语阅读材料语料库时应根据留学生的实际汉语水平与理解接受能力，尽量采用简单的语言材料，把复杂的专业理论知识浅显化。即既要注意知识性，将语言学习和专业知识学习结合起来，又要注意趣味性，选择一些较为生动、较有意思，能够引起学生阅读兴趣而又比较浅显的语言材料，必要的时候加上生词注释、新词语注释、具有丰富文化内涵的词语的注释等，培养学生的自学能力，增强对汉语知识及相关文化因素的融会贯通和表达能力。为了体现这一原则,我们在编制阅读材料时需要做这样一些工作:1.根据内容确定难易等级,使学生能够根据自己的水平选择难易度适当的或大致同等的阅读材料来看,减少学生阅读时的盲目性;2.对生词、新词语、有文化含义的词语等进行语义标注,帮助学生理解和领会阅读材料的内容;3.提供适当的自测练习题和标准答案,帮助学生进行阅读理解、自我检查。

三 汉语阅读材料语料库的应用价值及意义

汉语阅读材料语料库的开发建设是有限的课堂教学的无限延伸。语料库为留学生提供适合于他们的汉语水平和接受能力的当代真实而又丰富的汉语语料,提高学习效率,在海量的语言材料接触中自然而然地习得汉语,在一定程度上弥补留学生在汉语言专业知识学习方面的不足,降低专业知识学习的难度。

汉语阅读材料语料库也可以作为教师课堂教学的补充材料,在网上实现资源共享,从而减轻教师备课查找资料时的手工作坊式的个体劳动的工作量,避免教师个人的重复劳动,克服教师个人知识的局限,对教学起统一和规范的作用。当然,语料库的开发建设也需要广大教师集思广益,共同参与,促进汉语言专业知识教学研究工作的进一步深入。利用阅读材料语料库,通过计算机统计和分析,为汉语言专业(对外)本科的专业教材及有专业倾向的阅读教材、高级汉语教材编写、课程测试等提供真实的语言素材和有力的实验数据支持,实现专业课程教学及课程建设的规范化、科学化,最大限度地减少其随意性和盲目性,提高专业教学质量,确保专业教学总体目标的顺利实现。

汉语言专业(对外)本科教学比语言班的教学起步要晚,各项教学工作有待于进一步完善,语料库的规划(planning)、设计(design)、选材(selection)、建库(creation)和标注(annotation)等各项具体实践还需艰苦探索,加强语料库建设及其在对外汉语教学与研究中的应用还需要广大对外汉语教师及对外汉语教学研究者的团结协作。

第四节 网络环境下的汉语语料库建设及检索[①]

迄今,我国对外汉语教学界在现代汉语语料库建设及检索程序开发方面取得了可喜的成果,如北京语言大学研制了"现代汉语研究语料库系统"、"汉语中介语语料库系统"和"面向语言教学研究的汉语语料库检索工具",中国人民大学也开发了"北京话口语语料库"。这些研究成果为我国的对外汉语教学与研究提供了基于大规模真实文本的现代化研究环境和技术手段,在一定程度上从定量研究方面促进了对外汉语教学与研究的发展。遗憾的是,这些语料库没有对外界开放基于 Web 的在线检索功能。

随着因特网的普及和网络技术、语言技术的飞快发展,建设基于 Web 的对外汉语教学语料库并开发在线检索程序,是语料

[①] 本节摘自卢伟《基于 Web 的对外汉语教学语料库建设及在线检索程序开发》,《海外华文教育》2003 年第 3 期。

库建设的一个发展方向,可满足更大范围的语料检索需求,实现语料库的资源共享,为全国对外汉语教学界提供语言技术手段,促进对外汉语教学与研究的发展,因此具有较大的现实意义和实用价值。

本文拟探讨建设基于 Web 的对外汉语教学与研究专用现代汉语语料库的原则与方法,介绍语料库的在线检索功能,并举例说明应用 ACCESS 数据库和 ASP 开发语料库及在线检索程序的具体制作方法与步骤。

一 基于 Web 的对外汉语教学语料库的建库原则与方法

不少中外学者对如何建立语料库有过各种论述。Kennedy (1998)[①]曾经指出,设计和编纂语料库时应当考虑的问题包括:"一个语料库应当是一种语言的静态样本还是动态样本?它在多大程度上可代表一种语言或语体?一个语料库的规模应当多大才能具有代表性或者满足特定研究目的?它的文本样本应当有多大?"Biber 等学者(1998)[②]也强调语料库的代表性,认为"一个语料库不是单纯的文本集合,它旨在代表一种语言或者一种语言的某一部分。因此,语料库的设计是否适当取决于它想要代表什么样的目标语言,而语料库的代表性也决定了研究课题和研究结果是否具有普遍意义"。可见,语料库的代表性是设计语料库的首要问题,确保语料库具有代表性也成为建立语料

---

① 参见 Kennedy, G. *An Introduction to Corpus Linguistics*. Longman, 1998。

② 参见 Biber, D., et al. *Corpus Linguistics*. Cambridge: CUP, 1998。

库的一项主要原则。此外,刘连元(1996)①在探讨现代汉语语料库的设计原则时还提出了"通用性原则、描述性原则、实用性原则、抽样原则"。

为了提高语料库的代表性,建立语料库时应当特别注意文本抽样的方法。也就是如何控制文本的容量和保证文本的多样性,从而控制语料库所代表的总体、语料库的规模和语料库的内容。胡明扬先生(1992)②指出:"语料库的语料要有足够的代表性就必须按随机抽样方式选样。"在贯彻抽样原则时,首先要保证原始语料的多样性,选材时要尽量涵盖各种语域(register)、语体(style)、学科领域。其次,要通过控制样本的容量使语料样本保持相对完整。再次,对保证语料抽样的广泛性,样本总量与原始语料的比例要合理。最后,随机抽样以后可进行必要的人工干预,使语料抽样更加合理有效。

我们根据所建语料库的使用目的,参照中外学者的观点,确立了贯彻语料库建库原则与方法的几个重点。

首先是语料库的建库目的。我们所建立的现代汉语语料库是为对外汉语教学与研究服务的,属于"专用型"(specialized)语料库,因此,该语料库不必像"系统型"(systematic)语料库那样广泛地代表现代汉语的语言事实全貌。我们希望所选择的语料样本能够代表现代汉语的某一部分,反映现代汉语在某些方面的实际使用情况,也就是跟汉语作为外语的教学与研究相关的那一部分真实的语言材料,比如与现有的对外汉语教材和汉

---

① 参见刘连元《现代汉语语料库研制》,《语言文字应用》1996年第3期。
② 参见胡明扬《现代汉语通用语料库的建库原则和设想》,《语言文字应用》1992年第3期。

语作为第二语言或外语的学习者进行言语交际相关的自然文本,特别是口语文本。我们从大约1亿字次的现代汉语真实文本的原始语料中,按照随机抽样加人工干预的方法,选择了大约1 060万字次的语料样本。我们将语料库的规模控制在1 000万字次的另一原因是,所建语料库是基于ACCESS数据库和Web在线检索的,如果语料库规模越大,数据库文件也随之增大,在现有的网络带宽下运行,在线检索的速度也就越慢。

其次是语料样本的容量问题。关于语料库中每个样本应该包含多少个词(字),不同的语料库有不同的做法。比如在LOB、BROWN和ICE语料库中,每个样本的容量大于或等于2 000个词次,LLC语料库约为5 000个词次,BNC语料库约为40 000个词次。一般的做法是,语料样本应该是连续语言,因为样本太小不足以反映原始文本的语言特征,所以长度一般控制在2 000—5 000词(字)次之内。另一种做法是,采集整个原始文本作为样本。我们基本上采用这种方法,因为这样不必担心采样方案的合理性,不必担心原始文本中各个段落之间的语言差异,可以提供更广泛的语言研究(黄昌宁等,2002)[①]。由于全文的语料样本可以提供更加广泛的上下文语境,所以特别适合进行语篇研究。略有不同的做法是,单个语料样本的大小根据原始文本的篇幅而定,篇幅较小的原始样本单独成篇,篇幅较大的则切分成大小相当的几个片断,作为几条数据记录存入数据库。全库共有语料样本3 850个左右,每个语料样本的容量在1 000—45 000字次之间。

[①] 参见黄昌宁、李涓子《语料库语言学》,商务印书馆2002年版。

第三是语料样本的多样性问题。根据现代语体学理论,情景、地域、社会、功能、时间等因素导致语言变异,从而产生语言的各种变体。语言依使用场合(情景因素)的不同所产生的变体称为"语域"(register)。Halliday 和 Hasan(1976)[①]曾指出,"语域是由与多种情景特征——特别是指话语范围、话语方式和话语基调的意义——相联系的语言特征构成的。"按话语范围区分,语言可分为专业性语体(如计算机、医学、工商管理等)、非专业性语体(如社交俗套语和人际用语)、文学语体(如小说、戏剧、诗歌等)和非文学语体(如谈话、讲演、广告、新闻、科技、法律等)。按话语方式区分,可分为口语语体和书面语体。按话语基调区分,可分为正式语体和非正式语体,Leech 和 Short(1981)[②]则认为,"语域这个名称通常用来表示非方言式的语言变体,如正式语和非正式语、口头语和书面语,以及科技、宗教、法律语言等。"

语言学家关于语域的论述为我们对语料库样本进行分类提供了理论依据。我们将语料库的所有样本粗略分为书面语体和口语语体两大类,然后按照语域和学科范围,将语料样本分为文学、科技、新闻、广告、法律、经济、政治、哲学、语言、教育、历史、社会、宗教、艺术、生活、军事、体育、卫生等 18 个总类,并按照体裁和类型进一步细分为小说、散文、诗歌、戏剧、影视、曲艺、纪实、传记、公文、文书、论著、演讲、会话等 13 个子类。比如书面语体包含中国现当代小说、散文、诗歌等文学语体,还包含《人民

[①] 参见 Halliday, M. A. K. and R. Hasan. *Cohesion in English*. Longman, 1976.

[②] 参见 Leech, G. and M. Short. *Style in Fiction*. Longman, 1981.

日报》1998年1月份所有文章(183万字次)和2000年12月份所有文章(211万字次),它们主要属于新闻、经济、法律、体育、科技等语体。

Sinclair(1991)①将公众集会、问讯、法庭案例审讯、广播电视讲话等的录音文本视为经过"斟酌"(considered)的语言,并称之为"准口语"(quasi-speech)。因为这种准口语是写下来模仿虚拟情景中的言语,带有人工修饰的痕迹,所以不能完全反映自然会话中语言的一般使用规律。胡明扬先生(1992)②则将口语分为书面口语(如戏剧对话、口语教材)和录音口语。由于采集自然会话的口语语料比较困难,所以我们所选取的口语样本仍然属于"准口语"范畴,主要包含曲艺(34万字次的相声文本)、戏剧、影视、演讲、会话等方面的语料。

第四是语料样本的处理问题。我们没有对所有的语料样本进行语言属性(如词性、语法、语义、语篇、语用等)的标注附码,因此所建立的语料库属于"生语料库"(raw corpus)。但是考虑到语料库的不同检索需求,我们采用两种不同的方法对语料样本进行处理,并分别存放在数据库的不同数据表中。一种处理方法是,将每个语料样本当作一条数据记录存放在数据表中,组成全文数据库,通过检索程序可对关键词进行全文检索和定位,目的是为了提供全文语境,便于进行大于句子单位的语篇研究。另一种处理方法是,将所有语料样本切分成句子,然后将每个句子当作一条数据记录存放在数据表中,组成句子语料库,通过检

---

① 参见 Sinclair, J. *Corpus, Concordance, Collocation*. Oxford: OUP, 1991。
② 参见胡明扬《现代汉语通用语料库的建库原则和设想》,《语言文字应用》1992年第3期。

索程序可对关键词进行句子检索,目的在于进行小于句子单位的语言研究,如词语搭配、提取例句等。

二 基于 Web 的对外汉语教学语料库的检索功能

(一) 语料库的检索功能

关于语料库的检索功能,中外学者多有论述。胡明扬先生(1992)[①]提出,语料库的检索系统要保证能够方便地检索到以下各类信息:总字数及字频,总词数及词频,单字和单词的上下文,按词类大类和小类提取总清单,统计分类总数和分类频度,特种词语、语法格式、分类句类或句型的统计和提取,等等。杨惠中等(2002)[②]认为,检索工具的基本功能包括词表生成,语篇统计,带语境的关键词(KWIC)索引、搭配词统计、词语形式(pattern)统计、主题词提取(key word list)、词丛(word cluster)统计、联想词统计及重组、词图(plot)统计。Eric Atwell 以英语语料库的研究为例,指出语料库应该可以检索出如下信息:词表及词频,句法、语义、词性的分类信息,反复出现的习语和搭配模式,反复出现的某些词语及其特定语法结构,词典的词义搭配,与某种语义场相关的词汇结构,语义结构,语用和话语结构,等等。(Thomas 等,1996)[③]宋柔等先生(2002)[④]认为,因为面

---

① 参见胡明扬《现代汉语通用语料库的建库原则和设想》,《语言文字应用》1992年第3期。

② 参见杨惠中《语料库语言学导论》,上海外语教育出版社2002年版。

③ 参见 Thomas, J. and M. Short(eds.). *Using Corpora for Language Research*. Longman, 1996.

④ 参见宋柔、樊太志、岳炳词《面向语言教学研究的汉语语料检索系统 CCRL 及其应用》,第七届国际汉语教学讨论会论文,上海,2002年。

向语言学研究的检索特别重视语言形式,所以它要求:(1)查询结果按照语言学研究的要求对语境排序,以便整理、提炼规律;(2)检索表达式有强大的表达能力,能表示各种各样的语言形式约束条件,能对关键词语的语境进行限定;(3)使用语言学词类的概念,要求能按词类检索;(4)其他用于语言学研究的辅助功能,比如字频、词频统计,字词的二元关系、三元关系统计等等。

在现有的语料库检索系统中,上述大部分检索功能都得到了实现。比如,北京语言大学宋柔先生主持开发的"面向语言教学研究的汉语语料检索系统 CCRL",可对生语料库进行字串检索、词类串检索、词类与词混合检索,可对检索结果进行双向拼音排序。检索表达式设计了比较强的表达功能,包括多项联合、多项选择、排斥、定长间隔、不定长间隔等,从而能有效地表达对检索结果的限制条件。此外,还提供种种辅助功能,包括词频、字频、词串频、词类串频、混合串频的统计,检索结果的文章出处等等。中国人民大学张卫国先生主持开发的"北京话口语语料库"的检索程序具有如下检索功能:(1)词语检索,可检索包含指定词语的原行、小句和句子;(2)搭配检索,可检索包含两个指定词语搭配的原行、小句和句子;(3)定距离搭配检索,可检索包含距离指定字数的词语搭配的小句和句子。

(二) Web 语料库的在线检索功能

前文所介绍的语料库检索功能大都是针对单机语料库开发的。应该承认,理想化的检索系统是将这些检索功能集于一身,但实际开发时具有一定的技术难度。事实上,现有几个 Web 语料库在线检索系统的检索功能,大都仍然局限在某些方面。

比如,中国台湾省的"中央研究院平衡语料库"(http://

www.sinica.edu.tw/)的在线检索系统,可检索词项、词头、词尾、词类等,并将检索到的语料依句显示在屏幕上,可依照使用者设定的条件筛选语料,可统计每个词类出现的数量,可统计共现率,可针对使用者设定的条件将语料依序排列,但没有提供其他方面的检索功能。又如,"联合语料库"(Linguistic Data Consortium, http://www.ldc.upenn.edu/)可进行关键词居中(KWIC)检索,统计所检索的关键词在语料库中出现的数量,可设定关键词的左右跨距(span),设定显示检索结果的页数,设定是否显示关键词在语料库位置的链接,选择检索结果是以单句还是段落为单位显示出来,设定检索结果的语料显示方式,如纯文本(raw text)、标注词性的文本(part of speech text)、纯词性标注(part of speech only)、无大小写区分的文本(casefree text)、原形还原的文本(lemma of text),但是没有提供词语搭配等其他检索功能。再如,COBUILD 语料库(http://titania.cobuild.collins.co.uk/form.html)提供关键词居中(KWIC)检索,可设定语料库子库的种类和数量,可检索词语搭配,但也没有提供其他检索功能。

　　在设计基于 Web 的语料库在线检索功能时,我们不但要考虑语料库的用途和检索需求,而且要考虑网络带宽和传输速度的限制。从语料库的用途看,不同目的的语料库对检索功能有不同的特定需求,不必将上述所有的检索功能集中于一个检索系统当中。从网络环境来看,检索系统的功能越多,对网络带宽的要求越高,在多用户同时检索的情况下,检索速度就越慢。因此,有必要根据基于 Web 的对外汉语教学语料库的用途和检索需求,对其在线检索功能进行限定。我们参考了现有几个语料

库的在线检索程序,对基于 Web 的对外汉语教学语料库的主要检索功能进行了如下的设计:

(1)可按语料类别选择所要检索的语料库子库。

(2)可进行"关键词居中"(KWIC)检索。关键词为中文(简体和繁体)和英文任意字符串,用户可选择采用简体汉字或者繁体汉字键入检索词。

(3)通过检索字符串表达式或者下拉菜单等方式对多个关键词进行检索。比如,搭配词语检索、定距搭配词语检索。

(4)对所检索的关键词的命中频率进行统计。

(5)通过设定"跨距"(span)来限定检索关键词的左右语境范围,跨距以汉字为单位,并采用下拉选择菜单或其他方式来设定。以原始语料的自然段(而不是句子)为最大话语单位,作为检索的上下文语境的最大范围。

(6)对检索结果的"左右搭配词"(left/right collocates)进行升降排序。

(7)对检索关键词的"共现词"(co-occurring words)进行统计。

(8)采用二次检索方式对检索结果进行更加精确的检索。

(9)允许对检索结果进行复制或保存。

(10)可设定不同级别的用户权限,针对不同级别的用户限定不同的检索功能。比如,一般用户只允许某些基本功能,并限制检索结果的命中数量。高级用户开放所有功能,也不限制检索结果的命中数量。

(11)允许管理员凭密码权限对语料库文本的内容进行在线更新(增删或修改)。

这些检索功能基本上能满足最常见的检索需求，利用检索结果可进行语料提取、词频统计、词语搭配、词语共现、词语的意义和义项频率、词性、句型、特殊句法结构等涉及语法、语义、语用和语篇方面的研究。

三　基于Web的对外汉语教学语料库的技术实现

建立基于Web的对外汉语教学语料库，开发在线检索系统，其技术实现有多种途径。比如语料库可采用纯文本的方式来建立，或者利用数据库来建立，检索程序也可采用多种计算机语言来编写。我们这里介绍一种技术实现方法，虽然检索功能比较单一，但制作却比较简易。

这种技术手段采用基于Web的B/S结构，也就是将Internet浏览器作为客户端，Access数据库和WINDOWS 2000的网络平台作为服务器端。客户端使用网页作为数据检索界面，通过HTML、Java Script和ASP编写的网页与服务器端的数据库进行交互，并将检索结果返回客户端，以网页的方式显示出来。客户端只要有Internet浏览器，不需要任何其他软件就可以随时随地进行检索。

（一）建立Access数据库

首先创建两个数据库表，分别用来存放全文语料库和句子语料库的语料样本。语料样本入库前，先按设定的样本容量将大篇幅的文本切分成若干个语料样本，每个语料样本作为一条数据记录存入全文语料库的数据表中，另将所有语料样本切分成句子，每个句子作为一条数据记录存入句子语料库的数据表中。两个数据表的结构如表13、表14所示：

表13　全文语料库的数据表

字段名称	数据类型	说明
ID	自动编号	数据序号
C1	文本	语体
C2	文本	总类
F1	文本	篇名
F2	文本	作者
F3	文本	子类
F4	文本	出处
F5	文本	时间
F6	文本	字数
F7	备注	语料样本的正文

表14　句子语料库的数据表

字段名称	数据类型	说明
ID	自动编号	数据序号
F1	备注	句子语料样本的正文

（二）编写检索程序

检索程序采用ASP编写。全文检索程序和句子检索程序都包括用户登录和密码验证、检索、检索结果三个ASP文件。检索结果文件又包括模糊检索、分页显示、检索字符串高亮显示、词频统计、数据显示等几个模块。模糊检索功能主要通过like语句实现,检索字符串高亮显示则通过ReplaceWith语句实现。

该检索程序支持模糊组合全文检索,支持分页显示,支持语料提取及词频统计。可按语体、总类、子类、篇名、作者、出处、时间、字数和语料正文检索关键词。按语料正文检索时,可键入任何字符串(汉字或英文)。凡符合检索条件的语料样本的全文均可分页显示出来,并统计满足检索条件的数据总数。显示检索结果时,所键入的检索字符串用红色高亮显示,以便快速地找到所检索的关键词在语料全文中的位置。提取句子语料时,只要直接键入所要检索的关键词,即可获得包含该词语的句子,并显示该词语在语料库中出现的次数及每百万字出现的频率。

为节省篇幅,检索界面及检索结果显示页面从略,详情可访问如下网址:http://oechw.xmu.edu.cn/hanyu/data/corpus/index.htm。

第三章
汉语计算机辅助教学研究

第一节 计算机辅助教学的优势与局限

壹 计算机教汉语的长处和难处[①]

一 电脑在外语教学中的运用

电化教学手段在外语学习中起了相当重要的作用。最早的电教手段当推唱片。本人就使用过英国灵格风唱片学习英语，受益匪浅。录音机的出现给外语教学提供了一个强有力的武器。电台、电视台的广播教学为成千上万的人提供了学习外语的机会和条件。幻灯、电影以及电视、录像等视听手段一步一步地将外语电化教学推向新的境界。外语学习不再局限于书本和词典，也不必担心缺乏教师和在学习时见不到说本族语的人。90年代电脑和网络的迅速发展使外语电化教学又面临一次新的飞跃。最新的电脑多媒体手段综合了以前各种电教视听技术，电脑网络将全世界联成一体，学生不仅可以用电脑学习外语，而且可以通过网络跟教师、其他学生，以及以之为母语的

---

① 本节摘自谢天蔚《用电脑教中文的长处和难处》，《现代化教育技术与对外汉语教学》广西师范大学出版社 2000 年版，第 3 页。

人进行交流。电脑技术以及网络的发展使学习外语越来越方便。

目前随着电脑网络的普及,美国学生越来越依赖电脑和网络。根据一项调查,1999年有78%的学生通过电脑网络查询他们申请的大学的情况,1999年秋季入学的1 500万大学生中85%有自己的电脑,60%的人表示每天要上网,大概有一半的学生在网上最少买了一本书。他们还利用电脑网络查询资料,跟同学和教授交谈,甚至下载课堂笔记。(韦鸥爱,2000)[①]

美国的电脑网上教学近年来也有很大的发展。据1999年4月《纽约时报》估计,上网课程有数千种。(Koeppel,1999)[②]报告列出的12个网上教学的例子中,大部分是商科、农业、工程、电脑、药学、护理等,其中有学位课程也有非学位课程。

中文教学界使用电脑也越来越普及,有的利用市场上出售的学中文软件,如 HyperChina、Chinese Character Tutor、Step into China、Rosetta Stone、the Professional Interactive Chinese。更多的是利用中文软件如南极星、中文之星、双桥、文林等来帮助学生学习中文。有的教师制作了多媒体的软件,如 Hamiltong College 靳洪刚和许德宝的"Chinese Primer"(初级)、"Chinese Breakthrough"(高级)、"Realities of Chinese Society and Culture"(高级),Shih Chungwen 的"Beyond Silence"(高级中文教材,访问中国现代作家)、姚道中的中文能力测试软件,Wellesly College 马静恒制作的多种汉语学习辅助软

[①] 参见韦鸥爱《美国大学生与电脑》,美国加州《电脑传讯》2000年第2期。

[②] 参见 Koeppel D. Distance Learning: A Sampler of Cyberschool. *New York Times*, April 4, 1999。

件,李三宝和温杰夫的"Cyber Chinese"、"Pinyin Master",等等。许多学校还相继建立了网页,将课文、练习等材料放在网页上供学生使用。哈佛大学、南加州大学、夏威夷大学、加州州立大学长堤分校等七十多个单位有网页(见 http://www.csulb.edu/~txie/programs.htm)。有的收集了较多的资料以及练习、听说和阅读材料,有的只有课程等情况介绍。哈佛大学制作了网上汉语拼音教程、阅读材料,San Diego State University 张正生制作了课文录音和练习,供采用"Interactive Chinese"课本的师生使用;还有 California State University Long Beach 谢天蔚的"Conversational Mandarin Chinese Online",《实用汉语》课本辅助动画汉字和语法练习;University of Illinois, Urbana-Champaign 郑锦全协同其他学校的中文老师制作的"Chinese Online Reading Assistant";University of Southern California 的中文分级循环阅读材料以及成语、神话和幽默故事;Wake Forest University Patrick Moran 写的低年级阅读故事《生活的意义》和《白羽真理的日记》。(以上网页均可在 http://www.csulb.edu/~txie/online.htm 找到)

此外还有一些热心汉语教学的人士和公司,虽然不是专职教师和中文教学部门,但是在用电脑推动中文教学方面起了很大的作用,如 Rick Harbaugh 建立的网站 zhongwen.com 吸引了不少学生,并且在网站的实时聊天室用汉语拼音进行谈话。Ocrat.com 网站也是最受欢迎的辅助中文学习的网站之一。

在运用电脑进行教学(包括中文教学)时有以下三种模式:
1. 保持传统的课堂教学,把电脑仅作为课堂教学的辅助手段绝大部分的教师目前都采用这样的方法。如纽约大学、密执安大学、南加州大学。Stanford University 的 John Etchemendy 的几何课程用电脑图像来帮助教学，不少大学的中文系（或亚洲研究系）都购买了不同种类的软件，包括中文词处理、学习辅助软件以及多媒体中文学习软件，并且将这些软件安装或者放在语言实验室里供学生课后使用，或者在上课时间把学生带到电脑室，结合所教的内容用电脑来进行练习。

2. 把电脑网络教学和传统课堂教学结合起来

学生以用电脑自学为主，教师和学生一学期内在一定的时间见面数次，进行面对面的讨论、质疑和交流。Univ. of Illinois, Urbana and Champaign 的 Jery Uhl 学生在校，但在他的数学课上，学生和老师每周只见面一次，讨论问题和难点。中文教师采用这种模式的比较少见。

3. 完全的网上课程

完全的中文网上课程指可以通过网上学习取得学分和学位的课程。上面提及的数千种课程大多属于这一类。例如 Univ. of Illinois, Urbana and Champaign 的图书馆与信息科学硕士课程完全在网上进行，学生学完全部课程以后可以取得硕士学位。在中文教学方面则比较少见。完全的中文网上课程较早出现的是 La Trobe University, Australia。加州州立大学长堤分校秋天开始一年级中文课。夏威夷大学今年秋季开始高年级阅读课程。学生可以注册付费、选课，通过考试以后取得学分。

在中文教学中电脑主要运用在以下三个方面：

1. 使用词处理、算表或数据库

教师收集教学资料、准备教材以及各种学习和测试材料，记录统计与管理学生资料和学习情况。这方面的电脑运用常常被忽略,很多人认为这并不是直接地用电脑来进行中文教学。实际上,教师在准备和进行教学的时候大量使用的就是这一类软件。它们在教学材料编写和准备的时候特别重要。大量的补充练习、测验和考试题都用到这类软件。这些软件的最大优点是随时可以修改、增补内容。

2. 提供多媒体学习材料。提供声像语言环境、互动练习,进行测验与考试

多媒体的中文学习软件可以将声像以及文字合于一体。一张小小的光盘可以容纳许许多多的学习内容。学生不仅可以看到文字,而且可以看到使用语言的环境,听到标准的语言,还可以进行语言操练,检查学习效果。在不久的将来,这类软件将可以把语音识别的技术应用到中文教学中,口语练习将更为方便。美国已经有几家公司在开发语音识别的软件,并试图应用到英文教学中去。

3. 网上学习

利用网络资源寻找中文学习材料或者利用网上课程随时学习,进行通讯交流、网上讨论交谈。这一方面近两年来发展特别快。在网上提供学习视听材料已经不是什么困难的事了。通过电子邮件进行交流也日益普及,师生在网上通过打字进行即时对谈也是大多数网上教师采用的方法。近来,即时语音交谈的网上软件也逐渐开发出来。师生可以在网上谈话,相互听到声音。语音质量和传输速度也大大提高,对外语教学来说这是一项重要的发展。随着网络频宽问题的解决,高速度地传送清晰的电视录像也不会是很遥远的事情,师生不仅可以相互听见而且也可以相互看见。至于在网络上查询中文学习的资料,目前

已经有了相当多的网站和网点提供词典、阅读材料、原文检索以及中文电视、广播、报纸杂志等大量资料。

二 用电脑教学的长处

1. 方便

使用电脑的最大长处是使用方便。用电脑编制的教材、练习、考题内容可以随时加以修改。有的内容不必等完美无缺才公之于世,不必受到传统印刷出版周期的限制。现有的词处理软件可以打印出与传统印刷相媲美的教学材料。通过电脑资料库,可以很方便地处理学生学习情况记录以及进行其他教学管理,网上的教学内容随时可以修改。例如我们的网上学中文网页差不多每个月都要更新一次,增加新发现的资源,删除过期的或者不再有效的网点。

2. 多样

跟传统课堂不一样的是学生不再只见到一个老师、一本教材,通过多媒体的电脑软件或者网络资源,学生可以接触到大量不同的真实语言环境、语音、图像、电视片断。学生可以看到、听到真实的语言材料并在接近真实的语言环境中学习语言。他们不仅可以熟悉自己的老师,也可以通过网络认识其他学校的教师和学生,还可以和中国的电脑网友进行交流。他们的视野扩大了,语言接触面呈现多样化。

3. 灵活

人们可以随时随地(anywhere and anytime)根据自己的情况安排学习,突破时空限制。有一些人由于工作或者家庭的原因,无法进入传统大学,但是他们只要有一台电脑,有上网的设备,或者买一个光盘,就可以随时学习自己想学的课程。两年以前,美国乔治亚州的一个电子公司总经理希望提高汉语口语水平,我们通过电脑网络用电子邮件(文字和语音)、电脑电话进行远程教学。学生根据每周收到的用电子邮件发去的学习材料进行自学,一周一次(一个小时)用电脑电话进行口语练习。波兰华沙和格旦斯克各有一名学生通过电子邮件进行阅读与写作练习。其中一名至今还在继续通过这一方式学习中文。在加州州立大学,相当一部分的学生平时除了上课以外还要工作,他们的工作时间常常和选课发生冲突。有了电脑学习辅助软件和网上课程以后,他们可以根据自己的时间表用电脑进行学习。

4. 共享

资源共享是网络的特点之一。目前在网络上的中文教学资源已经相当多了,教师可以从中选择对自己的教学有用的东西,加以适当改变用到课堂中去。例如在网上可以找到许多中文阅读材料,有的已经加上了生词和注释,只要稍加修改就可以使用。此外教师要单枪匹马制作大量的教学辅助材料总会受到各种因素的限制。例如有的老师非常想制作电视教学片或者语言练习,但是受条件的限制无法如愿。现在有了一大批热心于电脑教学的老师的无私奉献,让大家分享他们的研究成果,这是以前无法做到的。

三 用电脑教学的难处

使用电脑虽然有很大的优点,但是电脑使用发展情况是不平衡的。有的学校和教师走得比较快,用得比较多;有的学校和教师则使用得比较少;也有的人至今不愿意运用电脑。这种情况在学生中同样存在。如上文所说,有的学生成天泡在电脑上,有的却不太愿意使用电脑。网上教育情况也不像开始估计的那么乐观。美国 Western Governors University 第一学期只有 10 个学生。(Noble,1998b)①California Virtual University 1999 年起不再作为一个独立的远程教育单位运作。(Blumenstyk,1999)②从教师方面来说也有一定的阻力,UCLA 曾要求所有课程使用网页,但是实际只有不到 30% 的教师做到,有的则坚决反对。Univ. of Washington 900 名教师联名签署公开信反对州长的"数位化教育"建议。加拿大多伦多 York University 教师罢课两个月反对校方使用电脑教育技术的建议。(Noble,1998a)③在美国中文教学界情况也是如此,经常在教学中使用电脑的教师还不是大多数,有的只是用中文词处理让学生打打字,或者买一些多媒体的软件让学生在课堂上或者课外"玩玩",有的并不是不想使用电脑,而是有一些实际的困难。

难处何在?三费三限制。其中,三费是指:

1. 费时

学习使用电脑费时。从不懂电脑到全面掌握要三五年时间,编写电脑教学多媒体课件及上网、制作网上材料费时间。如果一个教师主持一个网上课程,光是编写网上教材就要花去大

---

① 参见 Noble D. F. 1998b. *Digital Diploma Mill*, Part III: The Bloom Is Off the Rose。(http://www.vpaa.uillinois.edu/tid/resources/noble.html)

② 参见 Blumenstyk G. California Virtual University Shuts Down. *Chronicle of Higher Education*, April 2, 1999。

③ 参见 Noble D. F. 1998a. *Digital Diploma Mills: The Automation of Higher Education*. First Monday Issue 3 no. 1。(http://www.firstmonday.dk/issues/ossie3—1/noble/index.html)

量的时间。如果用电子邮件接收学生的作业,并且在电脑上批改以后再传回给学生,所用的时间也大大超过传统的用笔和纸的办法。我曾经试图让学生做口语练习,每次要求学生将口语练习以语音电子邮件的形式给我送过来。一个班有 24 个人,平均每人两分钟的语音作业需要近两个小时才能收录、听完,再给每个人发语音评论,又需要不少时间。备课、批改作业是如此,编写电脑练习、测试题更是需要不少的时间。

2. 费力

制作电脑学习材料非常费力。例如本人试图制作动画汉字,让学生看到汉字书写笔顺。但是制作这样的动画汉字非常费力,每制作一个动画汉字至少要花一刻钟,以一小时制作四个字,完成 1 000 个动画汉字就需要 250 个小时。每天长时间地坐在电脑前工作是非常费力的,不少人对此估计不足,因此有些项目上马以后不能完成,虎头蛇尾,一个教材往往只有前几课,没有后续内容。美国有一个学校曾经试图制作实用汉语课本的电视录像,但是,制作了十几课就停止了,而且从此从网上消失。有的项目停滞不前,也有的网页三年没有更新内容。制作过电脑辅助教学软件或者网页的老师对此一定会有同感,都会说一个"累"字。

3. 费钱

购置电脑硬件和软件都需要经费,虽然现在电脑价格不断下降,但一台比较普通的电脑也需要 1 000 多美元。电脑购置也不是一劳永逸,三五年一过,本来非常当令的电脑就变得陈旧落后了。本人在十年内已经换了六台电脑,目前使用的电脑也已经落伍。电脑软件不断更新也需要经费,电脑软件商出于商业需要不断更新版本,有时一个软件还没有使用熟练,新的版本又出现了。制作中文教学软件也需要经费购置必要的软件,给教师工作时间和报酬。据称某一多媒体中文教学软件制作花费了24万美元。

三限制是指:

1. 技术限制

包括教师不懂技术的限制,没有电脑或者电脑功能不够的限制,平台不同的限制。目前不少学校的电脑设备还不先进,甚至还缺乏电脑。教师对电脑的使用熟悉程度也不同。即使有了电脑,还有平台不同的问题,其中最主要的还是教师对电脑不熟悉,一有问题更是一筹莫展。教师总是希望身边随时有人可以咨询,有什么问题可以随时请教。为了帮助大家使用电脑,每年都有一些讲习班介绍中文电脑的使用方法,让教师在电脑上实际操作学习。这些讲习班一般都很受欢迎,参加的人也很多。但是一回到自己学校真正应用时又会碰到大大小小的问题。有的问题并不是很大,如怎样用电脑打印出带调拼音,虽然在讲习班上介绍过,但实际操作时由于每个人的电脑情况不一样,总会有一些问题出现,这些小问题也使教师头痛不已。

2. 经费限制

目前大多数学校的老师都配有电脑,但是由于学校经费分配情况不同,电脑有旧有新,软件有多有少。上文已经说到费钱的问题,不少中文系经费不足,用于购买电脑软件的钱不多。电脑软件动辄几百元,买了一个软件以后在一段时间里鲜有机会再买第二个软件。此外如果购买给学生在电脑室使用的软件,必须购买一定数量的用户许可证,例如购买30人许可证的南极星中文软件就需要 3 000 多元。当软件需要更新时行政方面常常会很不理解,认为中文软件就是一种,买了以后一劳永逸。教师如果要编写新的软件或者制作网上学习材料也需要购买各种软件,并且需要有工作报酬,申请这些经费也是大费周章的。

  3. 人力限制

  美国中文教学系、科或部门一般教师不多,有的学校只有一个教师,其中也不是每个老师都对电脑非常精通,或者对电脑很有兴趣。一两个人的力量显然非常不够,一个人的电脑知识也非常有限。我们不能要求老师既是语言教学专家又是电脑专家,况且在电脑技术飞速发展的今天,已经没有什么专家可言,每天有许多新东西要学习。在人力有限的学校,教师就觉得非常困难,即使在教师比较集中的学校,也不是人人都会有精力、时间及能力来开发电脑软件。

四 建议

  1. 学校行政方面不要把电脑网上教学看做赚大钱的手段

  多媒体软件和网络出现的初期,不少人对此抱有很大的希望,认为从此以后不仅可以用电脑来取代教师,减少行政开支,而且可以有较多的收入。但是事实证明,在教学中采用电脑技术或者进行网上教学并不是增加财政收入的有效之道,相反会支出更多的财力、人力和物力。

  2. 要给教师学习使用电脑的时间和机会,鼓励教师学习、研究和运用新的电脑技术

  在教师升等评估(包括终身教授评定)时应该把运用电脑进行教学看做重要的学术活动,教师制作的软件、学习材料等都应

看做研究成果。

3. 提供经费以更新设备并且提供方便的技术支援是非常必要的

硬件和软件的更新都是如此。一台当今的电脑过三五年就会显得落伍,许多软件不断推出升级产品,速度之快,有时一个软件还没有使用熟悉,新的产品又出现了。因此没有充足的经费就无法赶上飞速发展的电脑技术。此外,技术支援更为重要,语言教师再努力也不可能人人成为电脑专家,更何况技术日新月异。每个单位应该有一个技术支援部门,随时为教师排忧解难。

4. 教师和有关单位应组织项目合作,避免重复劳动

目前重复项目较多,以中文教学软件来说,有不少都是汉字教学和汉语拼音学习方面的。学习汉语拼音的多媒体软件我已经看到不下四五个,网络上也有不少学习汉语拼音的网站,质量良莠不齐。网站、网校也是如此,目前如果用 learning Chinese 这个关键词在网络上搜索一下,至少可以找到上百个网站与这个关键词有关,让人看得眼花缭乱、不知所措。当然有不同的版本也不是一件坏事,至少可以有多个选择,但是如果大家能够协调一下,你做过的(质量不错),我就不必再重复,或者几个单位合作开发一些共同需要的新项目。

总之,在中文教学中使用电脑是一个新的、非常有吸引力的课题。运用电脑无疑会带来许多的好处和方便,但必须清醒地认识到目前仍存在着的难处。我们必须加强研究,不断学习,增进合作,才能在新的世纪里把外语电教推向一个新的高度。

贰 汉语教学的难点与计算机的辅助作用[①]

一 汉语教学中的两个难点

随着中国经济建设的突飞猛进,近年来全世界掀起一股汉语热。特别是在许多英语国家,欧洲语言诸如法语、德语等作为传统的首选外语的格局已经打破。以澳大利亚为例,由于其地理位置以及与亚洲国家的经济来往,亚洲语言成为政府指定的重点外语。汉语不仅在大学的课程中占一席之地,而且已普及到中小学课堂上。[②]

对于大多数英语背景的学生来说,汉语难学几乎成了不可否认的公论。汉语难教,也常常是挂在汉语教师嘴边的口头禅。汉语和欧洲语言如法语、德语相比,与学习者的母语——英语的关系确实疏远得多。因此,困难主要表现在两个英语所不具备的特征上:

第一,汉语难说。汉语具有四声,这四种不同的声调,在语言学中称之为区别性特征。发错了声调,意义即起变化。在英语中却没有这种类似的现象,无可相比,难以捉摸。诚然,有的学者认为,在英语国家学习汉语的学生,口语能力远远超过阅读

[①] 本节摘自陈申、傅敏跃《汉语教学的两个难点与电脑的辅助作用》,《世界汉语教学》1996年第3期。

[②] 参见 COAG *Asian Languages and Australia's Economic Future-A Report Prepared for the Council of Australia's Governments on a Proposed National Asian Languages / Studies strategy for Australian Schools*. Canberra: National Languages and Literacy Institute of Australia, 1994.

能力，①但这并不能说明口头汉语易学，而只能说明书面语的中文更为难学。许多学生学了多年汉语，听起来会说一些汉语，但始终难改"洋腔怪调"，其主要困难在于对四声的掌握。

第二，汉字难写。汉语的书面表达形式不像英语那样依赖于26个拉丁字母，却有成千上万的汉字，每个汉字如同一个方块图画，令人望而生畏。除此之外，不掌握一定数量的汉字，一般学生难以领悟字形与发音的关系。汉字本身也没有显示声调的标记，完全凭记忆来掌握读音，真是难上加难。据美国政府的一份研究报告声称：要达到最基本水平的欧洲语言，一般平均需要840个学时；而要达到起码水准的汉语，则至少要用2 400个学时。②

汉语的难学不仅在于入门，更在于难以深入。在许多英语背景的学习者眼里，汉语不是一个越学越易的语言，而是学得越多，学得越久，觉得困难越大，越感学无止境。难怪一位学了10多年汉语的澳大利亚教授撰文警告学校在开设亚洲语言课程时要三思而行，宁可选择让学生学习较为容易的印度尼西亚语，也不要首先考虑难读难写的汉语。③

汉语难学的观点给从事汉语作为第二语言教学的教师们提出了一个挑战性的课题：即如何根据学习者的语言文化背景提出易于接受而又行之有效的方法来。

---

① 参见 B. Lu. How to Use Computer to Assist Students in Chinese Reading. *Chinese Teaching in the World*, Vol.1, 1996。

② 参见 D. Smith, B. Ng, K. Louie and C. Mackerras. *Unlocking Australia's Language Potential-Vol.2 Chinese*. Canberra, NLLIA and DUET.

③ 参见 A. Kirkpatrick. The Teaching and Learning of the Four Priority Asian Languages. *Australian Review of Applied Linguistics* Series S. No. 12, 1995。

二 影响教学的两个背景因素

仔细分析和观察英语背景学生学习汉语的过程,可以发现有两个背景因素对他们的学习起着至关重要的影响。一为学生的母语;二为学生的本民族文化。学生在第一语言习得过程中所采用的学习策略和使用语言的习惯已根深蒂固,难免不自觉地借搬到第二语言习得过程中来。不难发现,不同语言背景的海外学生,除了会遇到共同的困难之外,还会有其独特的问题。因此,了解学生因母语背景不同而造成的不同的学习困难是解决问题的前提。

最近,在澳大利亚纽卡素大学对学习汉语的学生进行的一项跟踪统计调查显示,英语背景的学生在学习汉语拼音、掌握四声的过程中,具有下列普遍性的问题:①

首先,某些声母与韵母结合在根据指定声调拼读时发生的错误频率要比另一些声母与韵母的结合高。例如,声母 j、q、x、z、c、s、zh、ch、sh 与韵母结合拼读时的错误远比像声母 b、p、m、f、d、t、n、l 等声母与韵母结合时的拼读错误高得多。原因可能是由于英语中没有相对应的或相类似的辅音。学生在发音时,常用英语的发音方法来读汉语拼音,势必造成错误。特别是没有对应的方法时,则无所适从,错误频率增高。同样的理由,某些双元音韵母如 ia、ie、iu、ua、ui、uo 等要比另一些双

---

① 参见 12S. Chen and M. Fu. Computer Assisted Language Learning in Teacher Education: Training of Tones and Stress Patterns in Asian Languages. Paper Submitted to IEEE Second International Conference on Multi-Media Education, Melbourne 1996.

元音韵母如 ai、ao 等更容易引起发音错误。

其次,位于一个句子末尾的音节声调也常常容易发错,这也与英语的语音规律有关。英语中虽然没有四声,但每个句子都有句调。句调最明显地表现在句末的几个音节上。例如陈述句在句尾呈降调,疑问句则用升调。因此在说汉语陈述句时,英语背景的学生常常不能把握好句尾读第一、二、三声的汉字,而在说汉语疑问句时,则有把第一、三、四声都发成第二声的倾向。

最后还有一个常为教师和学生忽视的问题,即英语背景的学生在说汉语时,每个音节的发音持续时间明显地要比中国人短。换句话说,他们往往没有给每个汉字音节以足够的时间来表达声调的变化。中国人说汉语流利,语速快,但严格遵守一个汉字必有一个声调的规律。但英语的学生在说汉语时,尽管语速很慢,停顿时间长,但对每个汉字发音的持续时间却相对要短。这也许与英语中词的音节数不固定,多音节词很多,每个音节持续时间短有关。汉语却不同,词以双音节为主,没有像英语中那样的多音节词。这种由母语背景造成的发音习惯是值得注意的。

英语背景的学生因文化背景造成学习困难的现象是一个更为复杂的问题。因为学生由本民族文化决定的价值观念与行为规范不仅对目的语的态度、交际中运用的策略而且对采取何种方法学习和使用语言都有一定的影响。这里,着重讨论一下英语国家的外语教学方法与学生偏爱的学习策略问题。

众所周知,在西方英语国家最普遍流行的外语教学法首推所谓交际法(communicative approach)。交际法的理论基础是建筑在强调语言的功能,而不是语言的结构之上的。① 交际法注重意义在交际过程中的传递。学习语言与有意义的实际交际紧密相关,而不是仅仅为了学习语音、词汇、语法。交际法在西方外语教学中的影响与贡献是不容置疑的,但是交际法同时也给某些教师造成一种错觉,即语言的流利性(fluency)要比正确性(accuracy)更重要。因而在学生使用外语交际时,如果发生了语音或语法上的错误,只要不影响交际的进行,一般不加以纠正,以提高学生在交际中的自信心。这种方法训练出来的学生一般都勇于开口,不担心自己在交际过程中的语言错误,但问题也十分明显:如果教师对学生的四声错误不及时纠正,听之任之,一旦养成错误的习惯,再想改正是非常困难的。

交际法的产生与运用是与西方国家的文化分不开的。在这些国家的教育系统内,从初等教育到高等教育,均强调培养学生的创造力,而不提倡死记硬背。一种强调在课堂上以学生为中心,而不是以教师为中心的倾向越来越被人们所接受。语言教学不是通过枯燥无味的词汇、语法知识的灌输,而是通过生动活泼的语言活动(language activities)和解决各种语言交际任务(task)②来完成的。这种教学方法既符合学生的胃口,又激发了他们的学习兴趣与动力。

从学生学习外语的策略上来说,学生对于让个人单独死记硬背的做法最持反对态度。他们更喜欢通过互相讨论、互相交

---

① 参见 C. J. Brumfit and K. Johnson (eds). *The Communicative Approach to Language Teaching*. Oxford: Oxford University Press, 1979。

② 参见 M. Candlin. "Syllabus Design as a Critical Process" In C. J. Brumfit (ed) *General English Syllabus Design*. Oxford: Pergamon Press, 1984。

际,用互相作用(interaction)的办法来学习一种外语,当然也包括汉语。在中国,如果说每周有 6 个学时的课堂外语学习,那么,学生实际上在课前准备与课后巩固方面往往花出超过一倍甚至更多的时间。清晨起来背读生词在中国大学校园极为普遍,但在西方英语国家,基本上是看不到或根本不存在的。

　　基于本民族文化的教学方法与学习策略对汉语学习的影响是显而易见的。像对汉字的掌握,相当程度依赖于记忆和机械训练。中国人在儿童时期学写汉字所作出的努力和花费的时间是十分可观的。如果一个英语背景的学生厌恶枯燥的机械训练,连汉字都不愿意记,不愿意写,那怎么可能很容易地掌握汉语的书面表达系统呢?面对这样的矛盾,有人提出要学汉语,就必须用中国人学习汉语的方法来学。①因为中国人的学习方法正是基于汉语的特殊性上,虽然言之有理,但要英语背景的学生在学习汉语时放弃由文化价值所决定的学习习惯,似乎是不现实的,起码在海外学生所在国里是行不通的。

三　电脑辅助教学的新途径

　　电子计算机高科技的迅速发展和微机的普及为外语教学提供了一条新的途径。在西方英语国家,电脑的应用已成为中小学课程中的一门科目。近年来多媒体技术的开发,更使声、像、

---

① 参见 P. Hong. "Teaching Chinese the Chinese Way." Conference paper presented at the Third Biennial Conference, Chinese Association of Australia, Brisbane, 1993.

图、文合为一体。采用电脑作为教学的辅助手段,教授各种课程,已取得了一般书本和普通课堂达不到的效果。电脑作为有效的辅助教学手段,在外语教学中也不例外。① 率先使用电脑作为汉语辅助教学的尝试起源于美国。近年来的多媒体技术更使音像俱备、声情并茂的汉语课文软件大量问世。有关如何使用电脑进行汉语辅助教学的方法论也应运而生。② 在澳大利亚,电脑辅助教学首先被应用到外语教学方面的语种首推法语、德语,其次为日语,这是因为国外有许多现成的软件进口。在汉语方面,则由开设汉语课的大学来承担科研与开发的任务。澳大利亚地广人稀的特点,使远距离教学和多途径传递教学备受政府重视。近年来澳大利亚国家科研基金会与联邦教育训练部的教育发展基金会都投巨资,支持各大学开发汉语等亚洲语言的电脑辅助教学软件。

最初的汉语电脑软件开发设计基本上沿袭了其他欧洲语言的模式。从表现方式上看,声、像、图、文并存;从内容组织安排上看,又分为词汇、语法、课文和练习。每个部分都提供了人机互相作用的机会。既循序渐进,又有机动的可逆性,使用起来比较方便。课文主题也基本上参照交际法的原则,根据意念功能,列举出一系列语言活动与任务。最有代表性的是由堪培拉大学承担的一个项目。这套软件以"三个朋友"为主线,组成一个系列故事式的课文,配上图画、照片、地图,穿插在课文之中。练习

---

① 参见 J. Barker and R. N. Tucher(ed). *The Interactive Learning Revolution: Multimedia in Education and Training*, Kogan Page, London, 1990。

② 参见 C. C. Cheng. "Proactive Guidance in Computer-Assisted Language Learning." *Chinese Teaching in the World*, Vol. 3, 1995。

的趣味性也很强，颇受学生欢迎。① 但从本质上看，此类软件不过是将普通的印刷课本变成电子课本。编写教材的框架尚未摆脱和超越普通教材的模式。不同的是，这个电子课本具备声像并列的特征，并需要学习者的指令，在互相作用的过程中展现出来。这点是普通课本和录像、幻灯之类的电化教学手段所望尘莫及的。不足之处在于，这类软件未能针对具体的汉语学习难点，让教师有足够的余地来安排教学项目，以达到有的放矢。

针对英语背景学生学习汉字的电脑软件在澳大利亚也相继出现。由新南威尔士大学开发的汉字辅助学习软件（Chinese Character Tutor）就是面对汉字教学特殊性而作的积极努力。这个软件用 Macintosh 微机操作，屏幕向学生显示汉字字形、结构、笔画顺序及英文解释。通过人机互相作用，学生在饶有兴趣的图像中完成通常被认为枯燥无味的机械重复与训练。这个解决学习汉字难点的软件目前已在澳大利亚的一些大学里得到了推广，但也存在一定的缺点。首先这个软件没有给教师和学生留有余地，所有的程序都是事先编制好的，因此对每个学生一视同仁，不能由教师来安排解决个别学生的特殊问题。其次，这个软件只可以在 Macintosh 微机上操作，Macintosh 由于价格的原因尚没有 PC 微机普及，使用上受到了一定的限制。随着中国的电子计算机高科技迅速发展，更为吸引人的学习汉字软件已进入澳大利亚市场。例如，北京伟地计算机有限公司开发的多媒体汉英词典，不仅有工具书的作用，可查出汉字及英文解

---

① 参见 M. Sawer. "Chinese Computer Assisted Language Learning at School and University." Conference paper presented at the Third Biennial Conference, Chinese Association of Australia, Brisbane, 1993.

释，而且对基本词汇配以动画，可直接用于汉字教学，价廉物美，更受广大教师和学生的青睐。

最近由纽卡素大学进行的一个科研项目采用了语音识别技术来解决汉语拼音教学中的具体问题——四声。这是针对汉语教学中的一个长期未解决的难点来设计电脑软件的尝试。将这个技术应用于电脑辅助汉语教学尚属首例。关键的问题是如何将汉语学习者发出的声音用图像在电脑屏幕上表现出来，即四个不同的声调在频谱显示的曲线中明确地反映出来。

经过二年的设计、程序编排与调整，这个软件已用于教学，软件操作用 486DX266BM 微机，配备多媒体设备以实现人机对话。整个教学软件不是采用封闭式的、固定不变的课文，相反，将授课的内容和备课方案完全交给教师来自行安排，以便针对单独学生的特殊问题进行教学。

这个教学软件包括三个部分。第一部分是"课程设计"。教师可根据需要设计若干独立的课，也可以编排一组互相有联系的课组成一个教学单元。教师可以随时加进新课或删除不需要的、不合适的旧课，也可保持原课同时修改其内容。第二部分是"训练安排"。主要是通过录音话筒和键盘打字输入的办法，将拼音字母、指定声调和教师的正确读音结合在一起，将信息储存在软件里。这部分的录音也是可以更改的，并没有一次录好的要求。如果教师对自己的发音或音色不满意，可以邀请说汉语的专业播音员来录制，效果更佳。这一部分为每课的训练内容作出了详细的准备。第三部分是"语音学习"。在教师准备好前两部分以后，学生即可以用这个软件学习。使用时，事先由教师录制的每个音节发音不仅在播音器中放出，同时也在电脑屏幕上呈现频谱曲线,指示出各个声调的趋向。例如,第一声呈水平线,第三声呈倒抛物线,第二、三声分别显示向上升起和向下降落的斜线。学生可以根据教师的发音进行跟读。跟读后的发音自行录下,在屏幕上也显示声调曲线,与教师的图像进行对比,通过曲线的比较和重放录音,学生可以听到和观察到自己的声调发音正确与否,如果与教师的曲线不同,则表明有错。学生可以接二连三地对某一个音反复重发,直至屏幕上出现与教师发音的曲线基本相同或相似为止。

显然,这个软件的最大优点是把通常看不到的声调通过语音识别的方法图像化。学生可以通过看得到的发音曲线来比较、鉴别和分析自己与教师发音之间的差别,自觉地对自己的发音错误加以纠正。另一方面,软件针对英语背景的学生在发一个音节时持续时间过短的问题,利用图像显示发音持续的时间,让学生有意识地注意声调变化须用足够的时间来表示。需要注意的是,学生在使用软件之前必须接受一定的训练,否则录音过程把握不住,会直接影响屏幕上频谱曲线的形成,达不到预想的结果。

四 电脑辅助教学的利弊

电脑辅助汉语教学之所以能在像澳大利亚这样的国家里得到重视与推广,是与这个国家的文化背景分不开的。配有多媒体设备的各种微机的普及当然是一个先决条件,更重要的是,电脑辅助汉语教学与前面所讨论到的从西方文化背景前提下发展出来的一系列教学方法是相吻合的。

有关交际法的许多原则,都比较容易贯彻到软件的设计中去。例如人机对话、语言交际活动与功能性的学习任务,都可以通过多媒体技术变得更加生动、有趣。使用电脑学习的过程也是一种互相作用的过程,符合学生通过互相作用(interaction)而不是死记硬背的学习策略。多媒体的特点还使原先枯燥无味的机械重复训练变得饶有兴趣,学习即使在从事机械性的重复,也不感到乏味。换句话说,电脑技术激发了学生的学习动力。家庭电脑的使用也没有时间上的限制。电脑辅助教学打破了课堂教学学时不足的限制,让学生在课堂之外有许多时间来巩固课堂所学的东西。电脑软件对学习者说汉语的流利性与准确性二者兼顾,对错误的辨别和鉴定也是客观的。面对电脑指出的错误,学生在心理上的压力并没有比被教师指出错误时的那样大,比较容易在轻松愉快的情况下加以改正。电脑辅助汉语教学也符合西方国家强调以学生为中心的教学原则。

  采用电脑进行汉语教学毕竟是一种辅助手段。电脑的功能是不能取代人的作用的。对电脑辅助教学的误解和使用不当也会引起负面的影响。人机的互相作用和人与人之间的互相作用是绝然不同的,学生与电脑之间的交际总是有限的、固定的。电脑上的标准化读音、固定的句型不能保证训练学生应付复杂情景的交际能力。机械性的操作电脑可能会引起事与愿违、适得其反的效果。电脑文字处理和拼写检查软件的出现,使人们脱离了电脑以后,拼写错误百出。学生的手写速度变慢,字体变差。随着各种汉字处理软件的出现,也很容易使学习汉语的学生认为只要掌握拼音就行,用拼音输进电脑即可变成汉字,不必自己一笔一画地练汉字,其结果也是可想而知的:难点没有得到克服,反而为回避困难找到了借口。此外,使用电脑辅助教学必然会带来有关电脑的一些技术性问题。电脑技术的掌握将影响到学生对汉语的掌握。就此而言,教学难度是增大了而不是减小了。

综上所述,汉语教学的两个难点,不仅是由于汉语本身语言特点所决定,而且与学习汉语的人和他们的母语与文化背景紧密相关。因此要克服学习汉语的困难,必须同时考虑汉语的特殊性与学习者所在文化环境所产生的教学方法与学习策略,找出易被接受和行之有效的方法来。电脑辅助汉语教学应运而生,在解决这两个难点方面迈出了可喜的一步,开拓了新的前景。然而电脑辅助教学仍不能根本解决学习者的困难,特点是由于学习者本身文化价值所决定的学习方法与态度造成的困难。电脑辅助教学也不能完全代替人的作用。因此除了开发更有效的软件之外,更重要的是如何找出更好的方法配合与弥补电脑辅助教学的不足,以提高学生的学习效率和取得更佳的成果。

第二节 多媒体素材库与资源库建设

壹 多媒体汉语教学素材库的建立[①]

对外汉语教学多媒体素材库(A multimedia material li-

---

① 本节摘自郑艳群《关于建立对外汉语教学多媒体素材库的若干问题》,《语言文字应用》2000 年第 3 期。

brary for teaching Chinese as a foreign language,简称"素材库"或"MML – TCFL"),简单说来就像儿童的玩具积木箱,里面存放着汉语教学所用的形形色色的基本"元件",教师可以根据自己的设想或者根据他人所提供的"图纸",搭建成自己所需要的教材或者课件,作为配合课堂教学使用的或者成为在网络上供学生使用的教学资源。

建立对外汉语教学多媒体素材库是许多从事计算机辅助汉语教学的人员都可能产生的概念。①② 因为这是工业化时代所产生的模块化、标准化思维方式的自然推论,也是数据库技术应用的必然性拓展。模块化和标准化的核心是同一客体的拷贝和重复使用,它是与高效率、高速度和规范化密切相关的。多媒体素材库在汉语教学领域也理应产生这样的效果。也正是在现代教育技术迅速发展的今天,无论是课堂教学还是远程教学,都需要高水平的、与现代科技相适应的教材和课件,都面临着教材改革的问题,③这种需求呼唤着多媒体素材库的建立。

多媒体素材库建立在计算机面向目标数据模型、多媒体数据库、超文本等技术的基础之上,这些技术目前已经趋于成熟。人们在常用的软件中已经体验到多媒体素材库(如网页模式、文本模型、动画库、图片库、音效库等)所带来的方便。所以,在技术层面,对外汉语教学多媒体素材库的实现具有相当充分的可行性。然而,从语言教学理论和实践的角度来看,有不少问题是

---

① 参见罗守坤《集成教材新策略》,《世界汉语教学》1991年第3期。
② 参见孙德坤《组合式——教材编写的另一种思路》,《世界汉语教学》1996年第1期。
③ 参见赵金铭《对外汉语教材创新略论》,《世界汉语教学》1997年第2期。

在着手建立之前就要认识和讨论的。本文将就如下几个问题，略陈管见：

一、建立 MML-TCFL 的必要性；

二、MML-TCFL 的内容特点；

三、MML-TCFL 的管理应用；

四、建立 MML-TCFL 的意义及其他。

一　建立 MML-TCFL 的必要性

伴随着教育技术的不断发展，在涉及对外汉语教学的图书馆藏书里，都有不少基于传统媒体技术的音像资料以及基于计算机技术的电子出版物。在因特网上，与汉语教学相关的资源网站也在不断地增加。对于汉语教学来说，这些都是有参考价值的重要资源，从广义的角度来说，也是一种"素材库"。那么，我们还有什么必要去劳神费力地建立 MML-TCFL 呢？对于这个问题的回答，可以从对外汉语教学的客观需要、资源共享、课件的高效生成等方面来分析。

（一）汉语教学的客观需要

目前，越来越多的对外汉语教学工作者每天的教学和科研工作是借助计算机来完成的。他们已经具备了基本的计算机操作和使用能力，他们非常需要一些存储于计算机上的资料或素材，以提高工作效率。

例如，语言和情景是紧密相关的，如果课堂上进行的汉语教学缺乏语言教学所必需的情景或语境，主要依赖于教师的讲解，这种现状无论对于"教"还是对于"学"，都增添了许多困难。假如一位教员想通过现在的视频、音频或者基于计算机的多媒体技术来营造一种与教学内容相适应的情景,在理论上是没有问题的,但在具体操作上却会遇到许多麻烦。如果教员能自己编写多媒体课件自己使用,当然是比较理想的,但在目前的条件下,往往又是不现实的。那么,只能在已有的资源当中去查找。可是,在现有的存储于录音带、录像带、光盘或者网站上的教学资源中,查找到自己所需要的资料并不容易。假定能幸运地查阅到若干符合要求的片段,在课堂上使用时又将碰到设备切换、换盘倒带等一系列麻烦,而且声音、画面、速度等都很难控制。这些实际问题不但浪费了时间,也破坏了教学气氛,影响教学效果。由于存在上述的创作困难、查找困难、操作困难和控制困难,在一些教员中产生了畏难情绪,认为还是传统教学方式顺手,因此宁愿让设备闲置,也不愿意去招惹麻烦。

事实上,人们早已经觉察到了现代教育技术对教学产生的作用,但教师们和IT业界的认识差距很大。因为,当新的技术参与到教学过程中时,必须要经历一段相互协调和适应的过程。教员的主要职责是教书,而不能强求他们成为专业软件开发人员,因此必须为他们创造更加方便的环境和条件,才能显示新技术在提高教学质量中的威力。因此,我们认为,设计灵活方便的多媒体素材库系统,正是克服上述困难的客观需要。

(二) 资源共享和规范化的前提

应当看到,许多学校在编写多媒体教材方面做了很多工作,也取得了一些相当有水平的成果。但是,也存在大量低水平重复劳动和不规范的问题。

例如,在HSK各项等级大纲颁布之后,编写教材大都会以此为依据,用来实地考察是否有汉字、词汇、语法点超出范围,是否达到了预期的重现率等。许多教师在开展工作之前,先将这些字表、词表、拼音等信息输入、整理、校对,然后再开始工作。日复一日,年复一年,不知道有多少教师重复了这项工作？又如,汉语音节表是固定的,有400多个组合,1 300多个音节,为了出版录音带,或制作多媒体教材,或在网上开设汉语教学,常常需要这些录音素材,或全部或部分。从原理上说,我们有男女两种录音素材就可以满足需要了。录音一次需要花费时间、人力、物力、财力,但到目前为止,有多少人次做了这项工作,有多少音节表的录音版本,恐怕难以记数,这是一种资源浪费。

目前,在网上有许多海外开设的汉语教学站点,开设了语音教学课程,但由于条件所限,配音的人员大多南腔北调,或嗲声嗲气,不是标准的普通话发音。

很显然,如果建立一个包含那些最常用的基本素材的数据库,其中的数据又是按照严格标准制作的,那么,通过对这个数据资源的共享,既可以杜绝资源浪费现象,也可以达到规范标准的要求。

(三) 课件的高效生成和知识产权问题

毫无疑问,电子版数据用来作为教学或科研的基础或资源,进行再创作,的确要比一切从头开始要快得多,而且,在别人已经达到的高度上起步,才容易超越前人。但是,对许多非专业人员来说并非易事。要在大量的资料中寻找合适的内容,然后再通过格式的变换把它们串接起来,这都需要专门的技术并且花费相当的工作时间。即便能够完成再创作,也要面对多家的知识产权问题。众所周知,处理知识产权问题将花费许多的时间和精力,所以许多人宁愿完全自己创作,也不愿意去引用别人的资料。这导致了低水平的大量重复劳动和资源的浪费。

我们渴望有这样一种教学资源,它的内容是权威的、标准规范的,它检索容易、操作简单、控制方便,而且包含着教学所需要的各种基本素材,倘若进行再创造,只要与这一所机构(如国家"汉办"或北京语言文化大学)交涉知识产权问题就够了。这就是本文所谈论对外汉语教学多媒体素材库(MML-TCFL)——一种理想的教学资源。

二 MML-TCFL 的内容特点

也许有人会问:你们不是研制过《多媒体汉字字典》[①]光盘吗,那算不算一种素材库呢?《多媒体汉字字典》可以算是一种类型的素材资源,但从素材库整体看来,无论是内容、结构,还是功能等方面都将会有较大的差别。

(一) 内容及其分类

究竟什么样的内容可以纳入对外汉语教学多媒体素材库呢? 由于 MML-TCFL 是一个新的概念,在汉语教学界还没有共识,所以我们现在还很难给出一个明确的范围。按照我们自己的观点,凡是与对外汉语教学的总体设计、教材编写、课堂教学、测试等直接或间接相关的多媒体素材都可以纳入其中。MML-TCFL 应不仅仅包括普通文本、图形、动画、音频、视频等类型的素材,还包括以上类型的组合形态(即超文本素材)。有些特别有价值的功能插件,如声音、速度、形态色彩的控制程序等也应当罗列其中。

[①] 参见郑艳群等《多媒体汉字字典》,北京语言文化大学出版社 1999 年版。

例如，按照汉语教学活动的过程，MML－TCFL中的资源应当既包括资源型素材，也包括训练型和测试型的素材。资源型素材是一些独立的、不考虑关联的素材，它可以供教师在课堂上直接使用，也可以重新组织后使用，或者供其他从事汉语教学和科研的人士制作光盘或网上汉语教学课件用。训练型素材是一些带有注释、讲解、分析的素材。它可以供学生们课余使用，达到巩固和强化的目的。测试型素材，也可以叫做题库。目前已经为人们广泛使用的题库，应当被理解为其中的一个子集，但MML－TCFL中的测试型素材还应包含更广泛的内容。按照汉语教学的对象，MML－TCFL应当包括初级、中级、高级等不同水平的测试素材。

总之，我们认为，素材库应当既反映汉语静态的知识结构（如包括汉字、词汇、语法、句型、情景等知识性素材），也包含动态的汉语教学过程的内容（如经典的示范、讲解的视频录像等）。对于一个汉语教师或者教材编写者，他们可以从MML－TCFL中得到教学科研所需要的绝大部分资料。就像美国微软公司开发的名为MSDN的资源库[①]，开发人员在其中几乎能百分之百地检索到他们所需要的解释、例子和排除问题的方法等等。我们想象中的汉语教学多媒体素材库，就是一个类似于MSDN的对外汉语教学支持系统。

（二）结构特点

模块化是素材库结构的基本特点，因为这是被引用或者重

[①] MSDN Library 6.0(Microsoft Develop Net Library 6.0)，美国微软公司开发网数据库1998年。

新链接的前提。

纳入素材库的素材,大致可分为三种结构类型:

1. 简单素材。指单一的、一般使用人员无法再分割的素材。比如,单个汉字的字形、发音等,或者一段意思完整的文字说明等。因为,如果再划分,就失去了语言素材的特性。

2. 复合素材。由一项以上简单素材、复合素材所构成。比如某个汉字的属性集合,它的音、形、笔顺书写动画等,都是简单素材,而语义、例句则是可继续分解的复合素材。

对于教学过程视频素材,一个教学单元可以是一条素材,比如讲授生词、句型、语法等,每个单元的播放时间可能不一样,但必须是一个完整的教学过程。如果一个单元播放的时间太长,也可以划分为若干个子单元。单元和单元之间不存在时序关系,但是子单元之间的时间顺序是不能忽视的。一个单元可能需要许多个文本、图画、音频、视频文件,它们之间的关联是通过下个层次的数据库来管理的。

3. 完整的经典教学课件。比如一位知名教授的某节授课实况。完整的课件,如果容易分割,可按层次切分成较小的单位;如果切分困难,就保持其原形。

上述三种结构类型,使素材库表现为多层次的模块结构,就如同建筑工地上的材料:有砖瓦石块,也有各种预制件,甚至整个的移动房屋。如果你是熟练的建筑工人,可以一砖一瓦地砌出有独特风格的艺术品;如果你对建筑略知一二,不妨用大块预制件搭造;如果你是完全的门外汉,那就搬一座现成移动房屋好了。由于这种类似的结构具有相当好的灵活性,因此,教师们使用 MML-TCFL 可以很容易地找到与自己的授课相关的资源，并且可以让计算机很快生成自己所需要的课件。这种有针对性的课件，在课堂上使用时，可以做到连贯流畅，控制灵活，从而达到提高教学质量的效果、提高教学效果的目的。

（三）素材规范化和数据可靠性

从编纂词典、建立语料库，到建立 MML-TCFL，可以说是汉语教学和研究的一种发展趋势。素材库中的大量资料将来源于各种现行多媒体资源及经典的语言教学实录，也有根据语言教学的需要重新制作的内容。建立素材库的主要目的就是为了让人们反复拷贝和重复使用。所以，无论是现有的素材或者重新制作的素材，都必须保证其规范和可靠。素材的规范化和可靠性是在素材库建设伊始就必须考虑的因素。

素材的规范化，是指汉字的音、形、义以及词语、语法等基本素材都必须正确并且符合国家相关的语言文字规范。因此，纳入 MML-TCFL 的素材必须经过有经验专家的审核检验，以免谬误传播。数据的可靠性，是指在素材库存贮、传播、引用过程中不得发生遗漏，或者被病毒侵蚀的现象。这种现象，轻则导致素材质量下降，重则造成内容的错误及其他不良影响，所以必须采取一定的防范技术措施，让使用者放心。

三 MML-TCFL 的管理使用

MML-TCFL 系统应当包括数据信息和实现对数据进行管理、使用的功能。管理功能的水平决定了 MML-TCFL 在对外汉语教学实践中的价值。这些功能既要保证人们对素材库的增删，也要让普通的教师能随意浏览查阅，还能在此基础上进行新课件的创作。我们可以把 MML-TCFL 比喻为一部汉语教学的百科全书,而且是具有某种智慧的百科全书。

(一) 管理和使用的基础——建立规范的素材目录格式

MML-TCFL 的管理应当建立一种编目标准,因为标准化便于管理和交流,就如同图书资料的管理,有国家、国际的图书编目标准一样。对 MML-TCFL 的构件建立标准的目录信息标准,是进行管理和运用的第一步。素材构件目录内容应当包括多方面的属性:

1. 常规属性:题名,主题,作者,制作日期等。

2. 物理属性:存储位置,文件大小,播放时间等。

3. 应用属性:如资源型/训练型,初级/中级/高级等。

4. 控制属性:表明界面、音频、视频等方面的可控性能。比如控制图形的色彩、动画的播放速度等。

5. 内容介绍和应用提示:这是非常重要的,没有这些内容将会给使用者带来很大困难。

(二) 管理的主要功能

1. 素材库构件的上载和下载:就是把一个素材构件,比如一段录像经过加工达到符合素材库的标准后,把它加入到素材库中,如同图书馆中的"上架"。同样,系统也应当具备下载构件的功能。

2. 编目:素材库目录的大部分内容都可以自动生成,但是有的项目,比如分类特性,控制属性以及内容介绍等,都必须通过有经验的人员来填写。

3. 索引:索引是提高检索速度的重要方法,一般应当根据构件的题名、主题、类型等建立多重索引。

(三) 应用功能

应用功能是面向最终用户的功能,它要求有明确、清晰的界面和比较高的智能。只有这样才能被普通的汉语学习者和教师所接受并加以应用。应用功能主要有两个方面:

1. 检索或浏览:使用者可以根据单一的或复合的条件进行检索浏览,把 MML-TCFL 当作学习的参考书,或者进行再创作的准备。

2. 创作新课件:使用 MML-TCFL 进行创作大体分为三种情况:

(1) 由计算机进行自动创作。系统先对使用者的要求进行提问,如汉语程度、学习内容、学习时间等,计算机可以自动选择或者构造出一套标准的教学课件来。

(2) 由计算机和人工结合进行创作。一个普通的汉语教师,可以根据自己的要求,选择那些自己需要的素材,自己确定先后次序,然后计算机会把它们做成一个超文本课件,在任何浏览器上都可以播放。这种方法,通常都是规模比较大的构件链接,专业人员才能完成。

(3) 专业人员可以对 MML-TCFL 中的基本单元,如一幅图画、一个发音、一段文字进行编辑,然后插入到自己的作品中间。

当然还可以有其他的用途,比如根据某种需要制作成专门的教学光盘或者工具等。

四 建立 MML-TCFL 的意义及其他

建立 MML-TCFL 并开展相关的教学实验,是汉语教学和教材现代化建设和教学改革方面的一个重要课题。它所提供的教学方法、教学资源,将在提高汉语教学质量方面起到促进作用。MML－TCFL 主要通过网络传播、使用,它将成为重要的、基础性的汉语教学共享资源,将会有力地推进全世界范围内汉语教学的发展。MML－TCFL 保存了大量丰富、形象的语言文化资料,是活的语料库,对语言文化的研究和保存也有重要意义。

我们认为,智能型对外汉语教学支持系统的出现,不但不会危及汉语教师的饭碗,恰恰相反,它起到了协调现代技术与教师之间关系的作用,也为他们开辟了用武的新天地。

贰　数字化汉语教学资源建设的学科特性[①]

数字化对外汉语教学的资源建设是一项复杂的系统工程,从其数字化的开发过程到数字化的教学过程,从学科教师的课堂备课到国家的对外汉语教学工程课题,无不渗透着对外汉语教学、软件工程、人机工程和教育技术学等学科整合的有机性。换言之,数字化对外汉语教学本质上是由多种因素制约的理论与实践相结合的多学科的有机整合活动,从 2001 年 3 月开始的"网上北语"的建设,到今天国家汉办的"中美网络语言教学项目"和"长城汉语"工程这些已经实施的实践活动来看,我们需要从以下四个方面探索拟构建的数字化对外汉语教学的理论体

---

①　本节摘自宋继华《论数字化对外汉语教学资源建设的学科特性》,《数字化对外汉语教学理论与方法研究》清华大学出版社 2004 年版,第 67 页。

系,它们是:

一 数字化对外汉语教学的规律

对外汉语教学的过程,本质上是学习者将汉语作为第二语言习得的过程,因此对外汉语教学的规律实质包括两部分:其一是汉语言自身教学的规律,其二是第二语言习得的规律。而在数字化对外汉语教学过程中,无论是语言要素的教学,还是言语技能的训练,都需要考虑采取怎样的数字化手段及教学策略、遵从怎样的教学规律来促进语言教学,即需要探索和研究数字化对外汉语教学自身的规律。

二 对外汉语教学数字化过程中的软件工程方法

任何大型软件工程项目的实施,都有其自身的开发框架和模型,已有的各种软件开发模型是从数以千计的具体的软件开发实施细节中经过高度概括和归纳而得,具有概括性和指导性;遵从已有的开发模型去实施新的软件工程项目,是对已有开发模型适应于新的软件工程项目的演绎过程,从目前软件工程行业上所倡导的"面向流程分析、面向数据设计、面向对象实现、面向功能测试以及面向过程管理"(赵池龙,2003)[①]五个面向理论来看,上述演绎过程本质上是已有软件开发模型的可裁剪的应用方式,即是软件工程理论与具体的对外汉语教学实践项目的结合过程,因此,既应该有宏观的工程理论指导,也应有微观的具体问题具体分析策略。

---

① 参见赵池龙《实用软件工程》,电子工业出版社2003年版。

数字化对外汉语教学体系的开发包括支撑平台和相关资源的开发,应该采用软件工程方法。对于支撑平台的开发,其规模可与其他大型的计算机系统软件相比,具有等同的复杂度,亦需整合多种发展中的相关技术(如语音识别技术、手写汉字识别技术)在内;对于相关资源的建设,其制作过程较之系统软件则比较简单,无需过于复杂的框架(指软件开发模型),但在细节上则需要精心雕琢。无论前述的哪一种开发,其开发模型的贯彻实施都是所开发内容的全面质量保证过程,因此,小到学科教师的数字化资源备课,大到国家工程项目的实施,都应该有保障其质量体系的软件工程框架,所强调的是,这种不同级别的软件平台及资源开发,其具体实施模型不是目前软件工程领域所流行的瀑布模型、螺旋模型、增量模型、四代技术、面向对象模型等的简单复用,而应该结合自身要求进行探索和总结,即结合自身需求进行演绎和归纳。

软件工程强调的是实施,软件工程方法的核心是取得进度、成本和质量的平衡。从这一层面来认识,小至学科教师的课堂备课,大至国家的"汉语桥"工程都面临同样的问题。强调这一点,本质上是希望和要求数字化对外汉语教学资源建设的过程中,使用方法的人应该能够将所使用的方法从微观的操作层面上升到宏观的理论层面来认识,从而使项目的组织管理者能够以一种潜移默化的方式掌控软件工程方法,因此,有必要对对外汉语教学数字化过程中的软件工程方法进行总结与梳理,并将其上升到理论的高度,进而去指导实践。

三 对外汉语教学数字化过程中的人机工程学

人机工程,亦称为人类工程,主要是利用从心理学和方法论导出的知识来确定和设计高质量的人机对话界面 HCI（Human-computer Conversation Interface)的多学科活动,因此也有人从认知心理学、实验心理学乃至工业心理学角度全方位地探讨这一问题。而数字化对外汉语教学中的人机工程学内涵则是探究所开发的支撑平台和相关资源如何满足学习者生理和心理的需要。

能够体现这一思想的工程化要求是通过支撑平台与相关资源的界面设计来实施的,进一步讲,是人与机器交互方式（Human Computer Interaction,已成为 2001 年 12 月 15 日美国 ACM 和 IEEE 公布的计算课程体系的 14 个知识领域之一)的探索与研究,举例言之,数字化对外汉语教学支撑平台及相关资源的建设——即教学环境与教学资源的建设,要适应不同国家、不同民族的学习者的需要。而不同国家、不同民族的学习者,其文化背景、阅读习惯等很多内在的品质与汉民族并不相同,以中国人的阅读习惯、审美观点所设计的教学系统不一定完全适应于母语为非汉语的学习者。因此,对外汉语教学数字化过程中的人机工程学,一方面要研究该专题的实验心理学基础与认知心理学原则,同时也要研究该领域的开发标准,以便对数字化对外汉语教学系统的开发实践进行指导。

四 数字化对外汉语教学的现代教育技术理念

美国教育传播与技术协会(AECT)1994 年给出教育技术的

定义是"教育技术(Instructional Technology)是为了促进学习，对学习的过程和资源进行设计、开发、利用、管理和评价的理论和实践"。数字化对外汉语教学的现代教育技术理念，包含两个层面的含义，其一是尽管建构主义学习理论已经成为基于 Web 学习系统设计的主要理论基础，但在语言教学特别是对外汉语教学过程中，我们并不认为它是唯一的理论基础，在语言教学过程中，行为主义的学习理论、认知主义的学习理论依然发挥着非常重要的作用；其二是在对外汉语教学数字化开发的全过程中，始终坚持对教学过程进行设计，始终坚持对教育资源进行有效的管理和利用，使得教学设计与资源管理贯彻整个数字化开发的全部过程。因此，需要从理论基础和教学设计的角度，对数字化对外汉语教学中教育技术理念的融合问题进行有针对性的研究，特别是针对学习者所进行的教学环境设计、自主学习策略设计以及数字化对外汉语教学模式的研究，从而深入而具体地阐明数字化对外汉语教学的教育技术学理论框架。

五 小结

综上所述，数字化对外汉语教学资源建设涉及对外汉语教学本身、软件工程、人机工程、教育技术学等学科，我们强调的理论指导原则是语言教学规律的遵从、软件工程方法的掌控、人机工程思想的渗透以及教育技术理念的融合。之所以将语言教学规律的遵从放在第一位，是强调数字化对外汉语教学的资源建设不能脱离传统的对外汉语教学规律而孤立地存在，而是一定要继承传统对外汉语教学已有的规律，在继承的基础上来探索、来发展。而且上述强调在开始认知层面，更多的是整合，只有在充分认识和运用积淀到一定程度时才能达到融合。换言之,没有整合的过程和经历,难以达到融合;反过来,没有融合,整合永远都是其他学科规律低层次的简单复制与照搬,难以油然而发,难以运用自如。

同时,也只有遵从上述指导原则建设的数字化对外汉语教学资源,才能满足不同阶层、不同环节的需要,才具有时代性。

从更广的学科领域讲,数字化对外汉语教学资源建设的学科特性还有很多,其一是美国 ACM 和国际 IEEE/CS2001 年12 月 15 日推出计算课程体系时所强调的因技术和文化的变化而引起新一轮计算机学科体系的变化,这一变化直接影响了与计算机相关的各个领域;其二是国际和国内反复强调的资源建设标准问题,因此这关系到建设可持续的、共享的、开放的、可复用的数字对外汉语教学资源问题。相关的问题还有许多,这里就不再一一列举,我们论述这一主题,本质上是想抛砖引玉,引起共鸣,以促使更多的人以系统化观点来认识数字化对外汉语教学资源建设问题。

叁 多媒体汉语教材的作用及未来发展[①]

一 多媒体教材与书本教材的根本区别

多媒体教材在解决"交互性"问题时,提供了一种叫做"超文

---

① 本节摘自黄勤勇《多媒体对外汉语教材的作用及发展战略》,《世界汉语教学》1999 年第 2 期。

本"(hypertext)的技术,"超文本"摆脱了传统书本教材的三维物理空间限制,成为可以随学习者的行动而延伸或缩减的收放自如的"百科全书"。

从目前所能看到的多媒体语言教材中,可归纳出这样几种特征。

(一)"交互性"与"直观性"特征

多媒体的"交互性"是实时的,即学习者的任何问题都可以迅速得到回答。举一个简单例子,比如说学习者对某一个词的发音有障碍,学习者只需点击它,计算机会提供该词的拼音或根据要求为学习者"范读"。诸如此类,这种一索即得的交互方式最容易激发起学习者的兴趣,因为使用者不再是被动的接受者,他已被融进或者说设计在教学过程之中。

同样,多媒体的"直观性"也为书本教材所望尘莫及。这主要表现在多媒体的图像功能。多媒体可以虚拟场景画面,其构想是让眼睛接收到在真实情景中才能接收到的信息,以强化认知效果。而且,多媒体的"直观性"远不止是提供一些语用场景,诸如汉字所描述的实物、汉字的偏旁部首、笔顺、书写示范等等。显现在学习者面前的是一个具有多项功能的完备的最直观的图像空间。

(二)"跳越性"与"便捷性"特征

在一套多媒体教材中,除了课文本身含有大量高亮度链接词语外,使用者可能还会得到各种选择,比如课前准备——目的要求/要点难点,学习指导——词语解释/语法修辞/语音语调/替换与扩展等等,使用者可以点击某词或选择某项,也可以跳过某词或某项,这就是所谓多媒体的"跳越性"。它完全改变了传统书本教材的学习顺序,其学习过程、方向和结果完全掌握在学习者手中。

同样,所谓"便捷性"也几乎让用惯书本教材的人感到一种彻底的解放。比如,在学习教材任何一段文字过程中,都会有一个"在线词典"无时无刻不在陪伴着使用者,它不仅随时为使用者提供丰富的字词解释、例句等,而且它还会根据使用者的需求朗读发音;如果使用者觉得这还不过瘾的话,甚至可以将课文或词典中的例句摘出放入属于自己的"笔记本"中(计算机附加文档),随用随取,方便之至。

(三)"拓展性"与"可测性"特征

在第二语言获得理论中有一种研究模式名为"文化合流模式",其中心命题是:"第二语言的获得是文化合流的一方面,一个人能将自己的文化与第二文化合流多少决定了一个人获得第二语言的成败。"持此种理论的教师们常常着意将第二语言的文化信息编入自己的教材或在课文后单附一节,就像"美国生活点滴"[1]一样,在语言教材的整体构架中不断向使用者灌输着美国人的文化观点,以求同化。然而"文化"无所不在,传统书本教材的物理空间限制了诸如"文化背景"等一切相关学习材料在更丰富层面的生动使用。而这一弱项恰恰是多媒体的强项。一张光盘的容量大到即使一星期读两本小说,也能读上五年的地步。超大容量为贮存丰富的学习背景知识提供了可能,而且所有相关知识均可按需索取。凡此种种,正是多媒体"拓展性"特征的真正体现。

多媒体教材的可"拓展性"特征为其使用者随时选择不同程度、不同类型的语言自测提供了可能,此种性能可姑且名之为多

---

[1] 《走遍美国》英语教材每一课后学习参考的附录名称。

媒体的"可测性"。其中听力测试更为书本教材所不及。"单元测试"、"阶段测验",长短、样式、功能任你选择,而答案就在使用者身边,使用者可以随时做出"假设",也可以随时得到"检验"。多媒体语言教材可以虚拟语言获得过程中的"假设检验",尽管它还不尽人意,但这种有限的"假设检验",却有可能使使用者可靠地避免必须面对授者(教师)和听众(同教室的学生)所带来的尴尬。

(四)"灵活性"与"娱乐性"特征

现代教育学理论证明,教育只有在充分激发学生兴趣、调动学生想象和参与的情况下,才能最大程度地发挥效力,最佳教学场所不是在黑板和课堂上,而是在真实的情景中;在一切可以利用的时间和空间中。所谓多媒体教材的"灵活性",恰好是极具操作性地体现了传统教育思想中似乎不可操作的那样一个层面,它消解了时间与空间、微观与宏观、教师与学生等多种固有限制和角色定位,使教与学变为随时随地,即时可得。它使一本教材的水准可初级可高级可宏观可微观,使抽象的概念形象化,使复杂的内容条理化。具有各种不同认知风格、学习方法和表现行为的人都可以灵活地选择适于自己的途径。

另外,多媒体还把"娱乐性"更多地融入教材之中。多年来,"寓教于乐"一直是教育工作者梦寐以求的理想,而多媒体所提供的"娱乐性",正在使这一理想变为现实。许多多媒体语言教材把电子游戏的魔力移植其中,例如:"阶段测验"变成一种"闯关游戏","对话练习"变成一种"角色扮演","背诵单词"变成了"打飞机游戏"等等,设计者试图以此挖掘人类固有的"挑战"本能或游戏本性。可以说,这不失为一种寓教于乐的方法,但多媒体"娱乐性"空间在教材中的应用远不止这些,这还有待于我们想象力和创造力的不断发展。

综上所述,思考多媒体教材时,有这样一些理性概念是不可少的,即:它必须能从一种媒介流动到另一种媒介;它必须能以不同的方式阐述同一个问题;它必须能激发不同层面的人类感官经验;它必须为使用者提供更广泛的查寻、互动空间。而所有这一切,正是对外汉语教材走向多媒体化时所必须面对和思考的。

二 汉语教材多媒体化的未来发展

美国加利福尼亚州门洛帕克未来研究所所长保罗·萨福曾将信息社会的技术变革描述为计算机的三次浪潮。第一次浪潮,信息处理是关键,庞大的计算机可以进行复杂的计算;第二次浪潮,信息获取为主流,个人计算机步入家庭;第三次浪潮的情景是所有这些计算机连为一体[①]。而多媒体是第二次浪潮的产物。从长远来看,决定多媒体前途的,不是这种成本只有几元钱,或50亿乃至500亿比特的光盘容量,而将是日益壮大的联机系统,其容量实际上没有止境,多媒体教材将最终成为一种网络现象。

相对于此,如果将对外汉语教材以载体形态划分,大致可以归为:书本教材、声像教材、多媒体教材和网际网络教材。汉语书本式教材对于今天乃至未来相当一段时间说,仍不失为汉语教学事业主流,毕竟电脑对于不发达国家来说,尚未普及。而且

[①] 参见胡泳、范海燕《网络为王》,海南出版社1997年版,第17页。

它的价格与纸张也不能同日而语。不过,教育领域的传统藩篱已经开始打破。当面对西方人不断把富有时代意义的计算机多媒体等现代化技术手段融入其教学领域里时,汉语教学工作者不能再熟视无睹。

(一) 多媒体教材的时代作用与教师的观念转变

就目前而言,多媒体教材的运用应根据学习的对象不同分为主流与支流。对于具有时间保障的学生来说,书本教材是主流,多媒体教材是支流(教学辅助手段)。但支流的力度要不断加大,包括网络手段的应用;而对不同时空,不具时间保障的学习者来说,则恰好相反。为此,对外汉语教学书本教材若能与多媒体教材配套编写出版,便可坐收相得益彰之效,以满足不同的运用与需求。而只有这样,对外汉语教材乃至对外汉语教学事业才更具生命力。从长远来看,多媒体网际网络教材必定成为世界汉语教学的主流,这不仅仅是因为它的"交互性"或打破了地域与时空的界限,而更重要的是它建立起了一种终身学习体系。

计算机网络与多媒体等现代化技术的应用,正在使师生之间传统的角色关系发生变化,作为教师,或多或少需要检视自己的课程、教学方法以及教学风格等等需作哪些调整,以适应数字化的新时代带来的新机会。有这样一句话对于现存的教育体制不无启示:"应该给穷人鱼竿,而不是鱼"。试想一个把汉语作为第二语言学习的人,要想真正掌握其精髓,或许要经过一个漫长的历程,乃至一生,为此,教育者应该更多地将重点放在学习效果和掌握多种学习手段上,使受教育者能够知道怎样去评价和运用他们所学到的知识。教师的观念需要转变,信息科技的运用,绝不仅是复印机加充足的复印纸①。计算机多媒体技术将把教学带入一个多元化的空间。"唯具有忧患意识,才能永远长存。"②为此,汉语教师只有不断地接解并使用多媒体教材,才能真正知道多媒体教材对语言教学有什么样的帮助;才能与今天的学生有共同语言;才能成为现代化教学的参与者,而不是旁观者或"呼吁"者。

(二) 汉语教材多媒体化、网络化的实现步骤

汉语教材多媒体化与网络化的进程已是刻不容缓,对外汉语教学作为一项事业,也不该再坐失良机。

对外汉语教材多媒体化与网络化的实现步骤可遵循:

1. 成立长期的研究开发机构,确立长期的目标,网罗各种专业技术人才、通才,使教材在其更迭中不断升级,各种功能不断扩充、完善(包括新技术手段的应用)。此项工程切忌短期行为,"只见树木,不见森林"。切忌犹豫于风险,"生于忧患,死于安乐"。因而,为此建立风险投资基金很有必要。

2. 制定阶段性成果的总体框架,然后组织实施。特别需要强调的是,要把教学一线作为项目开发主战场。以教师或具有丰富教学经验的科研人员为开发主体,并在此基础上,联合校内外技术力量,避免再走"汉字编码"③的老路。事实上,新一代多媒体教材只有充分发挥汉语教师的创造能力,并与市场(学生)

---

① 根据美国教育部最近(1995年)所作调查,84%的美国教师认为只有一种信息科技是绝对必要的:复印机再加充足的复印纸。

② 参见虞有澄《我看英特尔——华裔副总裁的现身说法》,三联书店1995年版,第135页。

③ 我国90%以上的汉字编码方案是由计算机技术人员开发,由于没有语言文字工作者参加,许多方案以不具规范化而告终。

紧密结合,方可发挥巨大威力。这也是实施步骤展开前须特别明确的指导思想。

3. 多媒体对外汉语教材的开发过程,可先易后难,逐步展开。为节省时间、经费和填补网上"空白",前期开发可以实施现有"产品"转换。事实上,"多媒体"这一概念本身既代表新的内容,也代表用新的方式重新组合和呈现的旧内容。美国许多媒介公司在音乐等娱乐服务业,即以此种方法来获得高额利润。对于这种运作方式,我们当然可以借鉴。大量已有对外汉语教学参考工具书和可利用的图像资料与原有的书本教材结合,并使之多媒体化,也许可以成为旧教材的新卖点。当然,从长远考虑,对外汉语教材必须开发出属于自己的真正的媒体素材,并在目前编写的新一代教材中预留媒体空间。

肆 多媒体汉语教材的模块化[①]

设计一套比较完整、适应初中高级阶段、覆盖面广泛的多媒体汉语教材是一项庞大的任务,也需要汉语和外语教学专家、语言学家、中国历史文化学家和计算机专家的密切合作。开始这个工作的基本前提还包括:

首先,弄清多媒体教材和传统教材的原则上的区别;

其次,突破传统教材模式,采用同步教学语言和文化各种技能的综合性方法和单向道路的模式;

---

① 本节摘自柯彼德《试论汉语多媒体教材模块化的一些原则问题》,《数字化对外汉语教学理论与方法研究》清华大学出版社 2004 年版,第 61 页。

另外，充分利用现代技术设备，尽量利用听觉、视觉、录音、自测、上网、储存信息等方面的媒体和软件。

多媒体教材真正能为汉语教学提供改革机会。我在这儿只能提出一些不成熟的设想，以便进一步促进这一方面的讨论。

在下面介绍的蓝图包含着一系列的大模块和小模块。一个模块是一个比较独立，但不同程度地同其他模块联络的教学单元。学习者结束一个模块之前，应该有经过测试并获得成绩的机会。各个模块之间的联系比较复杂，有的联系比较松，没有固定的先后程序，有的相关性较强，要求有先后程序。为了达到一定的目的，有的模块是必修的，另有的是选修的。模块的内容可以是多种多样的，包括课文、录音、录像、图像、数据库、目录、各种形式的练习等，但是每一个模块基本上都必须包含考题、显示成绩的反馈和程序指导说明。

下面我主要谈论同语言教学直接有关的内容，中国概况、历史、文化等内容的模块化暂时不提。

一 口头语言技能和书面语言技能的基本分支

在初级阶段应该把口头语言教学和书面语言教学区别开来，分成两个相对独立的大模块。贯穿于口头语言教学的主线是基本交际情景、句型、语料、词汇和语法，采用的教学方法主要是交际法。口头语言的载体是汉语拼音，汉字在初级阶段尽可能避免。教学内容主要以会话范例和基本句型为基础，尽量少采用传统的课文方式，多设计出多样化的练习模式。

二 口头语言技能的分支:听力、说话、汉语理论

听力和说话是不同的语言技能。虽然有着一定的依赖关系,但是尤其在初级阶段应该提供各自的技能有分开练习的机会。在西方开始学汉语的人从前听到汉语的机会很少有甚至没有,因此都不习惯汉语的语调特点,就需要大量的听力练习。为了适应这种需求,应该设计出包含一套由浅入深的听力练习的模块,如辨别单音和声调、辨别单词和短句、听懂问答和篇段、听懂演讲和新闻报道等练习。其中还可以附加带方言口音的普通话的听力练习(按方言还可以分成小模块)。

另要成立练习说话模块,从音节和单词发音开始,到主动问答、讲话、作报告等。说话练习同时需要听力练习,但是相反,听力模块也可以相对独立地运用,为了给那些希望尽快达到听懂水平,但不一定会说汉语的人提供机会。

为了系统地培养出从低级到高级的汉语技能,听力和说话模块按需要可以各自再分一系列连续性的小模块。只有通过上一个模块的测试,才能开始下一个模块的练习。

口头语言的分支,除了听力和说话练习以外,还需要设立汉语理论知识模块。它可以再分汉语概况、语音体系、构词法和词汇学、句法和篇章法以及语用的小模块。在中高级阶段还可以加上汉外对比、汉外翻译理论和汉语语言学的模块。

三 书面语言技能的分支:阅读、书写、汉字理论

类似于口头语言技能这一分支,书面语言技能再分成阅读技能和书写技能。

阅读模块可以相对独立地成立,也可以按照书面交际需要和汉字的出现频率设计程序,以便适合打算尽快有效地看懂和快速阅读汉字的学习者。初级阶段的内容包括在日常生活中经常碰到的汉字,如姓名、地名、路牌、禁令牌、商店招牌、时刻表、菜单、广告、笔记、报纸标题等。到了中高级阶段要集中到按需要再分成小模块的不同类型的篇章,如文学作品、报纸新闻、学术报告、记录、书信、说明书、合同等。同时也要强调阅读的各种方法和策略,如细读、精读、通读、略读、查阅,并有步骤地提高阅读速度。这些练习也应该包括特别是手写的不同字体,如行书和草书。这都是在对外汉语教学中至今常常忽略的,但是在信息时代却是十分重要的技能。多媒体的方式可以在这一方面发挥积极的作用。

书写模块的主要方向与阅读不同,应完全从汉字的结构出发,逐步地从笔画、笔顺、偏旁(再分成形旁、声旁和记号)、部件、独体字到合体字以及它们的各种结构特点。到了中高级阶段也应该包括快速手写,操作电脑上的汉字处理,撰写文章、记录、报告和信件的专门练习。这些练习也可以再分成几个小模块。

书面语言大模块的第三个成分是汉字理论知识。开始学习汉字的人需要大量的说明和背景知识。其中比较重要的任务应该是消除各种在西方关于汉字很流行的偏见和错误看法,比如"汉字没有系统性","汉字十分难学,因此汉语也特别难学","每一个汉字都是图像","每一个汉字表现一个词的意义"等。这些不科学的说法对不了解中国文化的人影响仍然很大,对全球普及汉语的工作非常不利。

汉字理论知识模块还应该包括有助于掌握读写能力的一切

信息,不要过多,也不要太少。一部分要概括地阐述汉字的由来、发展、演变、书法、字体、简化等。另一部分同书写模块有密切的关系,就是分析和解释汉字的结构规律,汉字的使用和频率情况,汉字与汉语之间的复杂关系,汉字部首以及查字法,汉字在电脑和因特网上的运用等问题。

同汉语和汉字学习没有直接关系的内容,如汉字和汉字研究的历史、书法艺术的历史等细节都归属中国概况选修模块,以免增加学习者的负担。

四 选用以不同母语为基础的模块

多媒体教材的又一个优点是,可以针对不同母语的学习者,同时提供同样教材的不同语言的版本。以英语、德语、法语等为母语的学生可以很方便地用一次鼠标按击选择自己最容易明白的生词和课文翻译、语音、语法解释和其他的说明。另外可以在特定母语的背景下在语音、语法、语用等模块中附加许多对比内容,帮助学生更有效地掌握汉语的特点。设计这样多语种的汉语教材对世界汉语教学的发展一定会起到重要的促进作用。

第三节 网络汉语教学系统平台构建[①]

随着信息技术和 Internet 在全世界范围的发展,对于利用

---

① 本节摘自隋岩《基于 Web 的现代远程对外汉语教学系统平台的建构》,《现代化教育技术与对外汉语教学》广西师范大学出版社 2000 年版,第 68 页。

网络进行远程教学的可能性和现实性，人们谈论得越来越多，也越来越深入了。到目前为止，建造基于 Web 的现代远程教学系统已经不存在技术障碍，关键问题是怎样理解和处理教学过程的各个环节，特别是如何把握网络教学的本质特征。

系统平台的建构在整个现代远程教育体系中占有举足轻重的地位。从根本上说，网络教育就是教学资源（课件、素材等）的组织和发布。教育的主办者开掘并拥有大量的教学资源，如果这些资源得不到妥善的组织和管理，对于学习者来说是没有什么实用价值的。因此，结合所拥有教学资源的特点建造相应的教学系统平台，才能够实现教学资源的有效管理和组织，学习者也就能够轻松方便地获得自己所需要的各种知识，从而达到远程学习的目的。

远程教学平台的建设不仅要考虑到资源的特点，还应该考虑学习者的特点。远程教学跟校园内的课堂教学区别很大，学习者的活动方式也大不一样，因此，系统平台也必须能够满足学习者的多种特殊要求。

一　远程学习者的特点

教学活动总是跟一定教学对象联系在一起的。从某种意义上说，教学对象（学习者）的特征决定了教学方式的特征。要想取得良好的教学效果，教学过程的设置应该最大限度地满足学习者的需求，充分考虑到学习者的特点。

远程学习者的特点是什么呢？我们认为至少应该包含以下三个方面：离散性、非共时性和非直接管理性。

离散性是远程学习者最主要的特征之一。网络本身就是一个巨大的离散系统,众多节点被松散地连接起来,形成了一个范围广阔的虚拟空间。这也决定了该空间内部使用者的离散特点。两个节点也许近在咫尺,又可能远在天涯。因此,散布在网络中的各个学习者之间、教师和学习者之间很难进行空间上的直接交流,一切都通过网络实现。

离散性是网络学习者的空间特性,非共时性是网络学习者的时间特性。相比之下,校园课堂的学习者则要集中得多。网络上的学习者可以自由地安排自己的学习时间表,并不会受到任何干扰和制约。另一方面,由于 Internet 是全球性的,不同的地域处于不同的时区,这在客观上也造成了时间上的差异。

离散性和非共时性的结果就造成了管理上的非直接性。管理者和学习者之间在空间上不是面对面的,在时间上也不能即时约定。因此,传统的教学管理模式是不能够直接用于远程教学的,必须建立适合新型教学实际的教学管理体系,以便稳妥高效地进行基于 Internet 的远程教学活动。

基于 Internet 的对外汉语教学是整个现代远程教育体系的一个子系统,除了应该遵循现代远程教育的一般规律之外,还有诸多区别于其他学科的特殊规律,在平台的建设方面,尤其应该给予充分的考虑。

二 资源建设与课件编写

对外汉语教学在我国已经开展了几十年了,无论在教材编撰还是在教学方法等各个方面都积累了丰富的经验,这些经验是我们在新的技术条件下继续从事对外汉语教学可以依赖的宝贵财富,具有极高的借鉴价值。基于 Internet 的远程对外汉语教学虽然是一种全新的教学方式,但也不是凭空产生的,而是在前人探索的基础之上,与现代高新技术紧密结合的产物。

在这个结合的过程中,教育观念和技术实现两者之间占主导地位的当属教育观念的转变和更新,相关的技术实现已经不存在任何障碍了。建造对外汉语教学系统平台时,如何设计教学管理模式、如何存储大量的教学资源以及如何制作教学课件等,都是需要深入讨论的问题。

(一)资源的存储方式

对外汉语教学资源是十分丰富的,资源的类型也多种多样。大量的资源如果以无序的状态存在,学习者就无法直接使用这些资源。如果资源不能被学习者使用,那么不仅是资源被浪费,整个教学活动都无法顺利进行下去。在远程对外汉语教学中,这个问题更加突出。这是因为对外汉语教学注重的是言语技能的训练,绝大多数学生学习汉语的目的并不是想成为专门研究汉语的专家,而是为了使用汉语,是为了获得汉语交际能力。这就决定了在教学过程当中,必须给学生展示大量的新材料,激发学生学习的热情和兴趣。与之相应的就是:对外汉语教学资源建设不仅要考虑数量和质量,还要规划好资源的存储方式,要既有利于使用,又能方便快捷地更新。

经过对比研究和细致考察,我们选择微软公司推出的 SQLServer 7.0 作为远程对外汉语教学资源的存储库。

SQLServer 7.0 是一种跨越多种硬件平台的数据库基础平台。这为资源的移植和共享创造了极其便利的条件。SQLServer 7.0 的数据仓库功能也十分强大,它专门提供了一个称为"数据传输服务"的部件("Data Transformation Services：DTS"），Visual Basic、VBScript、JScript 等都可以使用这个部件。所有这些都大大方便了数据仓库应用系统的开发。

数据仓库（Data Warehouse）的基本概念早在 80 年代就出现了。被称为"数据仓库之父"的 Bill Inmon 给数据仓库的定义是"支持管理决策过程的、面向主题的、集成的、稳定的、不同时间的数据集合"。

数据仓库的概念对于远程对外汉语教学资源的建设具有重要的意义。任何资源的建设都不是一蹴而就的事情，远程对外汉语教学资源也是这样。大量的文本、图片、声音、视频、动画等都是在长期的教学实践中慢慢积累起来的，都被有序地存放在数据仓库之中，随时准备被调用。

SQLServer 7.0 中教学资源的存放形式如图 1 所示：

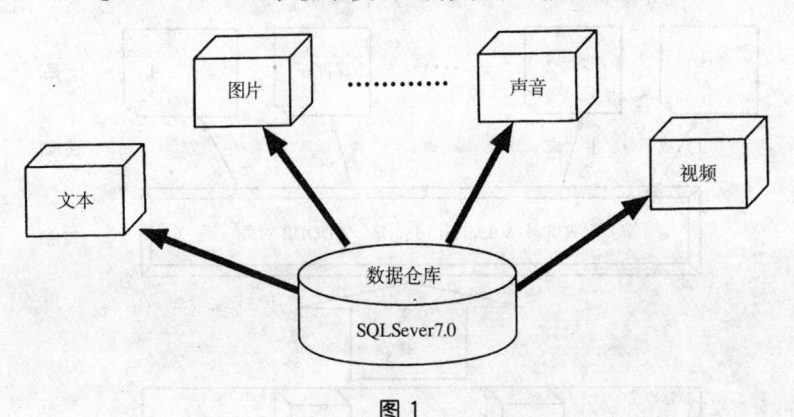

图 1

在数据仓库中，所有的资源都以数据表的形式存在，有一个属性标记集来标识全部资源。例如一个文本，可以为它标记"标题"、"来源"、"题材"、"体裁"、"字数"、"级别"等，尽量将该文本的信息挖掘出来，为后续使用创造条件。

教学资源可以按照一定的规则和方式随时更新和维护。随着时间的推移,资源的总量会越来越大,逐渐形成具有相当规模的数据仓库。

(二) 课件与资源的关系

尽管远程教学资源很丰富,并且被有条有理地组织起来,然而事实上远程学习者所直接面对的并不是这些资源,而是经过精心编排的教学课件。课件是学习者和网络教师之间的纽带和桥梁。因此,课件编写与组织的好坏,直接影响到远程教学的效果。简言之,如果网络教学课件编排失败,也就意味着整个远程对外汉语教学的失败。

课件与资源之间的关系(如图 2 所示)是保证课件编排是否成功的基本要素。远程汉语教学是一种全新的教学模式,课件的建设也应该遵循新的方法和机制,只有这样,才能满足全新教

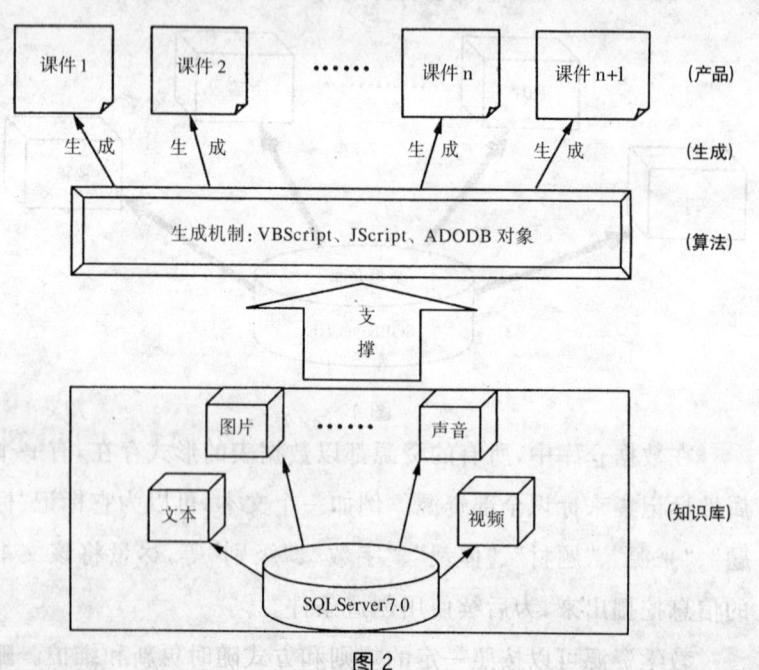

图 2

学条件的特殊要求。

基于网络数据仓库的课件生成方法为远程汉语教学课件编写提供了强大的技术保障。这种方法完全不同于传统方式的教材编写,因为所有的资源都是以一种"同构"的格式被存储于数据仓库之中,从理论上讲,各种资源要素都是可以被重复使用的,这样不仅消除了对资源的浪费现象,还能充分发掘资源的使用价值,最大限度地满足课件生成的需要。

三 关于分布式结构体系

远程对外汉语教学是一项长期而艰巨的事业,绝非临时性的短期行为。因此,教学平台的设计和建造必须具有长远眼光,必须全面规划、周密设计,使系统既有良好的易用性,又有充分的扩展性。除此之外,系统的维护和知识库管理、课件生成等关系到平台成长的重要环节也是无法回避的现实问题,应该得到妥善的解决。

采用分布式处理的网络数据库系统进行教学平台的建设即能满足上述要求。Windows 分布式应用(简称 Windows DNA)是微软公司在 Windows 平台上针对如何发展一个强健、稳固、扩充性大的分布式网络应用程序所推出的方案。它为未来先进的分布系统刻画出每个层次的位置及重要性,为现有的任何机器及资源提供了一个可以轻松地推行分布式网络应用的强大工具。Windows DNA 支持多种开发工具、应用服务器以及后端应用服务器。

Windows DNA 中,一般将分布式网络系统区分为三层:前端用户、中端商业逻辑和后端数据储存。图 3 所示即为这种三层结构：

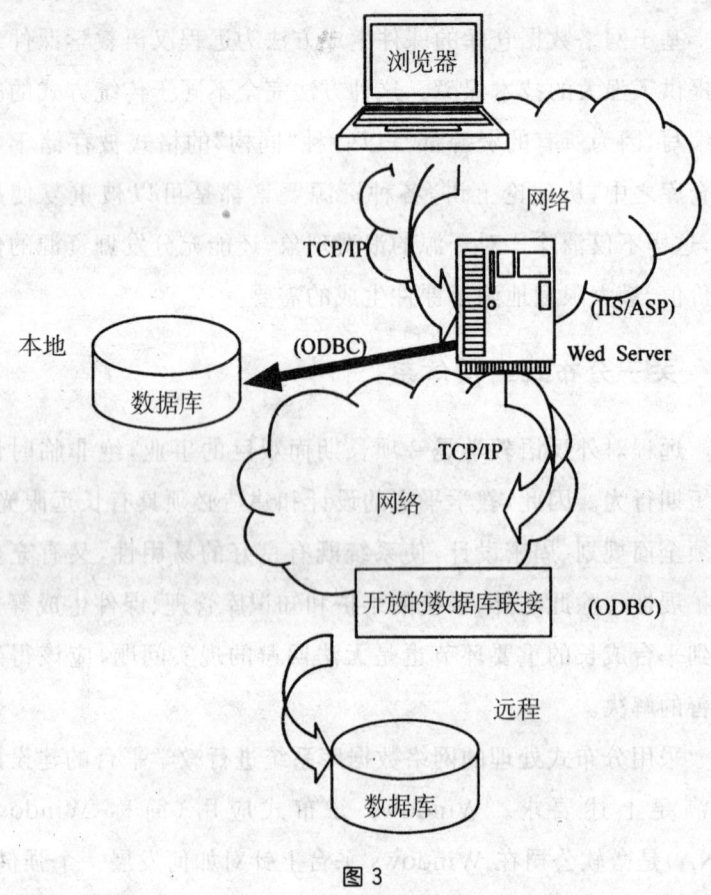

图中标注：浏览器；网络 TCP/IP (IIS/ASP) Wed Server；本地 数据库 (ODBC)；TCP/IP 网络；开放的数据库联接 (ODBC)；远程 数据库

图 3

从结构示意图中可以清楚地看到，这样的结构体系既能满足网络上同时、大量的访问，又能够保证分布式管理的实现。我们的远程对外汉语教学平台之所以选择 Windows DNA 这样的结构体系作为开发的基础，正是基于以上这两个主要原因。

四 系统平台的总体构想

综上所述，我们可以将基于 Internet 的远程对外汉语教学平台系统描述如下：

这是一个开放式的平台系统，所有的教学资源（文本、媒体、链接等）都被统一地储存在数据仓库之中，并且各类资源都被详细、准确地归类和标注。教学资源的管理、修订、增删都是在分布式体系结构的框架之中完成的，具体地说就是：通过平台提供的基于浏览器的管理工具，资源管理者可以在各自的桌面上在自己的权限之内完成所有任务，而不需要具备计算机和网络的专业知识。这种资源管理上的"个人无关性"能够保证教学资源建设的延续性和完整性。

课件的规划和生成也是动态的。系统提供多种生成模板，使用者可以根据实际情况自由选择，使生成的课件丰富多彩，生动有趣。得到授权的管理者还可以增删课件模板库，满足使用者的不同需要。

在课件生成过程中，资源的使用是多种多样的，用户既可以使用数据库中储存的现成数据，也可以通过资源库提供的丰富链接信息，直接连到 Internet 上。比如要生成"报刊阅读"课件，某个部分涉及当前的新闻热点，需要显示一张照片，完全可以在课件中直接加入权威的新闻网站的相关新闻图片，这样就能保证"报刊阅读"课件的时效性。

所有课件都不是一次生成之后就结束了的。因为资源是格式化的，模板也是现成的，所以，从原则上讲，课件就是即时被生成的，永远保持最新的版本。当然，使用者也可以将生成完毕的课件保存起来，另作他用。该平台总体构成框架如图 4 所示：

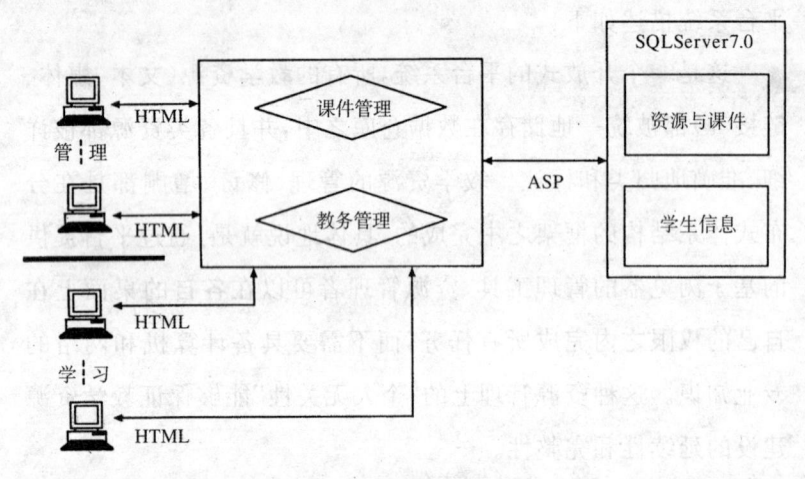

图 4

基于 Internet 的对外汉语教学系统平台建设是发展现代远程汉语语言教学的基础性工程,它的成功与否能够在很大程度上决定整个远程汉语教学活动的成败。本文提出的系统构架仅是一个试验性的系统,还有很多方面需要完善,我们将在今后的工作中继续研究和探索,把网络汉语教学提高到一个新水平。

第四节 计算机辅助教学设计与评价

壹 多媒体汉字教学与学习的新思路[①]

在对外汉语教学中,构成语言系统的三个基本要素:语音、

---

① 本节摘自赵金铭《汉字教学与学习的新思路——评〈多媒体汉字字典〉》,《语言教学与研究》2000 年第 4 期。

词汇、语法,一直是作为语言教学的主体处理的,而汉字作为语言的视觉形式,作为记录语言的符号,是第二性的东西,常处于附属的地位。基于这种认识,在过去相当长的一个时期内,我们在对外汉语教学中对汉字教学的研究是重视不够的。改变汉字教学研究的滞后现象,在国外同行(特别是欧美同行)中,呼声很高。最近,有学者提出,汉字教学是汉语教学的组成部分。主张从加强培养学生的汉语交际能力,尤其是书面语言交际能力出发,把汉字和汉字教学研究的成果吸收到课程设计和教材编写中来,并落实到课堂教学中(吕必松,1999)[①]。我们认为,指出这一点是完全必要的。

对于汉字文化圈国家以外的留学生来说,学习汉语所遇到的最大难题是汉字的识读、书写和使用。传统的对外汉语教材是在课后附有"汉字笔顺表",画出方格,指示笔顺。这是沿袭了以汉语为母语的儿童习字描红的方式,不过是一笔一笔的叠加而已。如何改进汉字教材,革新汉字教法,给学习者以自学汉字的津梁,一直是业内同行思索的问题。

一 顺应世纪潮流,应用当代技术,研制《多媒体汉字字典》

汉字教学与学习既然是对外汉语教学的重要组成部分,为了突破这个既重要又特殊的环节,必须在科学地认识汉字性质和特点的基础上,打破传统,开拓新思路。以往的纸介对外汉语教材受传统媒体介质二维性的限制,对汉字的拼读、书写规范和

[①] 参见吕必松《汉字教学与汉语教学》,《汉字与汉字教学研究论文选》北京大学出版社 1999 年版。

字义解释,都难以满足学习者的需要。比如,学习者对汉字的读音是否标准,无从检验。对汉字的书写是否规范、正确,既看不到实际的动态书写过程,对错与否又不得而知。当遇到多义字时,对字义只见笼统的解释,没有完整的相关的搭配,外国人很难了解如何使用。教材也好,字典也好,质言之,都未能充分展现汉字本身固有的属性,未能把汉字与相关层次或相关层面的语言单位联系起来。也就是说,汉字教学未与汉语教学融为一体。这未免是个缺憾。

因此,语言学界和对外汉语教学界一直在呼吁"开发具有科学教学理论指导、高新技术支持、符合心理认知规律的、全新的对外汉语教学教材及配套的对外汉语教学字典、词典"(陆俭明,1999)[①]。众多的同行也在大声疾呼"对外汉语教学界也应该充分利用现代科技成果,在传统教材的基础上,制作多种多样的教具、学具,设计计算机多媒体教学软件,加强对外汉字教学"(中国对外汉语教学学会秘书处,1997)[②]。

现代高新技术的发展为我们的研究创造了条件,提供了有利的保证。多媒体技术的应用已经成为时代发展的必然趋势。

对外汉语教学研究与多媒体技术相结合,于是《多媒体汉字字典》(HSK·甲级·英文版)(郑艳群等,1999)[③]便应运而生。

这部字典将汉字的形、音、义及其相关信息,用多媒体、超文

---

① 参见陆俭明《关于开展对外汉语教学基础理论研究之建议》,《语言文字应用》2000 年第 1 期。

② 参见中国对外汉语教学学会秘书处《汉字与汉字教学研讨会侧记》,《世界汉语教学》1997 年第 4 期。

③ 参见郑艳群等《多媒体汉字字典》(HSK·甲级·英文版),北京语言文化大学出版社 1999 年版。

本的形式组织在一张光盘之内。所有这些信息，都可以根据学习者个人需要而展现出来。也可以这样说，根据汉字本身的特点，结合学习者心理认知过程，以及汉字习得的客观规律，融会贯通，把字、词有机地组合起来，为学习者提供了诸多方便。比如，打开光盘，可以听到汉字的标准读音，可以看到汉字的规范的书写过程，可以了解到汉字的构造：是独体字，还是合体字。还可以把汉字分解为部件，可以得知其中的某些部件又可以构成什么字。可以随时跳到与该汉字同音异义的另一个汉字，见到另一番景象。如果某个汉字所具有的某个义项可以构词，也可以清楚地看到该义项所构成的词，而所有这一切都是用英语解释的，耳听能懂，眼见能明，一目了然。这样一部字典，既是字典，又是词典，还可以作为学习汉语的初级教材。一本多用，理应受到学习者的欢迎。

二　帮助人们科学地认识汉字

改革汉字教学，提高汉字学习效率，关键在于科学地认识汉字的性质和特点。究竟如何正确认识汉字，首先应给汉字定性。

我们同意采用两种方法来给汉字定性。一种是根据汉字字形所起的表意、表音等作用来为它定性，持这种观点的人认为汉字是表意文字、意音文字，甚或表音文字。另一种是根据汉字字形所能表示的语言结构的层次（也可以说语言单位的大小）来为它定性，持这种观点的人认为汉字是语素文字、语素—音节文字（裘锡圭 1985）[①]。

[①]　参见裘锡圭《汉字的性质》，《中国语文》1985 年第 1 期。

汉语是第一性的,汉字是第二性的。汉语的特点决定了汉字的造字原则。实践证明,汉字与汉语基本上是适应的。之所以如此说,是因为汉语语素以音节为主,而汉字是单音节文字,用单音节的汉字来记录单音节的汉语语素,两者基本适应。

我们用汉字来记录汉语里的语素,而语素是最小的语音、语义结合体,于是语素的音和义就成了相关汉字的音和义。汉字的形,与其代表的语素的音、义紧密结合,所以,我们说汉字是典型的语素文字,是形、音、义的统一体。

对于不同的语素,比如:记、寄、计、纪、济、绩,虽然同音,所用的字形却不同。少数汉字不表示语素,如:蝴、徘、葡,只有形、音,没有义,不是形、音、义的统一体,但数量有限,不能改变汉字是语素文字的本质(尹斌庸、苏培成,1994)[1]。

如果从汉字本身的构造来看,汉字是由表意、表音的偏旁(形旁、声旁)和既不表意也不表音的记号组成的文字体系(朱德熙,1988)[2]。在汉字中,只有独体字才是纯粹的记号文字。合体字虽由独体字组合造成,从构造上说,却比独体字高了一个层次。因为组成合体字的独体字本身虽也是记号,可是当它作为合体字的组成部分时,它是以有音有义的"字"的身份参加的。

基于这种认识,《多媒体汉字字典》在介绍汉字结构中讲述了汉字一般分为独体字与合体字,合体字又按结构方式,分为:左右组合式 27 种,上下组合式 19 种,包含式 25 种。每种都有

---

[1] 参见尹斌庸、苏培成《科学地评价汉语汉字》,华语教学出版社 1994 年版。
[2] 参见朱德熙《中国大百科全书·语言文字卷》"汉字",中国大百科全书出版社 1988 年版。

例字介绍。

这部字典面向以英语为母语的学生。为了让学生正确地了解汉字,消除对汉字的模糊认识,解除不必要的畏惧心理,也破除由于某些误导所带来的对汉字的神秘感,在概述中用英语解释了与汉字相关的背景知识。诸如:

汉字的历史,讲述了汉字起源的基本常识。

在基本造字法中,介绍了"象形、指事、会意、形声"四种形式,并配以解说和例字。

有关笔画,介绍了五种基本笔画:一、丨、丿、丶、乙(横、竖、撇、点、折)和23种派生笔画。既有例字的动态书写过程,又使用了特殊的标记。

有关笔顺,介绍了不同笔画的书写规则2条,不同结构中的笔顺规则5条,并配有相应的例字和演示。

此外,还有15个有关汉字的名词解释,并展示了10幅各种书体的字帖,以增广对汉字的见识,并引起兴趣。

在外国人识字与习字之前,对汉字的这种客观、全面、科学的介绍,实属必要。这些知识对一个从来未接触过汉字的外国人来说,既新鲜,又有趣。打破了所谓"汉字神秘"、"汉字神奇"之说,清楚表明汉字没有"特殊功能",汉字也并不比其他文字"优越",汉字就是汉字,它是一种记录汉语的文字符号,只要科学地掌握它的特点和规律,对汉字的认读、识记、书写和运用,都是有门径可入的,都是可以掌握的。

三 指导教师正确地教授汉字

教汉字的目的,是为了使学习者具有阅读和书写的技能,这是不言自明的。究竟如何教授汉字,方法可以各异,但要有科学的依据,讲求正确的方法。如果不得其法,便会贻误学生。

汉字具有表意性,是形、音、义的统一体,这是跟拼音文字不同的。拼音文字的字母只有形和音。如果我们充分利用汉字形体所负载的较多的文化因素,因势利导,开展汉字教学,应该说是可行且可取的。对外汉语教学界的汉字教法可说五花八门,兹介绍两种有代表性的:(1)先教独体字,再教合体字;利用汉字部件教合体字;利用形声字表意表音功能进行汉字教学(张惠芬,1998)①。(2)也有人主张教汉字应从字形入手:从教笔画开始;抓字素环节;抓汉字基本结构;抓基本汉字——常用字(施光亨,1987)②。两种教法的思路可说大同小异。

整个的汉字教学过程包括了认、写、用三个阶段。朱德熙(1988)③说:"必须把认汉字、写汉字和用汉字三者区别开,不能混为一谈。三者之中,认最容易,写就比较难。……用汉字比起认和写都要难得多。"

《多媒体汉字字典》总结了对外汉语教学界传统的汉字教学法,使之更形象化、具体化、多元化。按照"认"、"写"、"用"三个步骤,编排汉字教学内容。该字典共收《汉语水平词汇与汉字等级大纲》中甲级汉字 800 个。我们在浏览之余,会发现一个汉字会以下列顺序展现在面前:

---

① 参见张惠芬《汉字教学及其教材编写》,《对外汉语教学探索集——北京地区第一届对外汉语教学讨论会论文集》,北京大学出版社 1998 年版。

② 参见施光亨《对外汉字教学要从字形入手》,《世界汉语教学》1987 年第 2 期。

③ 参见朱德熙《中国大百科全书·语言文字卷》"汉字",中国大百科全书出版社 1988 年版。

1. 展示该字简体汉字,如有繁体也在旁边显示;

2. 展示该字的标准汉语拼音和注音字母(ㄅ、ㄆ、ㄇ、ㄈ),点按后可听到规范读音;

3. 点按"书写图标"展示该字按规范笔顺书写的动态过程,笔顺依据《现代汉字通用字笔顺规范》;

4. 点按"部件图标"可展示该字的形体结构和构字联想。如以"安"字为例:点按上部部件"宀",展现"安擦定富馆寒寄家客容赛实室宿完碗宴宜谊院字",点按下部部件"女",展现"矮安姑好姐楼妈妹奶娘努女如始数她姓宴要"。在部件标识方面,字典更是匠心独具。部件按"表意""表音""表记号""表指事"等分别用蓝色、黄色、绿色、红色标示。如"啊"字,部件"口"表意,用蓝色;部件"阿"表音,用黄色。如遇到一个字中的部件表同一属性,则再用颜色的深浅标示。如"解",部件"角"和部件"牛"均表意,应用蓝色标示,进而再用深蓝和浅蓝加以区别。

5. 字源。点按字源图标后,可以看到以动画形式演示该字的形体的最初形态及形体演变过程,并可了解到对原始字形的解释。

6. 义项释义及构词联想。汉字多义现象很普遍。该字典所收的 800 个汉字,涉及义项数为 3 243 个。这是经有关词汇研究专家和有经验的对外汉语教师多次共同磋商后,所得到的一个较为适合外国学生的、适当使构词用例较为集中的义项分合标准,是颇费一番斟酌的。这些义项涉及有关 HSK 等级词汇共 4 795 个。这样,在点按义项时,就可以清楚地看到该字的主要义项,以及这些义项所构成的若干词条。这些词条有汉字形式、汉语拼音(可以发声)、词性标注和英文解释。比如,在该字典中汉字"安"选有 6 个义项,构成 16 个词,形式如图 5:

```
┌─────────────────────────────────────────┐
│              ān   马              [×]   │
│   安         [丿] [✻] [搬] [⊕]          │
│                                         │
│ ①stable, rest content ::                │
│  【安心】 __ ānxīn __[feel at ease]      │
│  【安定】<a./v.>__ āndìng __[stable; stabilize]│
│  【安静】<a.>__ ānjìng __[quiet]          │
│  【安稳】<a.>__ ānwěn __[smooth and steady, calm and poised]│
│  【安详】<a.>__ ānxiáng __[serene, composed, unruffled]│
│  【不安】<a.>__ bù'ān __[uneasy]          │
│                                         │
│ ②aid and comfort ::                     │
│  【安慰】<v./n.>__ ānwèi __[comfort, console; comfort, consolation]│
│                                  [◁][▷] │
└─────────────────────────────────────────┘
```

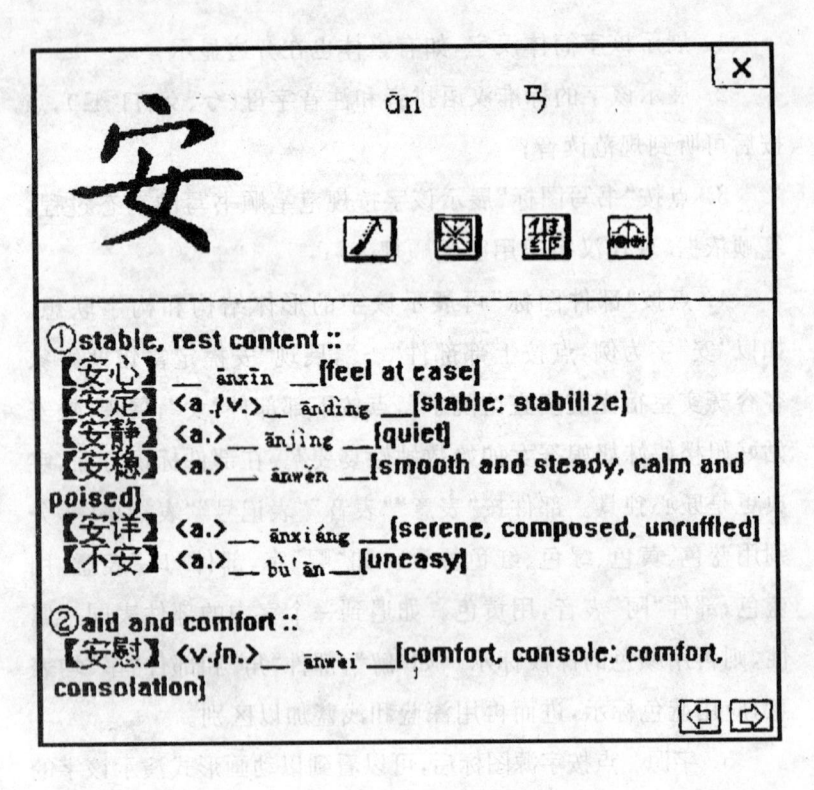

图 5

7. 点按"部首图标"可见该字标准检字部首。

这部字典在检索方式上可说与众不同,共有四种检索方式。除了传统的拼音检索和部首检索外,还有笔画数检索和部件检索。只要知道一个字的总笔画数,就可在笔画数检索中查到;只要知道某个汉字的某个部件的笔画数,就能在部件检索中查到该字。这后两种方法无疑是专门为方便外国人而设计的。

8. 如果遇到一个多音多义字,也可以很方便地转换,如"脏"zāng,可以转换到"脏"zàng。

从字典所辖内容不难看出,字典作者本着科学精神,扎扎实实,有板有眼,没有随意解释汉字,整部字典仅对 38 个字配了字源图标。固然,部分汉字可以见形知义,像"日、月、目、旦、水、火、山"等,就是这些字,因指义模糊,不明的人也不是一下子可以看出的,且究属少数。就以形旁而论,它本身是表意的,但在现代汉字中,形旁大多已失去表意的作用。

对汉字的构词,字典也采取了谨慎的态度。根据使用频率,构成与学习阶段相匹配的常用词,仅学汉字,外国人是绝不会自行构词的。汉语作为第二语言,学习者头脑中并无汉语的词汇,他们学了"黄",又学了"瓜",绝不可能联想到"黄瓜",见了"黄瓜"这个词也不知为何物,闻其声也不会产生联想。另一方面,在汉字中并不是表示一个意义的"字"就是一个词,还得看能不能独立运用。在 HSK 甲级 800 字中也还是可以区分三种字。一种是词字,如:人、书、学、飞、早;一种是语素字,如:疲、傅、绩、诉;还有一种是音节字,如:咖、啤、芦、蕉。这三种字都可以构词,但功能不同。词字可以单独作为词使用,语素字和音节字不能单独作为词,而只能与别的字结合起来构成词才能使用。外国人学汉语,由字,到词,到句,有着一个科学的认知过程。所谓"字"本位之说,在对外汉语教学中,不可随意解释。

四 促进学生有效地学习汉字

汉字在视觉上醒目,非字母文字所能比。对于初学文字的人来说,文字符号越是形象化,就越是容易学。汉字有这种优点。但是,正如吕叔湘(1991)[1]所说:"汉字的优点很多,但是有

---

[1] 参见吕叔湘《由笔误想到的》,《中国语文》1991 年第 6 期。

一个极大的缺点,就是容易读错,容易写错。"

《多媒体汉字字典》充分发挥了汉字的特点:醒目、形象;尽量抑制其短:难认、难写、难用。在帮助学习者学习汉字的过程中,遵循认知心理学的原理,充分调动人类联想机制,有效地提高了汉字学习效率。

据对外国留学生识记汉字的心理过程研究,识记汉字的策略主要是联想。

1. 形象联想:比如识记"着"时,联想到学过的"看",想象它头上有一个"丷";

2. 结构联想:比如识记"考"字,联想到"老"字的上边部分,加上一个"丂";

3. 母语联想:外国人识记汉字的记忆顺序,是由表层向深层逐步发展的。次序大致如下(王碧霞等,1994)[①]:形象记忆→笔画记忆→偏旁记忆→字素记忆→框架记忆→意义记忆。

遵循这些研究成果,《多媒体汉字字典》从字形开始,然后进入动态笔顺书写,形成一个部件形体结构,再从独体字(字素),进入合体字,形成汉字的整体框架,通过联想构词,进入意义记忆。字典的这种编排,正符合外国人识记汉字的心理过程与认知规律。

学习汉字,并不能代替识记词汇。任何一个外族人学习汉语,都要记大量的词汇。夸大汉字在学习汉语中的作用是不妥的。所谓汉字有义,遇到生词时只要掌握了那些构成生词的熟

---

① 参见王碧霞等《从留学生识记汉字的心理过程探讨基础阶段汉字教学》,《语言教学与研究》1994年第3期。

字就可以推断出词义,是不现实的,对一个外国人来说是难以做到的。

1992年7月,中央电视台举行"首届外国人汉语知识大赛",一位外国朋友对"红娘"一词中的"红"与"娘"是认识并略知其义的,但他的解释却是:"姑娘的脖子红了。"(范可育,1993)①

前不久,一位对外汉语教师对美国外交学院来华留学生作过一个实验,这些学生在美国已经学习了400—600学时的汉语,来中国后又学习了近300学时的汉语,然而他们却存在着识词不识字的现象。比如:

继续/持续　准备/准则　损失/亏损　建设/设施

许多/允许　一切/关切　目标/标准　原则/否则

斜线前面的词都认得,但是后面生词中的汉字(下画线者)却不认得,而这些汉字是他们在别的词汇中早已学过的(吴晓春,1999)②。这说明,他们学习了一个双音词,识记了其中的汉字,但当其中的一个汉字移位,并与别的汉字组合成新词时,他们并不能立即将有关对该汉字的认识带入新词,甚至连该汉字也不认识了。

我们的结论是汉字学习,并不能代替词汇学习,正确的途径是应该是个连续统:认字识词,识词记字,用字构词,识记汉字词。

---

① 参见范可育《从"生词熟字说"看词义和构词语素义的关系》,《语言文字应用》1993年第1期。

② 参见吴晓春《FSI(美国外交学院)学生认字识词考察》,首都师范大学国际文化学院科研报告会论文2000年。

五 融字典、词典、对外汉语教材为一体,开创教材新媒体

这部《多媒体汉字字典》首先是字典,它以字为单位,依次排序,有字形、读音、释义和用法指引。它同时又是一部词典,收有相当数量的词汇,有词汇、注音、释义,并且标注词性,便于使用。它更是一部对外汉语教材。由于该字典利用多媒体技术把每个字的形、音、义同与汉字主要义项相关的词的形、音、义等多元化信息有机地连接起来,不仅在汉字教学和指导学习上有独到之处,同时也不失为通过字、词学习汉语的一种行之有效的方法。它具有一种声、图、文并茂的交互式人机界面,可以充分发挥学习者的联想思维与联想记忆,作为初学汉语的入门教材,特别是自学教材,是一种新的尝试。

近年来,关于"字"的讨论又有新的认识。徐通锵(1999)①认为:"字首先是说的,其次才是写的,写的字仅仅是说的字的书面化而已。""字是汉语的基本结构单位。""印欧语的基本结构单位是词和句子,而汉语是字。"对"字"的这种新的理解与认识,虽尚未取得人们的共识,但必定会为《多媒体汉字字典》的改进与提高,开拓思路,寻求新的尝试点。比如,如果能增加汉字的语音识别功能,增加手写汉字笔画和笔顺的识别功能,对学习者来说,增加了判别对错的能力,使用价值还可提高。

多媒体技术使汉语(包括汉字)的教学由口耳传授变得更为直观形象,视觉形象与听觉形象同时并用,声音与图文相结合,

---

① 参见徐通锵《说"本位"》,《汉语现状与历史的研究》中国社会科学出版社1999年版。

图、文、音并存并茂,使得汉语教学真正地情景化了,更有利于言语交际的开发。可见,多媒体汉语教材才是真正意义上的全方位、立体化教材。

对外汉语教材由纸介教材到多媒体教材应该说是一个飞跃。多媒体教材容量大,编排方式灵活,表现方式多样,使用起来极方便,这些都是纸介教材所不可比拟的。以《多媒体汉字字典》为起始,我们期待着更多、更好的多媒体对外汉语教材和辞书问世。

贰 多媒体汉语教学的认知心理[①]

认知心理学是运用信息加工观点来研究认知活动,其研究范围主要包括感知觉、注意、表象、学习记忆、思维和言语等心理过程或认知过程,以及人类的认知发展和人工智能。语言学习过程中的认知心理研究对我们的对外汉语教学具有非常重要的作用。而多媒体辅助对外汉语教学是随着电脑技术的成熟而逐步为我们所重视的,现在将多媒体引入课堂,以辅助对外汉语教学已经是一种大趋势,关于多媒体辅助对外汉语教学的研究也越来越多。

在各种类型的教学中,为有效地学习而设计的教学可以用多种方式来传输,并且可以运用各种媒体。教学中对媒体的选择既依赖于可使用性的实际情况,又依赖于教师的能力与观点

---

① 本节摘自陈昕《多媒体辅助教学中的认知心理研究》,《海外华文教育》2002年第4期。

等等。加涅(1965)①说过:"多数的媒体选择系统都主张,应该根据媒体的特征——媒体所拥有的影响教学交流性质的各种特性,来决定媒体的选择。但是必须认识到,将要使用媒体的教学情境,是对媒体选择更具限制性的因素。"加涅接着就此作了进一步的分析,阐述了教学情境对媒体的选择可能。根据加涅的教学理论,对外汉语学习应该归属于智慧技能型的(或认知策略),而这种类型的教学"就必须要求媒体具有与学习者进行'交互作用'的能力",媒体应该"对学习者作出的反应提供精确的反馈"。那么具有这种"交互作用"能力的媒体并不多,根据加涅的理论,智慧技能型教学对媒体的选择体现为三种可能性,即计算机、程序课本和交互式电视,而我们在此所论及的多媒体正是计算机的代表。所以我们首先通过这些来确认用多媒体来辅助对外汉语教学是非常重要的,也是非常必要的。

所以我们应该了解媒体所拥有的影响教学交流的特性,再根据认知心理学理论对这些特性作进一步的分析,希望能得出一个有利于我们教学的结果,以指导和改进我们的教学实践。

依笔者所见(2001)②,多媒体辅助教学的特性主要体现在其互动性、多样性以及娱乐性这三个方面。其中互动性是多媒体的本质(尼葛洛庞帝,1996),在辅助教学的过程中,互动性主要表现为学习者与教师、软件以及其他学习者具有方便的交互功能,学习者不仅能从教师那儿得到信息的反馈,而且可以从学习软件、其他学习者那儿得到信息的反馈,并且能对自己的学习

---

① 参见 R.M.加涅《学习的条件和教学论》,华东师范大学出版社 1999 年版。
② 参见陈昕《对外汉语教学中的多媒体应用》,《海外华文教育》2001 年第 1 期。

过程作一定程度的控制。在研究多媒体辅助教学的时候,林众、冯瑞琴(1996)①也指出:"分布式多媒体是今后发展的方向",这里所说的分布式就是指互动性。多样性主要指多媒体因其传播媒介之多而使同样的信息有多种传播通道,表现出来的结果也有所不同。尼葛洛庞帝(1996)曾经说过:"思考多媒体的时候,下面这些观念是必不可少的,即:它必须能从一种媒介流动到另一种媒介;它必须能以不同的方式述说同一件事情;它必须能触动各种不同的人类感官经验。"以及:"多媒体领域真正的前进方向,是能随心所欲地从一种媒介转换到另一种媒介。"这样学习者就可能根据自己的需要,根据学习内容的需要选择不同的信息传播媒介,以达到更好的学习效果。娱乐性主要是建立在多样性的基础上的,因为媒介、内容表现的多样,因为有图像、动画、影像、声音等的丰富表现,使学习者的学习不再是枯燥、单调的语言内容、教科书和练习形式。

　　在认知心理学理论中,知觉、注意与记忆是三个重要的范畴。目前认知心理学将知觉看做是感觉信息的组织和解释,也就是获得感觉信息的意义的过程。认知心理学认为,知觉与人的知识经验是分不开的,并因此而具有间接性质。实验结果表明,人在知觉对象时,是以已有的知识为依据的,有关景物的空间关系引导我们的知觉活动。

　　从认知心理学的知觉观点来看,对于一个客体的整体与部分的知觉是有所不同的,格式塔心理学认为,整体多于部分之和,整体决定着其部分的知觉。依照这个观点,整体是在部分之

---

① 参见林众、冯瑞琴《计算机与智力心理学》,浙江人民出版社1996年版。

前被感知的。Navon(1977)就此作了一系列的实验,实验的结果证明了这种观点。Navon的实验结果表明,听觉辨别的反应依赖于听觉刺激与视觉刺激的总体的一致关系。Navon因而认为,在一些情境中进行的视觉加工有着有限的深度,知觉开始于总体的组织,然后才是对局部特征的分析。虽然Navon的这项研究不是专门针对语言学习的,但是依据Navon的这项研究,我们结合多媒体辅助教学的多样性特性,即多媒体能从多种媒介来传播同一信息这个特性可以推断:利用多媒体来辅助对外汉语教学,感知语言对象的时候,更容易从整体上来进行感知,从而由整体到部分。而不是偏向于某一种媒介、某一种感觉通道,由部分入手进行感知的。所以,用多媒体来辅助教学应该是合适的。例如,用多媒体课件来教汉语语音的时候,教师可以通过课件让学生从听觉方面输入(不同语速、不同背景地听),也可以让学生从视觉方面输入(观看静态的舌位图、动态的发音器官变化以及由电脑所描述的音谱图等),学生对语音的知觉范围会更广,视觉与听觉更为一致,这些认知大于通过单独一种感觉通道对语音所作的部分的认知,所以对语音的认知也就更加深入、全面了。另外,随着多媒体技术的发展,将来通过触觉、味觉等更多的通道对对象进行体验、认知将成为可能,学生对同一对象的认知就增加了更多的感知通道,认知也将随之深入。

认知心理学对知觉的理解非常强调知觉的主动性和选择性,以及过去经验的重要作用。在此将多媒体辅助教学中的交互性与之结合起来探讨,是因为交互性体现出来的最重要的一点就是学习者具有很强的主动性,学习者可以自由地选择学习的方式、内容等等,这些正切合认知心理学的知觉理论。而关于过去经验方面，因为多媒体光盘以至局域网的大容量，以及多媒体链接技术的普遍应用，学生所学习的内容（学习过和尚未学习的）可以方便地连通起来，所以在辅助教学的过程中，也就更容易将感知对象与过去的感知经验联系起来。例如，学习特殊疑问句的时候，可以通过"疑问句"上的链接，迅速地转换到已学过的一般疑问句、正反疑问句等相关的内容上，从而将这些疑问句的新旧内容联系起来，进行对比，达到更好的认知。而且因为多媒体感觉通道多，所以知觉不会因为在一条感觉通道上堵塞住而无法与过去的经验建立起联系。新旧知识的快速、有效的联系使留学生的汉语学习具有更高的效率，语言习得过程得到加快。现在的多媒体至少能通过视觉与听觉两种通道的文字、图像、影像、声音、动画等将学生的学习内容展示出来，并在这里将各个部分、各种因素链接起来，学生在学习过程中就有较多的选择余地。例如，学习某个语法项目的时候，学生首先可以选择多媒体中的文字描述、解释，当这还不能完全理解的时候，可以选择相应的图像演示、动画演示，或者语音解说，还能选择观看相关的影像材料，增进对此语法项目的理解。而且，在学习过程中，由于多媒体具有交互功能，学生可以根据自己的理解情况，进入不同的解说、演示界面，获取最切合自己实际的信息，并得到相应的反馈与指导。这样学生知觉的主动性和选择性就能得到较大程度的发挥，对语言知识有更好的知觉作用。另外，多媒体辅助教学还能使练习形式上变得更加丰富，练习量变得更大（尤其是将多媒体技术充分应用于网络后），加上人机对话的应用，使得学习者在语言学习过程中有了更多的形式选择，更多的知觉通道。

注意作为心理活动的调节机制在认知心理学的发展中一直受到重视,注意的研究得到广泛的开展。这不仅仅是因为认知心理学将注意看做信息加工的重要机制,而且也由于认知心理学在整体上强调人的心理活动的主动性。关于注意的实质和特征,目前(王甦、汪安圣,1992)[1]主要强调其选择性维量,将注意作为一种内部机制,借以实现对刺激选择的控制并调节行为。"注意的功能在于把认知过程对准外部刺激,因此能收集有关信息"(John B. Best,2000)[2]。在认知心理学理论中,注意具有两种含义,即一般的警觉功能和选择性知觉两种。从第一种含义来看,多媒体可以通过其多样性,通过各种新的感官刺激和画面、声音的变化等等来较好地维持学习者的警觉水平,使学生不至于困扰在枯燥的语言知识之中。从第二种含义来看,要"将施加给学习者的刺激加以安排,以便强调所呈现刺激的区别性特征"(加涅,1965)。加涅所说的在于要突出将要在短时记忆中存储和加工的那些特征,多媒体本身媒体组合的多样性也决定了它有更多的方式来突出对外汉语教学中的特征。例如不同图形、不同颜色、不同声音、不同节拍韵律、不同画面等等,可以说各种媒体所有的方式多媒体也大都具有。所以,多媒体辅助对外汉语教学能提高、加强学习者对学习内容的注意,使教学效果的实现更具可能性。但是,也应当看到,多媒体的媒体多样性也可能在注意的范畴里导致另外一种结果,就是同时进行传播的媒体太多,信息之间互相干扰,因而分散了学习者的注意,使教

---

[1] 参见王甦、汪安圣《认知心理学》,北京大学出版社1992年版。
[2] 参见John B. Best《认知心理学》,中国轻工业出版社2000年版。

学达不到预期的效果。因此,充分地、客观地认识多媒体的优缺点对辅助我们的教学也是非常重要的,过分地渲染、夸大多媒体的作用必然会走向另一个极端,结果反而不理想。

记忆是认知心理学研究的又一个重要范畴。记忆包括编码、存贮和提取三个过程,我们在第二语言教学中主要研究的是编码过程,这个编码过程又包含了短时记忆与长时记忆两种情况。学习者在语言学习过程中首先将所感知到的信息形成短时记忆,然后经过加工形成长时记忆。心理学研究(藩菽,1963)早已表明,多种感觉分析器的协同作用是提高记忆成效的一个重要条件。在认知心理学理论中,视觉表象被认为是一类非常重要的记忆编码和存贮形式,所以图形、图像以及实物等,通过提供编码表象常常在教学中得以应用,被用于执行学习指导的功能。"如果正在学习的是语言信息,表象就会在很短的时间内提供大量的有意义的附加材料,以此作为对新习得的命题编码的背景"(加涅,1965)。而多媒体的视觉信息是非常丰富的,即使是实物也能通过视频图片或图像、影像展现在学习者的面前,所以说在这方面多媒体具有很大的优势。加涅(1965)还说过:"如果学习的刺激情境中增加了图片或实物,这其中的许多功能就能够更轻松更有效地完成了。"虽然这里加涅没提到多媒体,没看到多媒体的诸种特性,因为当时多媒体技术还没成熟、发展,更不用说应用到教学中去了。但是从目前的情况来看,多媒体的娱乐性确实能调节我们的课堂气氛,提供娱乐的刺激情境,使学习者能在轻松愉快的氛围中去感知信息、加强注意,从而将所接收到的信息有效地记忆下来,完成学习任务。第二语言教学的内容多是枯燥的语言知识,这些能通过多媒体课件的设计,将抽象的语法、语音、词汇等知识通过图表、图像、声音、动画等变得直观具象起来,有利于学习者的记忆形成,并在充分、有效地知觉、注意的基础上,将短时记忆发展成长时记忆,将所学的内容成功地进行编码,内化为学习者自己的知识。

在阿特金森和希夫林1968年提出的关于短时记忆与长时记忆的信息存贮库理论中,假设存在感觉登记、短时记忆以及长时记忆系统。其中短时记忆依赖于注意,所以上文谈到注意的时候,已经涉及了短时记忆。短时记忆转化成长时记忆有言语符号形式和非言语的表象形式两种,这两种形式在转化、加工信息的过程中可能单独出现,也可能同时出现,认知心理学家认为两者同时出现更有利于长时记忆的保持,而且,非言语的表象形式更能保留对画面等的有意义的解释。布兰斯福德等人1973年就通过一个实验证明了图画信息在理解散文材料中的强大作用。由此看来,我们所论述的多媒体中,非言语的表象形式远比其他媒体丰富得多,这显然有助于所感知的内容形成长时记忆。我们对外汉语教学的目的之一就是要通过教学,让学生将所习得的内容由短时记忆更多地转化成长时记忆,以使编码能力得到加强,汉语水平得到提高。

另外,在一些认知心理学家(John B. Best,2000)[1]看来,形成短时记忆编码的总是听觉或语音代码。所以,相应地我们也可以认为,长时记忆的形成除了听觉以外还需要其他感觉通道,这样,对信息的感知更深,记忆也就更有可能得到保持。那么我们在利用多媒体来辅助教学的时候,就要注意相同信息的

---

[1] 参见 John B. Best《认知心理学》,中国轻工业出版社2000年版。

不同媒体表现。而且这种不同表现在教学设计上要互相联系、互不干扰,这样,才有可能更好地加强和保持长时记忆。

第二语言的学习过程是对一系列符号的学习、存储及以后的提取和应用的过程,实现这一过程的时候,知觉、注意和记忆虽不能涵盖全部的心理,但是它们却是其中非常重要的部分。以上从认知心理学角度就这三个部分结合多媒体特性的分析,我们可以看出多媒体辅助对外汉语教学是具有重要的作用的。如何利用好多媒体这个现代化媒体对我们来说是一个新课题,而从认知心理学的角度去探讨和解决辅助过程中存在的问题,这对我们来说,也应该是很有意义的。

叁 网络汉语教学课件制作的误区[①]

随着越来越多的基于 Web 的网络教学课件投入使用,网络教学课件的开发模式也越来越趋于稳定,从学科教师培训(计算机基础知识、网络课件知识、多媒体技术、脚本规范等)、脚本编写、脚本审读、教学设计、素材制作、课件整合、课件审读、学员测试、课件审校、专家评审到课程发布,基本形成了一套完整的规范和操作步骤。尽管依据工程实施的原则,上述环节存在着复用和迭代,但满足网络教学质量要求的课件开发模式已经基本形成。基于这种模式,北京语言大学和华夏大地教育网共同开发完成了 23 门学历课程,31 门非学历课程(培训类),还有一批

---

① 本节摘自宋继华、吴志山、徐娟《对外汉语教学网络课件制作的三个误区》,《中国电化教育》2004 年 5 月。

正在研发当中。这些课程自"网上北语"(http://www.eblcu.net)2001年9月7日开通以来,已经被来自世界23个国家的学生选修,课程质量得到了国际范围的检验和认可,并在2002年的对外汉语教学国际会议上,获得了来自世界各地有关专家的一致好评,这些评价对于课件开发的合作双方——北京语言大学和华夏大地教育网无疑是很好的激励。但同时也应承认,针对具体的某一开发环节,仍然存在着一些认识上的不足和实施过程的误区。尽管这些不足和误区并非对外汉语教学网络课件所特有,而是在目前IT行业内部,特别是教育部所属的67所网络试点院校都不同程度地存在,但我们还是愿意结合对外汉语教学网络课件开发过程来阐述这些相关问题,达到与同行商榷、求取共同进步的目的!

要阐述的问题虽然很多,但我们认为有三个误区比较典型,它们是:课件制作之前的内容脚本量是不是越大越好?课件制作之中的媒体使用是不是越多越好?课件制作之后的审校是不是越细越好?这三个比较典型的误区贯穿了整个网络课程制作的全过程,也涉及了网络课程制作过程中的所有参与者,因此有理由,也有必要对此问题提请关注,深入探讨。

一 内容脚本量是不是越大越好?

课件制作之前的内容脚本是整个网络课件制作的基础,也是整个网络课程最终能否满足学习者需要的最重要的环节。从某种角度而言,脚本的优劣决定着最终课件品质的高低。这自然也就引起脚本提供者和课件制作者双方的关注,因此在此环节投入的时间和精力也就最多。鉴于网络课程开发还是一件新生的事物，很多脚本提供者——学科教师又都是传统教学模式的实施者，对网络课件的脚本没有很恰当的认识和把握，因此在合作初期，我们曾采取以下三个步骤来保证学科教师能够提供相对规范的脚本。这三个步骤是：第一，对学科教师进行计算机基础知识和网络课件、多媒体技术等方面的培训，使他们对此领域有初步的认识（这一步骤目前已经被高等院校教师现代教育技术培训所替代，且实效显著）；第二，对学科教师进行脚本写作规范的培训，该规范的目的是使后期所开发的课程具有统一的风格，以利于学习者使用；第三，请学科教师编写一章或一节脚本样例，开发人员对该样例进行制作，使之成为样课，通过样课具体制作过程的实施，使学科教师和制作人员对对方拟要实现的目标都有比较深入的认识、交流和理解，之后在此基础上，才进行大规模的脚本编写和课件开发。

　　由于学科教师对网络教育的形式缺乏深刻的认识，也由于多数学科教师受传统教育模式惯性思维的影响，更由于对网络教育没有时空限制说法的笼统理解，导致接下来的脚本编写环节，学科教师为追求内容的丰富、创意的鲜明、练习形式的多姿多彩，致使所编写的网络课件脚本较之传统的纸版本教材的文字量多了许多，在前述23门对外汉语教学学历课程中，其中脚本量超过100万字的课程就有三门。如此数量的脚本，直接导致了后期脚本审读、课件制作、课件测试、课件审读、学员试用、课件审校等等环节时间量的增加；间接导致了整个课件开发成本的增大，尽管按照传统课堂教学所用的纸版本教材的内容组织应如此，但在网络环境下如此大的课业量显然不利于学习者学习。以其中一门课程的某一课为例，传统课堂教学规定教学时间为 4 学时,具体分配如下:生词 30 分钟(该课生词为 61 个),课文 1.5—2.5 小时,语言点和重点词语 1 个小时,变成网络课程后,显然对于母语非汉语、处于远端而又无指导的学习者而言,所花费的时间肯定要超过 4 个小时。不仅如此,该课练习部分共 235 道题,且相当一部分题目都是问答题,如果回答一个问题(学习者自己通过键盘输入答案)平均需要 1 分钟,则完成这一课的全部练习就需要将近 4 个小时,而事实上对于远端的外国学生一分钟回答一个问题,显然不现实。因此,这样计算下来,整个课程的学习是不可能按照传统教学规定的教学时间完成的。

导致网络课程的学习时间不能按传统课堂教学时间进行的另外原因也很充分,抛开目前网络带宽的限制不谈,就是传统的纸版本教材一旦被开发成为网络课程之后,内容与内容之间的结构关系就发生了变化,同样是 100 万字的文字脚本,如果是传统的纸版本教材,阅读起来因为是线性的,所以只要认真、耐心,一般人还是能容忍的;但一旦变成多媒体的网络版本教材后,不仅增加了视频、动画、图片、声音等多种媒体的表现形式,而且内容与内容(知识点与知识点)之间不再是简单的线性结构,而是超文本或超媒体链接的形式,阅读起来的时间量就会成倍地增长。有资料表明,人们在屏幕上阅读要比在纸上阅读速度慢 30% 的时间,且在屏幕上阅读很容易造成人眼疲劳,也有资料提出影响超文本阅读效率的心理学问题有五条:(1)认知负荷问题;(2)线性文档与非线性连接的组合问题;(3)Back－Forward问题;(4)导游线路问题;(5)其他问题。因此网络课程学习较之传统教学需要消耗更多时间的事实也就不足为奇了。反过来,前期学科教师在编写如此大量的脚本时,也势必耗费相当多的心血,而结果是否如愿,难有定论。因此,在一门课程内试图通过脚本量的增加,来完成多门课程的教学目标,是否一定能够达到目的,值得商榷。

有效的方式应该是:脚本的提供者要精选教学内容,切忌书本搬家,防止以量取胜,教学内容要尽量模块化,要分出层次,要区分难度,其目的也是尽可能符合个性化教学的需要。

二　媒体使用是不是越多越好？

网络课程不同于传统的纸版本教材也正因为它不仅可以采用文字媒体来表征知识,而且可以用声音、图片、动画、视频等多种媒体来表征,从而导致网络课程学习起来可以丰富多彩,但这同样又带来了一个问题——是不是媒体使用得越多越好呢？

孤立的媒体运用是没有任何意义的。网络课程选用适当的媒体,一定是该种媒体在表征知识、创设情境、提高兴趣、将复杂的问题具体化,或者是通过媒体进行游戏教学、强化训练、扩展课外知识、突破重点和难点方面有特殊的效果。而且这种应用也一定是结合具体的教学内容才能达到目的。否则,不分青红皂白,凡事都用多种媒体表征,必然造成媒体的滥用而事与愿违！

那么,如何把握媒体使用的度呢？

要正确地运用媒体,首先应该对每一种媒体的特性有所了解,以行业上的术语而言,每一种媒体都有每一种媒体自己的属性(特性),比如文字媒体,就有字体、字号、色彩等属性之变化,声音媒体就有读音、音效、音乐等效果之选择,图片媒体可以真实情境再现(静态),动画媒体可以真实情境模拟(动态),视频媒体可以进行事件仿真(动态)等等。在每一种媒体运用的过程中,都要思考这种媒体的运用有没有充分发挥了它的特性。以文字媒体为例,它虽然简单,但依然可以通过字体、字号和颜色的变化来达到充分表征知识、引起视觉重视的目的。

我们这里强调:媒体的选择一方面要根据教学内容、教学知识点的难易程度来设计、安排,另一方面也要考虑选择媒体后所制作的课件在目前网络带宽的条件下是否传输通畅。在这方面,实验心理学家赤瑞特拉(Treicher)的两个实验能够给我们以启示:一个实验是关于人类获取信息的来源,即人类获取信息主要通过哪些途径。他通过大量的实验证实:人类获取的信息83%来自视觉,11%来自听觉,这两个加起来就有94%,还有3.5%来自嗅觉,1.5%来自触觉,1%来自味觉。多媒体技术既能看得见,又能听得见,还能用手操作。这样通过多种感官的刺激所获取的信息量,比单一地听老师讲课强得多。显然这里强调的是多种媒体(多种特性)的综合运用! 由于信息和知识是密切相关的,因此获取大量的信息就可以掌握更多的知识;另一个是关于知识保持即记忆持久性的实验,结果如此:人们一般能记住自己阅读内容的10%,自己听到内容的20%,自己看到内容的30%,自己听到和看到内容的50%,在交流过程中自己所说内容的70%。这就是说,如果既能听到又能看到,再通过讨论、交流用自己的语言表达出来,知识的保持将大大优于传统教学的效果。显然这里又在指导我们充分运用多种媒体的特性创设交互的情境,以使学习者有更多主动参与的机会。

我们以《旅游汉语》课程为例,来阐述媒体的有效应用。在

《旅游汉语》第十八课"看北京城"一文中,有"背景知识"和"休闲一刻"两个栏目,前者介绍了"故宫""九龙壁""琉璃厂文化街";后者有"北京小吃""二十四式太极拳"。其中"九龙壁""太极拳"可以文字媒体介绍,可以图片媒体表征,当然也可以视频媒体来展示,但鉴于前两者都不足以使学习者有亲身感受或造成视觉上的冲击;后者虽然可以使学习者身临其境,但视频即使压缩以后,其文件容量仍会很大,影响在目前带宽上的传输。因此,对于"九龙壁",我们采用了虚拟现实技术,借助图片媒体将分段拍摄的"九龙壁"照片缝合,构成了"九龙壁"的全景图,这样学习者可以通过鼠标的左右移动反复观看。而对于"太极拳",则采用动画媒体,透过嫩绿的草地、静碧的天空、飞翔的大雁、明媚的阳光这一整体背景,伴以浑厚、雄壮的乐曲,一位身着中式服装的武者在舒缓移动,人物造型虽不完整,身体各部位处于有形无形之间,但这种表现手法恰恰无形胜有形,将太极拳的神韵刻画得淋漓尽致,给人以美的享受和文化上的冲击,从而使学习者达到学习、理解的目的,而整个动画文件的存储容量却非常地小,仅922KB,丝毫不影响传输。

因此网络课件中适当地、适度地运用多种媒体表征知识,创设情境提供学习者参与,不仅非常有利于学习者知识的获取,而且非常有利于知识的保持。但这里我们要注意,到底使用多少种媒体表征知识?到底使用哪一种媒体表征知识?一种媒体表征是否一定比另外一种媒体表征更有效、更有利?……等等,对于这些问题目前尚没有绝对的量化指标可以遵从。也正因为如此,才使得多媒体技术的应用留给使用者巨大的操作空间。我们同时也要认识到:多媒体课件有其图文并茂优势的同时,也必然导致课件存储容量增大和表征过于具体的劣势,这一劣势的前者在低速网络或用户较多而线路繁忙时,如果传输受阻,将会影响学习者的心情;而后者则有学者称"多媒体的表现方式太过具体,因此越来越难找到想象力挥洒的空间。相反,文字能够激发意象和隐喻,使读者能够从想象和经验中衍生出丰富的意义",因此过多使用多媒体是否影响个体学习者创造能力的培养,尚无定论。权衡利弊,目前开发的对外汉语教学课件的媒体选择,应该适度,防止滥用!

三 课件审校是不是越细越好?

课件审校是不是越细越好?回答当然是肯定的,但实际操作起来却并非易事!

课件审校是网络课件质量保证体系中非常重要的环节。同传统纸版本教材出版发行一样,作为电子出版物,网络课件准备上网发布之前,既需要保证其课程没有科学性、知识性和政治性的错误,还需对课件的总体设计,文字、图片、声音、动画、视频等素材的版权,各种媒体素材之间、知识点之间的超链接,课件的整体风格等方面进行严格的审查。因此,在网络课件发布的组织与管理中,我们曾实施以下四个环节的步骤来对质量加以保证:

第一,课件审读。由学科教师对制作完成的课件进行审读,对制作过程中的科学性错误、知识性错误、政治性错误再次进行校对(有些工作在脚本审读时已经进行),并提供给制作人员修改,同时,就所完成的课件多种媒体表现知识点的方式是否有效、是否恰当地反映了设计者的需求,都应给予明确的修改建议,这些建议以及学员测试环节的测试结果均以报告形式提供。

第二,学员测试。组织有关外国留学生对已完成的各门课件进行试用,除进行有关错误的审校外,还对课件是否真正满足学习者的需要提出看法,并对课件不能满足学习者需求的地方提出意见。例如,对外汉语教学过程中,学习者的典型特征是非母语的外国人、处于远端、学习无指导,这种情况下,网络教学课件或平台中就要提供充分满足学习者需求的各种有效工具,诸如在线词典、在线录音、声音比对、语音校正等功能,这些将有助于学习者学习。

第三,编辑审校。为保证课件发布后错误率降至最低,保证教材质量,并对学习者负责,对在网上发布的电子教材实行审校制度。这里专门设置网络编辑部,完善编审机制,对测试并修改完成的课件按出版要求进行审校,并实行签字制度。

第四,专家审查。由学科专家、媒体制作专家、远程教育专家、有关主管教学的院校领导等组成的专家委员会,根据前期提供的课件制作素材、课件审读报告、学员测试报告、编辑审校签字等有关材料,对所有课件进行等概率抽样审查,审查通过的课件才有资格上网发布,如有科学性、知识性、政治性错误、媒体使用不当、超文本或超媒体链接有误、使用资源有侵权倾向等问题,限期整改,整改后的课件经过再次确认方可投入使用。

上述四个环节是环环相扣的,后者是前者的递进,也是以前者为基础的。如果我们按照开发流程一直向前推导,那么内容脚本的品质是质量能否得到保证的最初始的环节。从软件工程角度出发,内容脚本环节就相当于需求分析阶段,如果这个阶段出了问题,修改其错误耗费 1 美元的话,那么到了软件发布之后,发现该错误再去修改,则要耗费 200 美元,即为 200:1的比率。网络课件开发前期错误发现与后期修改错误投入的比率虽然没有前述的系统软件的比率那么大,但同样是很高的。因此其质量保证的过程应该是全面质量保证体系实施的过程,即每一个环节都应该严格进行,从而到最后的课程发布时,质量才能得到有效的保证。否则,等到课件全部开发完毕后,再在这一个环节上去进行详细审校,仅从时间上讲,就是不可能完成的。原因就在于原本线性的文字脚本,在制作完成后,已经变成非线性的、具有多种媒体表征和超文本(媒体)链接的网络课程,网页之多,链接之多,如果还是像审校文字教材那样,仔仔细细地审校,肯定不是短时间可以完成的。

正像目前在软件领域里流行的构件开发技术一样,后期的软件系统是复用前期的构件来完成的,此为构件的复用,而后期软件系统的质量又是有前期构件质量的保证,这种模式是软件得以快速发展的有效机制;同样,对外汉语教学的网络课件的质量保证,乃至规模发展也是前期实施环节的层层递进、环环相扣的结果,即从内容脚本、素材制作、课件整合、课件审读、学员测试、编辑审校以及专家审查每一个环节都严格按质量要求进行,而绝对不是不管之前环节的质量如何,只要最后一步保证就能使整个系统的质量一锤定音的。在我们实际开发的个别对外汉语教学网络课件中,的确有因前期内容脚本审查环节不合格而导致后期课件制作完成,经学员测试和编辑审校后发现非常大错误量的事实,乃至后来编辑审校、制作人员修改该门课程所投入的时间比开发该门课程所投入的时间还要多,直接导致了课程开发成本的增加。

因此,网络课件审校的细,不是在一个环节上极端的细,而是所有环节上全面质量保证体系的实施。

四 结论

在走过了网络教育盛行的浮躁期之后,越来越多的试点院校和行业以及相关人士开始关注网络课件自身的质量要求,这种质量要求不是以大张旗鼓的口号式的操作进行的,而是以关注更为细致的操作环节来实施的。质量的保证不是一朝一夕可以完成的,但一定是以优化每一个操作环节、澄清每一个错误认识、奠定每一步基础来渐进的。有了这样的理念,才能反思我们已经实施的步骤,才能深化我们的过程,才能推进此项事业的进步。

自然,本文探讨的三个误区并不全面,目前对外汉语教学网络课件制作的误区还有很多,比如说,是不是我们请了几位传统的学科教师编写脚本就是符合教学规律了?是不是把几种传统纸版本教材与习题库整合在一起就构成教学内容了?是不是开发小组设立一位教学设计人员,整个课件就算进行教学设计了?……等等。诸如此类的问题还有许多,鉴于目前社会及行业发展的现状,很多问题不是一蹴而就就可以意识到的,即使意识到了也不等于就可以解决的!但意识到了总比没有意识到要好,意识到了就可以引起重视,就可以准备着手解决,从这一点上来说,澄清认识是非常必要的。

第四章
现代教育技术与汉语教学

第一节 影视技术在汉语教学中的应用

壹 语言环境与影视技术[①]

一 引言

影视技术的设计必须充分考虑到学习者特性、任务以及对学习情景预先的分析,准确把握设计与学习主体间相对接的契合点——主体的需要和特点。

由于通常我们对教学中影视技术的误解是运用它完全是因为方便而不是真正教学上的原因,所以在大多数的语言教学活动中,影视技术还仅仅只是一个漂亮的现代化术语。其实技术的真正含义并非运用设备本身。现在我们知道通过录像故事训练听力的学生要比没有视觉辅助的学习者进步更快(Rubin,1990),这是因为如果录像被选择用来提供信息处理的线索,那就能提高听力理解,所以关键是选择,并非运用录像本身。

---

① 本节摘自丁玉华《语言环境与影视技术的运用——对外汉语教学中影视技术的运用》,《海外华文教育》2002年第1期。

二 对影视体裁中狭义语境的把握

首先,影视题材之所以重要是因为它们预先告诉我们信息在"语篇"中将会是怎样安排的。比如多数情况下故事语法的图式可能是共项,而不是哪一种文化所独有①。这并不是说故事图式没有文化差异,而只是说某些图式在文化上是不变式。这就意味着并不是所有在艺术上好的电影都可以成为好的影视教材,教师在选择影视教材时,因注意故事情节的安排,使所选的材料尽可能靠近人们典型的、期望的安排。因为在学习者或多或少已具备相关的图式②的基础上,就可以把注意力集中在语言学习本身,而不至于光注意了影视片的内容与情节而忽视了对词汇与语法知识的关注。相反,当人们缺乏一个与正在展开的故事相适应的图式时,理解和记忆都会很困难,他们将无法了解所描述的事件的含义,继而影响对语言本身的关注。

其次,把握影视载体输入的多渠道性与输出的互动性。在心理学界一般认为语言信息是以意象③的形式储存于记忆中的。也就是说当人们在接收一句话时总是与这句话所描述的对应情景一起接收。而这个对应情景的概念与电影电视的叙事载

---

① 故事语法是语义记忆中的一个图式,用以标志故事中事件的典型的、期望的排列。

② 图式论的主要论点是,人们在理解新事物的时候,需要将新事物与已知的概念、过去的经历,即背景知识,联系起来。结果表明,背景知识和语言难度对学习者的理解产生不同程度的影响。只要学习者具备与学习材料相关的背景知识(图式),即使语言偏难,理解也能得到保证。

③ "意象"指一种假设的内在心理复现,它与一些外部物体有一对一的对应关系。

体——镜头又十分地相像,两者都不仅包括了听觉成分、视觉成分还包括了情感成分(不但指影片中角色当时说话的动机与情感,也包括学习者在理解影片后产生的情感变化)。通常当人们回忆意象中的一个项目时,总是会连带回忆出同一意象中的其他项目。所以各种感觉器官共同参与语言的存储必然会对语言的输出起积极的作用。这就要求教师在语言教学时不但应注意到影视体裁作为语言输入多渠道性这个特点,更重要的是能选择有效的方式方法来激发学习者的记忆系统。其中一种方法是通过提问来激发学生调动各种感觉器官参与语言的学习。提问的目的在于引起学生的注意和思考,可以在看影片之前提问或是看完影片之后提问,但针对影视教材所提的问题应使学生能主动利用与听觉成分(具体的话语)相关的视觉成分,情感成分(话语的语气),来辅助自己对语言的理解与记忆,使自己在解答老师提出的问题的同时提高语言输出的正确率。这个正确率不仅指语法结构上的,也体现在语言运用的得体性上。各种感觉器官共同作用把语言置于一个"真实"的交际背景下,使每一句话都有时间、地点、场合、较长的对白上下文和言者的背景(年龄、性别、身份)伴随,这样就可促使学生牢牢记住那些特定场景中的特定话语。

三 广义语境与影视技术的运用

(一) 如何利用影视技术营造课内语言环境

"语言是什么?"只有弄清楚这个问题才能教语言。假如我们认为语言是知识,学生们明白了老师讲的道理就能够学会语言,那么我们就会用传授知识的方法来教学,但事实并非如此,语言学习不是学一套知识,而是学一套技能。所谓技能就需要反复地实践和练习才能掌握。虽然第二语言的学习者没有母语学习者那样优越的实践环境,但成年人语言习得也并不需要重复儿童那样的行为,所以在学校中照样可以创造语言环境,学会第二语言。只是关键在于选用什么样的语料进行第二语言教学,以及怎样使用这些语料来创造一个良好的课内环境。课内环境——包括由教师和教材所提供的各种语言输入,以及组织学生用目标语进行的操练和交际性的语言实践活动。

影视教材从某种程度上讲,很像中高级阶段的一些所谓的精读课,在这些课上由于课本的难度增大,教师总是会对语言的材料作大量的分析讲解,这样学生们相对地就没有多少实践机会了。同样,影视作为语言教材也会遇到大量的生词、文化背景知识、语法难点,还有最难控制的语速问题。如果对每一句台词都一一分析,由于我们教学课时的有限,大量的讲解就会挤掉输入语料的时间,结果是排除语言内化的前提条件,排除实践的机会,使语言教学的过程与语言习得的规律背道而驰。因此,教师在影视课上不仅要有控制语言输入量的能力,还应有让学习者在课内充分进行语言的实践的能力。现在就让我们举一个具体的例子来分析如何运用影视技术营造一个良好的语言实践的课内环境。

针对场景性影视题材(电影或电视的片段)的设计

1. 设计的目标:使学生学会在特定场合说符合该场景的话语。
2. 对学习者的分析:一方面虽然第二语言学习者大都来自各个不同的国家,具有不同文化背景,但面对同一类型的场景,即使是不同文化背景下的说话者,从语用学的角度来讲,也可能使用同一种语用规则。语用规则的相同使不同的言语变得容易理解。另一方面每一种语言都有它具有民族个性的部分,这是学习者学习的难点。

3. 设计的方法:首先教师要收集不同文化背景下的同一场景的各种影视资料,把这些资料编辑在一起,让学生比较它们彼此的异同。在初步认同、理解的基础上借所看影视片的场景展开语言实践。

4. 课堂语言实践:

a. 观看影视场景片段,让学生自己试着体会话语中深层的异同。

b. 让有相同文化背景的学生,对自己所熟悉的场景片段进行汉语配音练习。

c. 教师必须指出同一场景以汉文化为背景与以其他文化为背景在表达上的异同。然后让学生模仿学习,进行分组实践练习。

我们说第二语言学习是经验性、实践性的。经验性、实践性是指听、说、读、写四种技能的每一种技能都必须在大量的经验与实践的基础上才能形成。在语言教学的初级阶段,由于学生语言水平所限,客观上限制了教师的讲解而强调了对语言的操练,所以这个阶段的教学效果比较显著。但到了汉语学习的中级、高级阶段,由于学习者的听力水平、理解力都有了明显的进步,教师在课堂的讲解也逐渐增多,直至用传授知识的分析性讲解完全代替了给学生创造必要的课内语言环境。缺乏语言实践的教学是违背语言习得规律的,"第二语言教学不管是语音、语法、词汇、语用还是文化都应该在实践性原则之下进行。第二语言教学教师的责任不是传授知识而是给学生创造语言环境,创造实践机会。"[1]

(二)重视课外语境的利用率

对于在中国留学的外国学生来说,他们并不缺少接触汉语的机会,他们有充足的目的语自然环境、人文环境,因此他们是否能学好汉语,关键还在于有没有很好地把握住身边的每一个机会。如果他们对已有的资源没能很好地利用,那么我们就应该分析是由什么原因造成的,是客观因素呢,还是主观因素?

从本人对我校留学生进行的一次随机问卷调查中发现,具有丰富语料的电影、电视资源现在并没有被很好地利用,虽然主观上绝大多数的留学生认为看中文电视对自己的汉语学习有帮助,但实际情况却是平时很少看中文电视的占了被调查学生总数的37%,平均每天看一个小时左右的占28.57%,两个小时左右的为5.7%,三个小时左右的为13.3%,四个小时及四个小时以上的都只有8.5%。咎其原因,语速太快,生词太多是影响留学生们收看中文电视节目兴趣与积极性的最主要的两大障碍,其次是语法和文化背景知识。

我们说再成功的课堂教学也不可能让学生像学习第一语言那样随时随地根据自己的需要和可能参加各种各样的活动。所以只有充分利用课外语言环境才能弥补课堂教学先天的不足。因此作为语言教学的影视课对其设计就不能只局限于课堂教学,还应把课外资源与课堂教学相结合的理念引入到具体的技

---

[1] 参见陈贤纯《语言是不是知识》,《第四届国际汉语教学讨论会论文选》北京语言学院出版社1995年版。

术设计中来。

　　课堂上所学的内容如果能被学习者用于课外的应用、实践，所谓学以致用，一定会反过来提高学生课内学习的兴趣。所以关键是什么样的教学内容可以调动人的主观能动性，使人产生积极参与语言学习的意识。从学习的主体是学习者的角度考虑，影视技术的设计应建立在学习主体的学习目的与兴趣之上。因此，在技术设计前应首先了解哪些影视体裁能激发起学习者的学习兴趣。其次，针对学习者感兴趣的影视体裁，分析它们各自作为语言教学输入的利弊，以便制定具体的教学方案。从问卷调查最后统计的数据显示学生们最喜欢看的是电视剧，仅次于电视剧的是新闻报道，接下来的是音乐 MTV，其次是纪录片，再其次是综合文艺类节目、体育比赛和访谈类节目。从激发学习者学习兴趣的角度着手，根据不同的教学对象教师应该选择不同的影视题材。就教师而言在教语言的同时，还有必要传授给学生一种有效的利用影视资源的学习方法，引导学生充分利用触手可及的影视资源，提高他们对现有资源的兴趣和重视程度，从而自觉主动地把握已有的影视资源。如此，课外学习才可能真正成为学生课堂教学的延伸，影视技术与可利用的学习环境之间才可能达到相对和谐的结合。

　　另一方面，利用课外影视环境强化语言教学除了需要设计出具体的教学环节，还需要有相应的检查方法。教师可根据课上已教授过的语言点要求学生收看与此有关的电视节目，并布置相应的问题回答。在语言教学中，教师不应只满足于教，或是在课堂上让学生操练完毕了事，以为学生已经掌握了教学的内容。因为我们学习的过程一般总是学习之后接着做，得到信息反馈之后再学习,抓住课外丰富的影视资源使其成为课内学习的反馈是技能学习必不可少的环节。至于如何能充分利用这个反馈,关键是加强教师的指导制约和目的性,以恰当的指导和具有制约性的手段将学生"赶入"自然的社会环境,且前有明确的要求,后有认真的检查评价,全过程始终处在教师的控制之下,是有计划、有步骤的规范的教学行为。

抓住学习者的兴趣进行技术设计,强调设计中的反馈环节,都是为了使课堂和课外的学习相辅相成,以前者影响后者,又以后者补充前者,最终使学生的语言学习与习得很好地衔接起来。

四 结语

在未经系统设计之前的影视资源,其内在隐藏的许多特性与人类语言学习的认知规律不谋而合,这是影视技术能被运用于语言教学的原动力。但影视资源的"图式效应"、"意象说"所蕴涵的狭义语境能否发挥作用不在于条件本身,而在于如何运用。图式效应对语言学习者来说有利有弊,因此教师在选择影视教材时,应注意故事情节的安排,使所选的材料尽可能靠近人们典型的、期望的安排。使学习者在或多或少已具备相关的图式的基础上,可以把注意力集中在语言学习本身,而不至于光注意了影视片的内容与情节而忽视了对词汇与语法知识的关注。在利用人类储存语言信息的方式上,激活记忆中以多种感觉器官方式储存的信息形式,为理解与输出正确、得体的语言服务,是教师影视技术设计的关键。

除了狭义语境,微观语言环境也是本文讨论的一个重点。微观语言环境是学习者输入和反馈的场所,而且将最终影响到学习者第二语言获得的质量和层次[1]。从对外汉语教学的实际来看,人们对微观语言环境的认识是,重课内环境而轻课外环境,这无疑是对丰富的语言环境资源的巨大的浪费。因为课内环境的有限性(时间、空间条件)和学习需要的无限性始终是一对矛盾。解决这一矛盾的主要方法之一就是尽可能把课堂教学引申到课外,以恰当的指导和具有制约性的手段将学生"赶入"自然的社会环境中。而具有丰富语料的影视资源通过教师对教学的整体设计与安排完全可以成为课内教学的衔接与连续。在影视技术设计中抓住学习者的兴趣,强调设计中的反馈环节,就能使课堂和课外的学习相辅相成,最终使学生的语言学习与习得很好地衔接起来。

贰 电视实况视听说教学[2]

一 电视实况视听说课的理论探讨

视听教学法产生于 20 世纪 50 年代的法国,这种教学法在听说法的基础上增加了视觉感官的效果,无疑在提供语言习得环境上有了长足的进步。当时,由于条件限制,所谓视觉效果,不过是图片、幻灯、电影等,与今天我们所说的以看电视录像为主要内容的视听说教学有着很大的不同。在听说教学中使用实况语言始于 20 世纪 70 年代,当时曾引起了人们的争论,争论的

---

[1] 参见张崇富《语言环境与第二语言获得》,《世界汉语教学》1999 年第 3 期。
[2] 本节摘自孟国《"电视实况视听说"课的教学实践与理论探讨》,《天津师范大学学报》1996 年第 6 期。

焦点是听力教学是使用真实材料,还是使用教师编写的人工材料?通过争论,人们进一步认识到使用真实材料的重要性。教师和教科书的编写者都应力图将真实材料和真实的交际任务联系起来。所谓真实材料,英国教学专家玛丽·安德伍德认为就是"普通人用普通方法说的普通语言"。不仅听力教学如此,视听说教学更是如此。实验证明,人们在视听并用时所接受的信息明显高于单纯的视和单纯的听。而在正常的言语交际中,绝大部分也是视听并用的,视而不听者是聋哑人的语言,或是人们在交际时偶尔用到的体态语,听而不视者唯有听广播、打电话等。因此在教学中提供视听并存的语言环境,将会大大促进学习者的习得过程。这种环境应该是交际实况的再现,应尽量接近现实交际的原貌。这种交际过程中的"视",只是一种辅助手段,虽然在人们的言语交际中常常借助于这些手段但又绝不像影视演员们那样地丰富多姿,甚至过分夸张。而听到的则应是真实交际过程中的言语表达,是实况语言,并非一定必须是十分规范和标准的,因为现实中人们的言语交际本身就是这样。实况语言的特点十分突出,真实、自然、口语化,与经过加工的语言有很大的不同,有的流于地方普通话,发音不够标准;有的口语化太强,离开语境很难理解;有的偶有语病,甚至语无伦次、令人费解。电视实况视听说就是再现社会上真实的言语交际的实况,实际上,在课堂上为汉语学习者们提供了一个学习语言与习得语言相结合的环境。

电视实况视听说是在怎样的基础上发展形成的呢?

首先它源于一般的视听说课。视听说是对外汉语教学中比较年轻的课型,由于其声像配合,深爱留学生欢迎。最初,人们写好脚本,请人表演,如《中国话》、《开明汉语》等,后来又找一些内容和语言较适当的电视短剧,请演员排演。由于专用于教学,因此语言标准,语速较慢,与实际的言语交际存在着明显的差异。再以后,人们开始注意电视台平时播放的电视剧,根据学生水平和教学需要找出一些语言、内容和时间都适当的电视剧,甚至连续剧,根据录像整理出文字作为教材,与以前的内容比,这些电视剧语言接近实况,情节比较自然,反映的内容也受留学生的欢迎,但它毕竟是文学艺术作品,文学味过重,人工斧凿痕迹很明显,实际上仍与普通中国人的日常言语交际有着一定的差异。已有专家对中高级汉语精读教材中过多使用小说等文学作品提出异议,而今对以电视剧为主的视听说教学产生不满足也是理所当然的事。电视实况视听说吸收了一般视听说课声像并茂、生动活泼的长处,同时又在语境和语言的真实性上有新的突破,取材于电视中的实况材料,让同学看到、听到的是社会真实情况的再现。

其次它源于汉语实况听力课。汉语实况听力课,我们已有多年实践,由于它在课上再现了人们真实的言语交际,因此深受留学生欢迎。高等 HSK 的听力测试已增加了实况听力的内容,这门课将会进一步引起同学的兴趣。然而,实况听力课的弱点也很明显,一是难度较大,因为只是听,没有视觉感受,再加上实况语言自身的难度,有极个别的地方一般的中国人也很难完全听懂。第二个弱点是太枯燥,一遍一遍地听,容易使学生产生厌烦或畏难情绪。电视实况视听说课保留了其实况语言的特点,又增加了视觉感官的实况语境这一条件,在相当程度上克服了上面的两个弱点。视觉系统的形象性不仅大大提高了课堂教学的趣味性,同时在一定程度上降低了教学的难度,此外还扩大了信息量,在课堂上生动地展示了当今中国社会的方方面面。因此,此时的"视",已不是什么陪衬和摆设。当然,电视实况视听说不可能,也不应该代替实况听力,但它也确实具有实况听力课所不能取代的独特的教学效果。

总之,当电视已成为人们获取信息的主要媒体的今天,在汉语学习的课堂上展示了一个声像并茂的、真实的、丰富多彩的中国社会,受到留学生的欢迎是很自然的事。当然,电视实况视听说不可能适应所有学汉语的同学的所有阶段,它只能适应于中等汉语水平以上的同学,具体说,HSK 六级以上,国外中文系三年级以上的学生。或是在中国认真学习汉语一年以上的留学生。

电视实况视听说课要达到怎样的教学目的?首先是能够听懂一般人在一般条件下所作的言语交际。所谓一般人包括各行各业、各种文化层次的男女老少,所谓一般条件是指这些人用具有各种特点的普通话(包括地方普通话)所进行的一般生活的言语交际和对各种社会问题的议论。同时,通过此课还要提高能够看懂电视实况内容的能力,能够正确地从电视中获取各种信息。其次,说也是此课的重要目的,这里的说不是指视听理解过程中的简单问答,而是就电视实况提出的话题所作的成段的口语表述。再次,在语言的学和练的过程中,接触大量的当今中国的方方面面,因此此课的汉语学练过程自然就成了学习中国国情文化、了解中国人文化心态的过程。此外,在听比较难懂的有声材料时,快速准确地看懂理解字幕,实际上可以说是一种特殊的阅读理解。由此可见,电视实况视听说是以提高听说能力为主要目的、兼顾各类文化内容的学习,是对阅读能力也有所提高的全面提高汉语能力的课型,这一点在课后对留学生进行的反馈调查中得到了证实。

二 电视实况视听说课教学实践

选材是电视实况视听说课预备阶段中的第一步,也是十分重要的一步。顾名思义,电视实况视听说的选材,就是从电视中选取那些有语言实况特征的录像材料。这便要求教师要用大量的时间看电视,特别是电视节目中的纪实、采访等实况节目,如中央电视台的"东方时空"、"焦点访谈",以及各地方台类似的节目。由于事先不了解节目的具体内容,为了避免遗珠之憾,我们宁可多录少用。据粗略统计,在看过的十段内容中最多有三四段有录的价值,在录下的十段内容中最多有三四段可用在教学上,而这些可用的材料相当部分是一次性的,可以重复使用的不多,这是因为这门课具有极强的时间性和新闻性。

选材比较困难,是因为选取材料有着严格的标准。首先是语言标准。实况语言所具有的真实、自然的特点是最主要的选材标准。这些语言就是平常的对话和谈话,具有明显的口语特征,而不能过多地选录播音员的声音。这些语言材料对于一般的中国人听起来不应该有困难,反之则万万不可用。当然这一过程包括视觉系统,甚至包括电视屏幕上相应的字幕。在选材时要注意各种人物的口语,如不同的文化层次,不同的身份和工作,不同的年龄,不同的性格等,还可选用各地的地方普通话,但绝不能选用方言。不能把规范化视为唯一的选材标准,而摈弃那些活生生的言语材料,尽管这些材料中有的地方发音不十分标准,甚至偶有语病。其次在内容上也有着严格的标准。这些内容要真实地反映当今中国社会的方方面面,特别是自改革开放以来,中国所发生的巨大变化。这些内容应以健康的正面宣传为主,但也不必回避改革开放过程中社会上不可避免会出现的某些有一定普遍性的弊端。这样在学生们面前所展示的是一个改革开放的中国的整体。同时,还应考虑所选内容应尽量是同学们感兴趣的当今中国的热门话题。此外,还应注意以下几点:首先应是教师熟悉的题材,因为一个教师不可能熟悉各个方面的内容,掌握各种知识;其次应注意材料的声像效果;再次应选取无字幕或少字幕的;最后在时间上应适中,作为一个单元(两课时)的教学内容一般不应超过十分钟,必要时可以适当剪接。

选定的教材实际上只是一个声像材料,没有文字材料,所以备课的第一个环节应该是根据录像整理出一个大概的文字脚本。然后在文本基础上找出重要的、关键的、可能是难点的生词语和语法现象,作为教学中的重要内容,因为这些极可能是同学的视听障碍。特别是有的词语听时容易写时难;有的词语非常口语化或方言化,却不常写;有的词语很专业化,虽好写却很难准确理解其含义。这便需要我们认真查阅各种工具书。还要把文本分出若干小的段落,根据内容设计出各种各样的练习。最后寻找、挖掘本段内容的话题,作为说(成段口述)的练习。

此课区别于其他课型的重要一点是课前无须任何预习,不必作任何教学内容的透露和生词语及语法现象的交待。课上首先完整地看一遍录像,在不作提示的情况下,让学生们用一两句话谈谈录像的内容及看后的感想,也可以提出问题。然后根据备课过程中分成的若干小段,逐段反复看,使大部分学生能看懂大致内容。这一过程实际就是讲和练的过程。练习的目的是让大家听懂、看懂,并且抓住内容的核心。练习的形式一是问答练习,根据课文内容教师提出大量的问题,让学生回答,这些回答是很简单的,只是印证一下他们是否真的看懂了,如没看懂,其症结何在。二是让学生复述内容,其目的同样是印证一下学生是否真正看懂,而口语表达则是其次的,在复述过程中,教师可以酌情给予提示和讲解。当然,这些提示和讲解首先应该是引导式的,把学生的理解思路引导到正确的思维轨道,尽量让学生自己回答出正确的答案,而绝不可替代学生自己的视听理解过程。这样逐段地视听、练习、讲解后,学生基本上理解了内容。在此基础上让学生进行话题练习,也就是在理解录像内容的基础上,根据教师提出的话题,进行成段口述的练习。这个练习是视听说三者的完美结合,教师应及时纠正他们在口语表达中的错误,以求提高其口语表达能力。

三 电视实况视听说课的几点思考

第一,电视实况视、听、说三者应是怎样的关系?多年来,人们根据自己对课型的不同理解和教学对象的不同国籍,不同水平,使用不同的教材和不同的教学方法,把视听说上成目的不同、类型不同的各种课型,不过大部分侧重于"说",视之为一门口语课。而电视实况视听说对此则有不同的理解和做法,这里的"说"指的是话题的成段口述,而不是在视听理解过程中的简单问答。在不同的教学阶段,对不同水平的教学对象,视、听、说各处在不同的位置上。开始阶段——只视听而不说或少说的阶段,此时学生还不太了解这门课,加之汉语水平不太高,所以应以听懂看懂为主要目的,尤以听懂为主,视只是听懂的辅助手段,但快速阅读字幕也将是一个不可忽视的内容。在这个阶段,视听理解过程占去了绝大部分教学时间,视听与说的比例高达 6:1 到 8:1。即使只视听而不说也不失为一种很实际的教学方法。中级阶段——以视听为主,兼顾说的阶段,此时大约上了两三个月以后,学生已逐渐地熟悉了这门课,汉语的实际水平也在不断提高,说的比例应逐步增加,而视听的时间则越来越少,二者所占比例大致为 3:1 至 5:1。高级阶段——以视听为手段,以说为目的的阶段,此时这门课已上了一学期以上,视听障碍越来越少,自然所需时间也就越来越少,而用大量的时间根据对录像内容的理解和录像所提供的话题进行成段口述和讨论,此时二者所占比例大致为 1:1 到 1:2。

第二,通过不断实践,电视实况视听说课还有一些需要研讨的问题。

在此课的反馈调查中,不少同学提出希望预习,提前看到生词语,以减少课上视听过程的难度。这个问题的提出虽说不无道理,但提出者缺少对此课立意的理解。此课不同于其他课型的重要之点就是极强的时间性、新闻性,追求新鲜、真实和自然。备课时经常遇到的情况是今天晚上录的内容,明天上午就要用,因此,提供生词,在时间上也是不允许的。况且本课的立意之一就是要在真实的语境中理解或克服可能遇到的生词语或其他障碍。因为在现实的言语交际中,任何人也不会谈话前先给你一个生词表。这便提出了另外一个问题,即教材的生命力和稳定性从来就是一对难以克服的矛盾。在这门课的教学实践中,我们也发现在选中的教材中,确实有一部分相对稳定的内容,这部分内容时间性不很强,可以说是一个相当长时期内的热门话题。如:戒烟,中国人买汽车,野生动植物的保护,中国的变革与中国人的心理,残疾人的问题,贫困与反贫困,等等。如能把这样一部分内容的电视实况编成教材,与那些时时在发生的新闻性内容结合使用,至少有如下三个长处:一是因为有了可参照的文字材料,所以适当地降低了难度;二是减轻了教师的备课负担,减少了备课的时间;三是使这门课在一定程度上系统化,克服随意性。我们将努力争取并热切期待这样的教材问世。

学生们的兴趣不一,众口难调也是本课遇到的难题之一。在本课的反馈调查中,对已经学过的内容,学生们感兴趣和不感兴趣的五花八门,大相径庭。当然学生们的兴趣程度并非是我们选材的唯一标准,不过,让大部分学生感兴趣,确是我们应该努力做到的。

此课在教学过程中往往是天马行空,独往独来,缺少与其他课的衔接与配合。这一点与其说是个缺点,不如说是个特点。高等 HSK 已经出台,高级班的教学内容怎样与高等 HSK 联系也是一个值得思索的问题。在高级班的教学中,各门课的相互配合以及与前后课的衔接不像初级班那么重要。有一些独往独来的课是很自然的,也可以说是应该的。

第三,电视实况视听说课对任课教师有些特殊要求。所谓特殊要求,即相对于对外汉语教师所具备的一般条件而言。

与一般课比,此课课前准备的时间更多,因为目前没有固定的教材,因此,所教的内容永远是新的,况且要自己寻找教材,因此,要求教师不怕辛苦,肯于投入大量的时间和精力。同时还要求教师的知识面要宽,甚至超出中文系所教所学的内容,对历史、地理、时事、哲学、经济学等等都应有一定的了解和积累。并且,要有极强的应变能力。因为尽管我们认真备课,但很难预料同学会提出什么问题。此外,还要求教师对汉语口语要有一定研究,最好是要有口语课、听力课和视听说课的教学经历和教学经验。最后,准备一台较好的录像机和很便利的录像条件也是必不可少的一个重要条件。以上各点对一般的对外汉语课的任课教师也应该或最好具备,但对于电视实况视听说课的教师来说,则是必需的,不可缺少的。

第二节　网络空间中的汉语教学

壹　网络空间中的汉语教学[①]

20世纪90年代因特网的兴起,导致了信息革命,时空界限已被彻底打破。因特网对各行各业产生了深刻的影响,语言教学也不例外。为此,我国语言教学界早就有人呼吁有关方面要及时提倡运用新技术。1997年的"语言教育问题座谈会"上陈光磊先生就认为"我们面临着语言教育体制、教育观念和教学方法的一系列变革,那种立体的、动态的、交互式的语言教学模式

[①] 本节摘自张建民《网络空间中的语言教学》,《语言教育问题研究论文集》华语教学出版社2001年版,第302页。

必将逐渐建立起来,对此我们须早有考虑和准备"①。事隔几年,响应的人并不多,参与研究的人也不多,倒是科技界人士对此兴致勃勃,究其原因是国内语言教学界对网络技术了解不够。现在已不是"考虑和准备"的时候了,而是到了必须实施网络教学的阶段,在此有必要探讨一下网络语言教学的紧迫性和语言教师如何参与其中的问题。

一 网络教学呼唤着语言教学的变革

传统语言教学是用原子方式运作的,它以群体教育为基础,特别适合于课堂教学,这种模式延续了几千年,培养了一代又一代的语言人才,功不可没。但在二十世纪人类进入信息时代时,它的缺点就越来越明显了。学习者具有个体差异,强迫所有的人用同一进度,按同一步骤学习一门语言课程实在是不经济的。网络普及后,人们开始转向比特世界,通过各种网络接入手段在家学习个性化的语言课程,学习者可以利用网络资源,自由选择学习项目,在网络这个虚拟社会中进行交际模拟。网络作为一种新的语言教育手段可以实现以个体选择为主要学习方式的目标。因此得到世界上一些国家的政府或民间组织的重视。

和传统语言教学模式相比,网络语言教学至少可以说在以下几个方面给予了学习者更多的方便:

首先,自由选择学习时间。当今世界各国的交往日益频繁,语言作为人们表达思想的载体,也能成为学习的科目之一。但

---

① 参见《世界汉语教学》编辑部"语言教育问题座谈会纪要",《语言教育问题研究论文集》华语教学出版社1999年版。

是，对于在某地工作的人来说，学习时间的安排不能和在校学生一样；从事商业活动的人则时常穿梭在世界各地，区域的分割造成了他们不能去具有特定地理位置的学校，时空成了学习的障碍。网络语言教学没有时空限制，随时随地可以在他喜欢的学校注册学习，这种最方便、最高效、最自由的学习方式随着近来网络技术环境的不断改善，已成为人们最乐意采用的学习方式之一。

其次，语言材料的扩大。学习者学习语言需要接触大量的材料，传统课堂以课本为主，涉及所学语种的材料是有限的。在网上学习，通过网站的链接，学习者可以接触到丰富多彩的现实材料，学以致用。现在美国就有语言教师要求学生用所学语言在网上学习怎样订票等，而网上利用 Media Player 或是 Realplayer 实现的各种语言实时广播，则让语言学习者在地球的一端听到了另一端的声音，因为是数字信息，在传递过程中不会受损，它的清晰度是任何别的媒体不可比拟的。正是网上所特有的这些同步或异步语言学习方式营造了一个虚拟学习环境，让学生在交际中运用语言。

再次，实际会话能力的提高。网上现在已有文字、语音聊天室，也可以在个人电脑上免费直接拨打电话到很多国家，学习者在通过这些网上交际通道和所学语言国家的人交谈，或和世界各地学同一种语言的人交流的同时，也使他的语言技能得到了进一步的巩固，这跟传统课堂上和一个教师或是和本国学习者一起交谈具有完全不同的效果，网上学习更有现场感。从认知心理学角度来说，这种交流方式，将加快学习者把对语言材料的短期记忆化作长期记忆，同时让他们能在特定场合使用合适的语言交际策略。

另外,语言学习方式的变化。人类创造了网络,构筑了一个和现实世界有所不同的虚拟世界,虚拟世界里语言学习的方式当然也有自己的特色,确切地说,语言教师和学生之间已没有了传统教育那种教和学的关系。学生面对的是一个出现在显示器里的课堂,他可以采用诸如点播方式要求"教师"为他一字不漏地重复讲解同一个语法点,或是采用实时交互的方式要求教师以网络传真来修改他的汉字作业,这种多感官学习方式"在需要有图像、音频视频信息、模仿甚至虚拟现实(如三维空间)的地方也可以按教学要求结合起来"①。

由于网络时代的到来,学习者已在追求新的方式,作为语言教师现在最重要的还是直面网络世界,去迎接新技术对自己的挑战,将现实世界和虚拟世界结合起来。网络作为一个新兴产业,还不能一下子代替现实世界,这是事实,但语言教学界也不能因此忽略了它的作用。在语言教学处于新技术的影响下,要积极准备进入虚拟世界时,可以考虑从下面几个方面对语言教学进行改革:

第一,调整语言分技能的课堂教学时数。就教学效果来说,网络教学在阅读和听力理解上有其优势,通过后台数据库的运用,它能及时反映学生掌握这两项技能的情况,省时省力。教师可以把以往用在这两项技能训练上所花费的时间节省下来用于会话或写作教学上,这样一方面可以充分利用有限的师资,另一

---

① 参见奥托·彼得斯《数字化学习环境:开放远程教育新的可能与机遇》,《国外远程教育的发展与研究》上海教育出版社 2000 年版。

方面可以集中力量攻克中国人学外语或外国人学汉语所遇到的最难部分。

第二,把语言教育作为教育产业的一部分参与网络市场的竞争。语言是一种交际工具,也是一种文化信息的传播工具,对于人类之间的沟通具有重要的意义。现代语言教育和传统相比,目的已明显不同,在市场经济的主导下,人们已不仅仅把它作为一种纯粹的文化修养教育,而是作为迎合市场需求的一种生存教育或是职业教育。正是有了语言信息交换的市场,现在英语教师才走遍全球,汉语教师才跨出国门。

第三,将传统课堂的语言教学通过网络延伸到社区。随着各国对网络加大投资力度,宽带已开始进入教室和家庭,语言教师不仅可以站在某一课堂上为某一特定人群服务,而且也能坐在网络授课室通过现代通信手段将现场授课的语音、数据、图像等实时送到远端的课堂或家庭。在对传统课堂教学作进一步改革的同时,现在迫切需要语言教师将注意力放在虚拟社区的各个节点上,使学习者能有平等的受教育机会。

二 网络教学需要语言教师的参与

语言教学在网络上只是一角,但它同样要有先进的网络技术的支撑。适当学习一些计算机和网络技术,有利于语言教师和网络技术人员相互交流,创造出适合各种语言教学特点的网络课件和网上授课气氛。事实上,从现在的网络教学实践来看,语言教师的参与程度已成为评估一个课件质量高低的关键所在。

语言教学必然要涉及各种记录语言的符号,也就是计算机科学上所称的"字符"。字符显示东方语言和西方语言完全不同,在计算机上字符发生系统是以西方语言为基础的,要显示汉字、日文字母、韩文等必须有相应的软件来支撑。网络语言教学有一个极显著的特点就是它始终要在一国或多国语言的环境中进行,也就是说它要求浏览器能同时显示两种以上的文字,这使网络教学增加了难度,因为现今流行的浏览器由于各家所用的技术有差异,像 Netscape 目前就不能很好地让几种语言共屏显示。而汉语教学经常碰到的错字纠正如何用字符形式出现,哪些常用的错字在网上教学时要附加到字符集中现在也没有规定。上述情况极不利于网络教学,如何解决?我们认为需要语言教师给技术人员提出特定的教学要求,提供必要的数据。

网络教育之所以风行世界,除了打破了时空限制外,用多媒体展现教学内容也是其中的主要因素之一。语言教学当然要使用网络所能提供的一切教学手段,形成全新的学习方式和学习习惯。我们可以用 Web 来发布课程,用 FTP 来上传,下载学习资料。用 e-mail 来批改作业,用 BBS 来开设语言学习论坛,用视频会议系统来创建虚拟教室,用视频点播来选择自己喜爱的语言节目。但是把它们组合在一起的网络语言教学课件目前还相当缺乏,不能适应广大学习者的需要。形势要求语言教师发挥自己在教学领域的特长,将教学经验用上述技术写成课件脚本,以便创作出独具特色的课件。

网络语言教学从最初的静态文本形式发展到今天的动态、实时的多媒体形式,为语言教师提供了一个新的教学渠道。事实上现在一个网站教授语言是否成功,就看你有没有懂得网络授课知识的师资,而这样的网络师资从哪里产生呢?只有从现有的具有传统课堂教学经验的教师中产生,也就是说,网络正在呼唤语言教师走向虚拟世界,探索语言教学的新特点、新规律。

贰 网络汉语教学的因素分析与设计[①]

远距教学是指身处不同地点的学习者借由传播科技得以参与课程、相互沟通,达成学习的目的。以往的远距教学主要是借由广播和电视来传递接收教学资讯,自从电脑网路愈形发达后,已逐渐有对外汉语学者开始探究借由网路来教学的可行性(Gilbert & McGinnis,1995)[②]。亦即将电脑辅助教学的教材连上网路,远端的使用者可以直接透过网路传输来使用这些教材,不受时间与地点的限制。对于华语文教学而言,学习中文者散居海外各地,远距教学的方式十分契合其特性和需求。若各机构将所发展出的对外汉语教材挂上网路,世界各地的学习者只要有电脑账号,都可经由 Internet 直接使用这些课程软体。

而另一方面,教学媒体的发展也从传统的电化教学进化到电脑辅助教学,并发展至电脑多媒体教学,尤其近年全球资讯网(World-Wide Web or WWW)的兴起,提供了语音和视像的传输功能,更是将电脑网路与多媒体相结合,复伴随各地资讯高速公路的发展,使得透过电脑网路来进行远距学习的潜力大增,如

[①] 本节摘自信世昌《电脑网路"对外汉语教学"之因素分析与设计》,《第五届国际汉语教学讨论会论文选》北京语言文化大学出版社 1997 年版,第 428 页。

[②] 参见 Gilbert, W. & McGinnis S. 1995. Chinese Caprina: Authentic Reading Materials on Line, Paper Presented at the International Conference on New Technologies in Teaching and Learning Chinese, San Francisco, April 28, 1995。

何将中文教学与此新趋势相结合,是一值得探讨的课题。

全球资讯网(World-Wide Web),简称 WWW 或 3W,是一种能够表现文字、图像、动画、声音及影像,并提供简单互动功能的电脑网路资讯站,每个站都有一个位址,世界各地的使用者只要能连上网际网路(Internet),借助浏览软件(Browser),就可以进入分布于世界各地的 3W 位址,查阅其中的资料。若将各种形式的课程教材置于资讯站,世界各地的学习者就可透过电脑网路来隔空学习这些教材内容,例如英国的开放大学(Open University)即已发展出 3W 的远距教学课程。

然而,欲透过全球资讯网来实施中文远距教学,并非仅将书面的教材原封不动地挂上电脑网路,就可顺理成章地自动达到教学效果与远距学习的目标。其关键之处还在于,这些借由电脑媒体所传递呈现的讯息是否在内容处理和结构安排上能够考虑到各种情境因素:在微观方面,考量讯息接收者(学习者)的认知能力和心智模式,以配合教材的串接;而在宏观方面,考虑整个学习环境与教学资源。简言之,理想的对外汉语电脑辅助学习的教材应基于一些整合各种因素而发展出系统化的"设计"观念,包括着重教材内容的"讯息设计"(Message Design)、着重教学传递策略的"教学设计"(Instructional Design)、着重使用者(华语文学习者)与教材互动关系的"使用者介面设计"(User Interface Design),由于学习者是透过电脑来吸收资讯,又包括了着重使用者主导控制的"互动设计"(Interactive Design)和着重教材讯息视觉呈现的"荧幕设计"(Screen Design)或视觉设计(Visual Design)。然而,即使有良好的软体内容,也并不保证使用者就会乐于去学习,因此在宏观层面,尚包括着重于周边整体使用因素的"学习环境设计"(Learning Environment Design)。

其间更需要经过缜密的分析设计过程,将原本书面的对外汉语教材转换为3W的形式。为达到远距教学之目的,至少必须因应3W的特性,重组其教材结构,增加互动功能、提供线上咨询,并设计教学策略以迎合学习者不同的中文程度及需求,才能发挥教学功能,满足学习者的需求。

本文旨在探讨将对外汉语教材结合全球资讯网路所应考虑之面向,其中包括前置分析、整体设计以及其辅助支援功能。

一 前置分析面向

在前置分析方面,应先行从事:第一,需求分析;第二,目标形态分析;第三,学习者分析,考虑学习者的特性,迎合个别化学习需求;第四,教材分析,考虑设定不同等级、难度、类别的中文教材;第五,3W功能分析,迎合3W现有的功能及特性。

第一,需求分析。在分析之初,首先须将为何要透过网路来教中文的需求厘清,如前所述,对外汉语在海外推广时,面临着教学资源不足、师资不足,以及教学讯息流通缓慢的困境,因此,发展以网路来从事中文远距教学的目的,是为了要弥补教学资源与师资之不足,并提供快速方便的讯息交流管道,这就应预先作更广泛而精密的调查评估。由于网路具有国际性,其调查范围亦应及于世界各地具有学习华语市场之地区,而尤应重视该地区(国家)之网路建设情况、中文教学资源,以及潜在的学习者(使用者)之特性。

第二,目标形态分析。透过网路作远距教学之基本模式有三：

1. 以网路教材作为正规教学中的辅助教学；
2. 远距教学为主，但网路教材仅为其教学管道之一，其他尚可能包括函授资料、电视广播等管道；
3. 电脑网路为主的远距学习。

第一种情况可能发生于各地的中文教学机构，本身已具有中文教师和教材，3W 的教材仅扮演着辅助资源的功能。第二种情形必须将 3W 与其他的教学管道搭配，并须有既定的行政支援及教学管理，英国的开放大学之网路隔空教学即属之。第三种则完全依赖 3W 来呈现和支援所有的教学讯息和活动。其采行的模式会影响 3W 中文教学的教材内容、教学设计及功能，更会左右其目标的设定。

第三，学习者（使用者）分析。由于使用者是从世界各地连上网路，无法确认这些使用者的特性与目的，3W 教学必须预先考虑潜在使用者之可能身份及需要。使用者可能是中文教师，欲从 3W 上获取教学材料和资源，也可能是中文的学习者，欲从网路上直接学习中文。而学习者之特性分布，包括中文程度、学习动机、需求及所需的协助都应预先分析，作为教材拣选之考量。

第四，教材分析。根据前述的分析资料来拣选适当的 3W 中文教材，其分析原则包括：

1. 教材的数量与分量（课数及单元）。
2. 教材的层级（初级、中级、高级等）。
3. 教材分类（听力、阅读、会话等）。
4. 教材内容（一般教材、专业教材，例：商业会话、新闻、旅游等)。

第五,3W功能分析与网路环境评估:由于整个教材是置于3W的平台上,而电脑的软硬件发展虽日新月异,然亦有其局限性,因此必须先针对目前3W所具备的功能特性及其未来趋向加以分析,尤其针对撰写3W之HTML、CGI及JAVA等语言程式加以分析,以免后续的教材设计超越了软件所能支援的极限,或是远低于所能发挥的程度,换言之,3W的功能提供了一个教学设计的思考限制范围。此外,各地的电脑网路传输速度不一,设计教材时必须顾虑文件档案和图片的大小,以及语音的长度,以免传输过慢,减低学习兴趣与效果。

二 整体设计面向

在设计方面,必须将下列三者加以综合:第一,教材内容设计。根据已决定的内容范围,考虑如何将教材切割、连结、排序。第二,教学设计。考量呈现教材时所隐含的教学策略和教学方法。第三,学习者界面设计。考量教材文字、图像及声音之安排呈现的视觉与听觉因素,以及学习者与教材之间的互动因素。

第一,教材内容设计。教材内容即通称的教学讯息设计,主要包含了教材的架构及教材的呈现元素。在教材的架构方面,主要是设计教材的分割、连结、分层、次序。例如一般的中文教材课程中,包括了课文、生字、句型解释、语法分析、练习、测验、注解等等的内容,必须将之以Hypertext的方式加以分层和连结,呈现树状或网状的架构。在教材的呈现元素方面,除了一般文字的内容外,尚应基于学习效果的考量,适当地加入图片、照片、声音和影像,以迎合语文教学的需求。其具体步骤为:1.确定内容;2.规划架构;3.教材切割;4.内容连结;5.多媒体教材制作(语音、图案、照片、影片、电脑动画);6.电脑程式撰写(HTML、JAVA);7.测试与修改。

第二,教学设计(Instructional Design)。以教学设计理论为主体,结合语言教学理论:包括中文教学理论、第二外语习得理论(Second Language Acquisition);并考量学习心理学和认知学习的学理,以及相关之应用领域知识,例如电脑辅助学习和远距教学之理论与实务。

第三,人机介面设计(Human Interface Design)。"人机介面设计",或称"使用者介面设计",包含三个大项:

1. 荧幕设计:即视觉设计,考量中文教材呈现之视觉因素,包括画面安排、位置、色彩的运用。

2. 听觉设计:考量中文之语音、发音、领读之声音呈现及安排。

3. 互动设计:考量教学之回馈功能,使用者之输入讯息方式、图志(ICON)的隐喻和反应。

三 辅助与管理功能

在设计教材之时,亦须考虑教学管理的问题,由于教材使用者皆由远端透过电脑网路联系,如何仅以电脑网路来作双向沟通并传输讯息,必须在教材之外,尚有一些辅助功能,包括线上查询、资料库和教学管理制度:

第一,协助咨询功能(Help function)。当学习者遇到电脑操作或教材使用方面的困难时,能提供协助咨询,甚至针对学习者阅读教材的情形提出教学建议；此外，亦应提供相关教学资源的指引功能，即提供能直接链接至其他3W站的工选项。而良好的3W站更应具有收纳学习者的建议和意见的功能，即提供让使用者能直接发送电子邮件到该站的操作区域。

第二，教学资料库。储存个别学习者之上线资料、考试成绩、学习路径，使用该教材之意见及讨论的问题，允许学习者每次使用该远距教材时能够回顾先前的学习状况。具体项目包括：

1. 学习者资料：包括学习者个人的上线记录、考试成绩、学习过程。

2. 考试评量资料：包括考试题目、自动批改。

3. 问答资料库：将学习者所提出之问题加以分类，并提供解答。

4. 主题讨论资料库：提供讨论区，通过电子邮件讨论学习中文之意见。

第三，教学管理制度。当网路教材完成后，尚应具备完善后续的管理，以维护使用功能、改进教材内容，并满足学习者的需求，因此必须建立一套教学管理的制度，由专人负责，可称之为电脑管理教学（Computer Managed Instruction），具体而言应包括下列各项：1. 学籍与注册。2. 教材增删及修正。3. 作业批改与考试评量。4. 意见回应与疑难解答。5. 问题讨论。6. 教学资料。

叁 网络远程汉语教学现状综述[①]

目前在因特网上已有许多学习汉语的站点,为了进一步了解国内外远程汉语教学的开展状况与发展趋势,从而确定我国今后开展远程汉语教学的模式,科学地提出未来我国远程汉语教学的发展远景、目标、发展策略及实施方案,作者将半年来追踪的主要站点进行对比研究与综合评价,以供国内同仁参考,同时也可以帮助汉语学习者从众多站点中迅速找出适合自己的站点来。

一 现状综述

从目前的状况来看,汉语教学站点基本上仍处在从经验型向科学型转变的探索与完善阶段。课件内容主要以文字为主,辅助以声音、图像、动画,练习多采用单项选择题的形式,以电子邮件、公告栏、在线讨论的形式进行双向交互。下面按类别分别介绍几个有代表性的站点。

(一) 综合类站点

这类站点一般是全面、系统地介绍汉语知识的站点,内容广泛,结构完整。

1. http://chinese.bendigo.latrobe.edu.au/index.htm

该站点是由澳大利亚 Bendigo 的 La Trobe 大学设计制作

[①] 本节摘自徐娟、袁志芳、谷虹《基于因特网的远程汉语教学现状综述》,《语言文字应用》1999 年第 1 期。

的,开设了从初级到高级直至研究生教育的一系列在线汉语教学课程,按不同学习对象分为:Online Chinese101、102;201、202;301、302;401、402;研究生课程。本站点的主要内容包括:课程大纲;入学手续;注册登记表;课程样例;在线课程;软件资源;辅助读物;常见问题解答。

课程大纲中主要介绍了该课程的设计主旨,课程内容以及完成课程学习需借助的工具,如通过电子邮件交作业,参加在线讨论组,对热门话题通过电话或视频会议进行交流等。入学手续很简单,只需在线填写注册登记表。既可登记所有课程,也可登记部分课程。然后通过邮局或银行交纳学费,付费被证实后,将得到一个私人密码,用来访问学生选择的学习课程。课程样例中显示了 Online Chinese 101 课程的目录,其中前 3 课讲授汉语拼音的基础知识,包括声母、韵母、声调、拼读等,后 15 课的基本形式为:

(1) 生词:每课约学习 20 个生词。

(2) 发音:学习每个生词的标准发音。由于采用未压缩的 wav 格式,传输速度比较慢。

(3) 写字:介绍汉字笔画、书写规则及汉字书写的正确笔画顺序等。

(4) 生词闪动卡片:通过一个用 JAVA 语言编写的小动画,在屏幕上不断循环闪现本课所学生词,帮助学生强化记忆,以达到脱口而出的程度。

(5) 课文对话:每课都给出了课文的汉语拼音、录音、英文翻译等。鼠标单击带下画线的某句话,就可听到该句话的录音。

(6) 语法注释:对学生学习中可能遇到的疑难点加以注释。

(7) 练习:为了巩固所学知识,每课都给出了较多练习,题型大部分为单项选择题,少数为填空题,练习内容有:

A. 听一段录音后,写出录音的汉语拼音。

B. 阅读闪动卡片后对给出的题选择正确答案。

C. 对给定的词选择正确的声调。

D. 给中文单词选择对应的英文翻译。

E. 选择正确的字词填空。

F. 把给定的词语排序,整理成一个完整的句子,并说明英文意思。

G. 给中文句子选择英文含义。

(8) 自我检查:给出10个自我测试题,如果回答不出至少6个问题,那么请重新学习本课内容。

(9) 知识小测验:通过回答关于中国历史、文化、社会方面问题的方式让学生了解中国。

(10) 在线讨论:学生可以向讨论组提交自己的疑问、感受或经验,也可查询相关内容。

除此之外,还有本课程的生词总表,方便学生查询。附录中又介绍了汉字编码方式、输入方法、字处理、因特网应用等方面的内容。

2. http://falcon.cc.ukans.edu/~marianne/objective.htm

此站点为美国堪萨斯州大学的站点,材料由从事东方亚洲研究的 Dr. Feng 教授提供。其学习对象为以英语为母语的学生,适用于具有初级汉语水平的学生进行课堂学习或自学,学习目标为:能够对初级水平的汉字进行识、读、写、理解,能将几个

汉字或词组整理成句子,能完成简单的英译汉。本站点每课共分四部分:

(1) 生字与书写:生字以较大的 GIF 图形文件显示,使得学习者能清楚地看到汉字的每一笔,下面标有汉语拼音,旁边是这个字的英语翻译。若点击这个汉字,则会出现三个方框,其中第一个框为原生字,中间的框为笔画方向指导,若在第三个框中用鼠标写出第一笔,则在第二个框中提示第二笔该写哪一笔及其书写方向,整个画面新颖、独特,使得学生感觉书写汉字就像在画一幅图画一样生动、有趣,充分调动了学生学习的积极性、主动性。

(2) 听和读:学习语言最主要的是应用,是与人的交流,听和读是进行交流最初的练习。本站点每课都有每篇课文的通读,每段都可单独发音,在课文中又以插图形式来活跃气氛,若以鼠标点击插图中的小人,则会听到该课的对话。通过课文通读、每段发音、图画发音等方式,使得学生采用不同的方法加强练习,反复记忆。该站点课文编排基本是以会话为主,学生在学习完全部课程后,能够掌握打招呼、自我介绍、招待客人、天气情况等基本会话。

(3) 语法:即对课文的难点、疑点进行解释。由于本站点为初级汉语,许多解释都是比较具体的事物,所以有些解释用图画方式就可一目了然。例如:"我"和"我们"的解释,"我"则用一个小人来表示,突出其个体性,"我们"就用三个小人来表示,突出"们"的群体性。最下面还有该语法的练习,做到当堂学习,当堂消化,使得学生对自己所学知识有一个总结、实践的地方。

(4) 复习:尽管每一小部分后都有练习,但对本课总的练习还是很有必要的。其中有发音练习、书写练习、拼音练习、句型练习等。这些练习生动、简洁,学生回答也简单、有趣,避免做练习时的枯燥乏味。例如:把句子翻译成中文,是以每个字作为一个元素,把在语法中讲到的及容易出错的字列出来,学生根据录音,用鼠标按顺序拖拉认为正确的每一个字组成句子,点击"Check Answer"就能对你所做的练习检查对与错,而且基本上对于每一道练习题,都能通过点击"Check Answer"立即得到答案。在做完整篇练习后,还可把你的练习发送到该站点,使得站点对你的学习情况有所了解。

本站点只允许免费浏览第一课,如果你对后面的课程感兴趣,可通过电子邮件方式与其取得联系。总之本站点从生词到复习贯穿一致,内容详细,练习多样,设计新颖、生动。

(二) 速成类站点

该类站点不属于综合学习汉语的站点,而是仅针对某一科目或领域进行专门训练,以达到短期完成学习任务的目的。

1. 拼音类:http://icg.harvard.edu/~pinyin/

本站点是美国哈佛大学编写的汉语语音练习指南。发音工具需要 RealPlayer3.0 以上的版本,内容分拼音表单和课程两大部分。在拼音表单中按 10 个不同种类分别指导,其中有声调发音练习、声调练习对比、拼音的特殊规则、混淆音的练习、不同声调组合的词组练习等等。课程练习主要是指拼音用于语句表达的练习,每课有拼音、英文含义、声音,使学生在实践中真正掌握汉语拼音。

2. 汉字类:http://www.erols.com/eepeter/flashcard.html

本站点是建立在一个汉字数据库基础上的学习站点,共有

1 000个常用汉字。每个汉字都以位图文件格式保存,在每个汉字的下面列出了该汉字的拼音、笔画、英文解释及广东读音。按照出现的频繁程度,把这1 000个汉字分成了10个等级,以便使用者能够随意查询,或者通过直接输入数字来显示该汉字。

3. 语法类:http://www.smith.edu/~hofu/chi110d/gm110.htm

本站点按照实用语法的难易程度分为上、下两册书,上册30课,下册20课,每一课都针对一个语法点进行详细解释,并有例句,而且所有讲解的格式均为GIF图像,使得无须安装中文环境也可以显示汉字,如下图就是关于"不但……而且……"句型的讲解。

<u>Useful patterns</u>

不但 + clause,而且 + clause(not only... but also...)

If the two clauses share the same subject, the subject usually heads the whole sentence and it is often omitted in the second clause; if the two clauses have different subjects, then 不但 and 而且 are usually placed before the subjects respectively. Also, the second clause may contain 也 or 还 to further underscore the association:

e.g.,他不但是我的好老师,而且还是我的好朋友。(He is not only my good teacher, but also my good friend.)

不但<u>我</u>想去中国,而且<u>我的很多朋友</u>也想去中国。(Not only I want to go to China, but lots of my friends also want to go to China.)

4. 阅读类:http://www.lang.uiuc.edu/chinese/reading/

本站点的主要内容共分10课。每课分三个窗口,主窗口为正文部分,附有动画插图;下方分两个窗口,左边是字词解释窗,在主窗口中点击不同颜色的字词,则该字词的英文意思及汉语拼音便出现在左窗口中;右边窗口主要包括测试和声音的超链接,测试是给出一些题目,包括选择题和问答题,用来检验阅读的理解程度,声音是指整篇文章的标准发音。

5. 旅游类:http://www.travlang.com/languages

本站点的主要对象为一般旅游者,力求简洁实用,不对语法和文化背景作过多诠释,主要分以下七部分介绍:(1)基本词句;(2)数目;(3)购物、用餐;(4)旅游;(5)方向;(6)场所;(7)时间、日期。

6. 商务类:http://www-scf.usc.edu/~bingfu/business.htm

本站点分生词与短语两大类,每一类分别是一个详细的英汉对照表。

(三) 辅助类站点

该类站点不是独立的教学站点,一般服务于正规课堂教学。在传统面授的基础之上,通过在因特网上提供辅助学习资料来进一步帮助学生学习汉语。比较有代表性的有:

1. http://www.courses.fas.harvard.edu/courses2.html

这是哈佛大学的站点,提供的辅助学习资料包括拼音及课文的录音,各类阅读材料,热点链接等。

2. http://web.uvic.ca/ling/lin/

这是加拿大维多利亚大学的站点,站名为林华博士网上教案。该站点有林华博士所教课程的介绍、进度、考核、教材及一些辅助教学资料和有用链接。

(四) 文化类站点

汉语的学习离不开中国文化。目前在网上也已开设了不同层次的弘扬中国文化的站点。

1. http://www.qi-journal.com/Culture Index.html

可以说该站点是对中国传统文化的综述,主要分为以下几个部分:历史、道教、茶道、算盘、传统医学,包括针灸、草药、推拿和太极拳等。

2. http://www.mingpei.com.cn/china.html

本站点是由 Dr. MingL. Pei 创建的,分为画、书法、诗词、听中文、古代文学、现代文学及小说、京剧、丝绸之路等18个版块。

(五) 工具类站点

1. 中文环境工具

一般对于国外的用户,首先遇到的问题是如何让自己的计算机显示汉字,这就需要安装中文环境的工具。目前常用的工具主要有:

中文之星:http://suntendy.com/

四通利方:http://www.richsight.com/srscom/products.htm

南极星:http://www..njstar.com/

2. 学习工具

这主要包括在线汉—英或英—汉字典、在线讨论、软件下载等。

(1) http://www.zhongwen.com/

这是一个网上多媒体汉字字典的综合站点,包含了《中文字谱》、《国语辞典》、《中文辞典》、《易经词典》、《佛教词典》等多部网上辞书,并提供多种汉字检索方式,如按拼音、注音字母、基本检字表,汉字笔画总数,英汉索引等。另外还有在线讨论、热点链接、常见问题解答等。

(2) http://www.mandarintools.com/

提供网上汉—英字典、中—西历法转换、中国称谓、计算机工具软件下载等等服务。

3. 网络图书馆

指根据书名、作者、关键字等可以在线查询所需书目,如:

http://149.144.23.20/lib/search.htm

这是一个国际网络汉英双语图书馆,即分别可用汉语或英语按照作者、书名、科目、摘要中的词进行书目查询。

4. 介绍站点的站点

这些站点是专为帮助用户能够迅速找到自己所需要的站点而设立的,一般这些站点分门别类地列出多个站点,用户只需要点击感兴趣的站点地址,就可直接进入。较典型的如:

http://www.aweto.com/china/

按照汉语、中国教育、中国历史、中国艺术、中国节日等几十个类别链接了1 000多个站点,并且每日更新。

二 展望

对外汉语教学事业是国家的事业、民族的事业。由于世界各国学习汉语的宝贵经验、方法、教材等都可以通过因特网一目了然,学生则通过因特网上的多媒体、网际交互等多种有效的教学手段学习汉语的听、说、读、写以及中国的历史、文化和社会,因此开发多元化的网上汉语教学方式已义不容辞,同时这也是一个面向 21 世纪的巨大工程,这个工程可以为全世界的汉语教师、汉语学习者以及汉语教学机构提供更方便、更有效的教学环境与服务。

第三节　虚拟现实技术和语言教学环境

壹　虚拟现实技术和语言教学环境[①]

众所周知,语言学习必须在一定的环境中进行。而在构成语言学习环境的诸多因素中,科学技术的应用是不可或缺的。20 世纪以来,科学技术先后为语言教学提供了音像视听、计算机辅助教学、多媒体、网络远程教学等多种方法、手段和设备。随着科学技术的飞速发展,可以预言,在 21 世纪,具有梦幻般魅力的虚拟现实技术将成为语言教学的重要手段。本文首先对虚拟现实技术的概念、特点及其应用和发展的情况进行概括性的介绍,然后分析这项技术对语言教学,尤其是第二语言教学所产生的影响,并提出"虚拟语言学习环境"的概念。最后针对对外汉语教学的特点,提出当前利用虚拟现实技术的几点设想。

一　虚拟现实技术的现状和发展

在诸多媒体对 21 世纪技术发展的预测中,几乎都提到了虚

[①] 本节摘自郑艳群《虚拟现实技术和语言教学环境》,《世界汉语教学》1999年第 2 期。

拟现实技术的发展和应用。一般说来,虚拟现实(Virtual Reality,VR)是一种通过电脑、传感器、显示器、自动控制和人工智能等技术创造出来的可以对视觉、听觉、嗅觉、触觉等感知器官产生刺激的环境。从物理的角度来说,这种环境并非真实地存在,即它不是真实现实(True Reality),但它却能给人以身临其境的、完全的或者某种程度上的真实感觉。

由于人类感觉器官和认知心理的特点,人们在认识的初级阶段所感知的是事物的表象,所以经常发生感觉与客观存在之间的偏差。例如,"海市蜃楼"就给人一种"真实"的视觉效果,但其实并不存在。虚拟现实在原理上正是利用了人类感官和心理的这种特点,综合多种计算机技术从而达到"以假乱真"的效果。

典型的虚拟现实系统,实际上是多渠道的人—机交互系统。在这个系统中,操作者头部装有显示器的头盔,手上带有传感功能的手套,身着能够产生刺激作用的特制服装。在虚拟现实的生成过程中,计算机一方面向人的感官传送刺激信号,另一方面接收操作者的反应,如体态姿势的变动等,然后处理这些信号以调整刺激信号。例如,一个使用虚拟现实技术的火星探险,首先要让人感受到火箭起飞的声音、失重和震颤,看到茫茫的星空,这就是所谓的"融入",即让人产生进入虚拟环境的感觉。同时,随着人体本身位置和状态的变换,场景也要随着变化。比如,当人离火星的距离越来越近的时候,火星的景象和大小也必须跟随变化,给人造成一种持续动感的幻觉,这就是所谓的"巡弋"。当人乘坐的火星车在火星红色的尘埃上碾过后,应当留下车辙的痕迹,这就是所谓的"处理"。

融入、巡弋、处理,被称为虚拟现实的"三要素",它体现了人与环境的统一。要达到这一目标,在技术上具有相当大的难度。"因为它必须满足很多互相矛盾、互相制约的要求。如,真实性很强的图形绘制与实时(或限时)刷新的矛盾,大容量数据存储与高速数据存储的矛盾,人体位置与动作跟踪以及辨识精度与响应时间的矛盾等。"①实际上,现在的许多应用虚拟现实技术的实例中的仿真效果只是在某些方面或某种程度上的"真实"。

虚拟现实技术,由美国计算机科学家伊凡·苏瑟兰德(I. Sutherland)、雷蒙德·高尔兹(Raymond Goertz)等人在20世纪60年代开始研究,在20世纪80年代受到美国宇航局的重视,进入20世纪90年代后被全世界所重视,目前已经有数千家公司和研究机构进行这方面的研究。VR语言VRML以及虚拟现实创作工具也已经推向市场。虚拟现实技术在航天航空、军事、医疗、游戏、竞技体育、旅游、教育和训练等领域已经在研究开发。随着计算机技术的发展和语音识别、姿态动作识别等技术的成熟,虚拟现实技术将日臻完善,在下个世纪将成为影响人类生产和生活方式的重要因素。对于语言教学,特别是第二语言教学,它将是一个非常有效的工具。虚拟现实这个概念由杰龙·拉尼尔(Jaron Lanier)在1989年开始使用,虚拟环境(Virtual Environment)、人工现实(Artificial Reality)、电脑空间(Cyberspace)、虚拟世界(Virtual World)等,现在都被认为是虚拟现实的同义词。

---

① 参见张福炎《计算机科学技术百科全书》"虚拟现实",清华大学出版社1998年版。

二 虚拟现实技术对语言教学的作用

虚拟现实在本质上既是一种技术,又是一种艺术形式。但是,与其他的艺术形式不同的是,它的美感在于人对于过程的参与。人们可以从中获得真实的经历和体验,获得大量的动态信息。虚拟现实既能惟妙惟肖地模拟真实现实的场景和过程,又能进行时间和空间的压缩、放大、转换等超现实的表现,所以它具有"源于现实,高于现实"的美学特征。虚拟现实很容易作到学习、训练、探索的目的性和娱乐性的统一,对人们产生强大的吸引力。虚拟现实技术的这些特点,恰恰是形成第二语言学习环境所需要的。它可以弥补目前第二语言教学环境的种种缺憾,提高教学的效果。

(一) 对课堂教学的补充和扩展

对于第二语言教学来说,课堂环境和教师的作用是非常重要的。"课堂教学的优势在于,它可以利用长期积累的人们对语言本身及语言教学的丰富的研究成果,通过适当的教材和系统的语言规则的教学,收到短期速成的效果,这是自然习得所无法比拟的。"[1]特别是富有经验的教师的授课,则是许多学生所向往的。以汉语教学来说,海外的学生甚至汉语教师都希望听一听中国国内的授课。虽然网络上的远程教学或者电视传播可以给予某种程度的满足,但是总缺乏置身于课堂之内的实感。采用虚拟现实技术,可以扩大高水平课堂教学的规模。无论距离

---

[1] 参见刘珣《语言学习理论的研究与对外汉语教学》,《语言文字应用》1993年第2期。

的远近,学生人数的多少,都会产生一种围坐在一位可敬的老师周围,聆听教诲,相互切磋的感受。

多媒体技术的应用已经使语言教材发生了很大的变化,采用VR技术的教材将会变得更加生动、富有吸引力。比如,采用功能法授课时,就可以让学生在虚拟的环境中漫游,从而可以得到更多的与语言相关的信息。另外,我们还可以利用虚拟现实超现实的特点,把语言教学中的困难之处形象化,使学生可感觉、可操作,从而加深理解。例如,可以设计一种让学生自己在两种词语网络中漫游的系统,从而比较母语和第二语言的差别。

(二) 营造社会语言环境

对于外语教学(比如中国人在中国学习英语)来说,社会环境的作用将是负面的。因为学习者缺少学习和训练的真实环境,而且一出课堂就回到了母语环境,外语感觉淡漠了。以现在中国的英语教学来说,许多学生学习了多年的英语,其英语交际能力往往还不如长城脚下那些卖纪念品的聪明小贩。但是,要营造一个真实的目的语"小社会"(目的语的语言环境),像美国的一些暑期中文学校那样,又常常是难以办到的。在这种情况下,可以通过虚拟现实技术来营造一种目的语社会氛围。例如,可以发展一种"虚拟现实教室",学生可以在其中感受目的语国家的风土人情和语言氛围。还有可能通过虚拟现实技术以及其他仿真技术,把学生的居室和其他活动场所装饰成目的语国家的风格,并且随着该国的情况而变化,甚至有可能"虚拟"参与该国的社团活动。

对于第二语言教学(比如外国人在中国学习汉语)来说,学生生活在目的语的氛围之中,这种社会环境是客观真实的,对提高学生的目的语能力有积极的作用。然而,这种"真现实"的环境也存在着局限性,因为它很难根据学生的第二语言程度进行调整,更不可能与教学内容相协调。例如,学生在学习有关中国春节的用语时,我们不可能把教学内容都安排在春节期间让学生们一边学习、一边在周围的环境中体验,原因是每逢春节到来之际,中国的学校全都放假了。虽然传统的视听技术可以弥补一些不足,但也无法造成身临其境的感觉。因此,仍然需要虚拟现实技术发挥作用。

(三) 产生新的语言教学方式

第二语言学习环境,人们通常把它分为课堂环境和社会环境。对于这两种环境,虚拟现实技术都可以进行模拟,同时还可以创造真实世界中不存在的场景和感受。因此,我们可以认为,虚拟现实技术创造了第三种语言学习环境,可以叫做"虚拟语言学习环境"。虚拟语言学习环境是一种人工创造和控制的环境,因此可以把课堂学习和课外习得有机地结合起来,成为一种新的学习方式。在这种环境下,学习者会时而感到是在教室里听讲,时而又在异国他乡漫游;老师时而出现,时而隐去;它虽然不如在教室听课那样真切,但是不受有没有教师和课堂的局限;它虽然没有真实目的语环境提供的信息丰富、刺激和强烈,但是不受时空的局限,并且信息和刺激都是经过筛选和浓缩了的。在这样的环境中,学习者可以在很大程度上反复进行"输入——内化——输出——反馈"的循环过程。如果条件具备的话,还可以走入真实的语言交际环境。对于那些既缺乏课堂学习环境又没有目的语社会环境的自学者来说,这种方式将比现有的任何方式更有效,也更具吸引力。因为虚拟现实环境中的第二语言学习,本身就是一种饶有兴趣的游戏或者在异域文化中的旅游。

虚拟环境可以根据需要,人为地或自动地进行调整。例如,它可以根据学生的情绪和反应,调整进度和内容,使学习和娱乐融为一体,让学生保持最佳的接受状态。它还可以判断出学生的语言能力和个性特征,为教师帮助困难学生提供详尽的客观依据。

虚拟现实技术在教育领域是计算机辅助教学的延伸和发展。在将来,相当数量的语言教师会从前台退居幕后,成为虚拟现实教学环境的设计者和操纵者,这本身就是知识经济时代的一种趋势。

三 在对外汉语教学中利用 VR 技术的设想

五千年的文明,日益扩大的影响和遍布世界各地的大量华人等因素,使得我国的对外汉语教学在 21 世纪将会有更大的发展。由于汉语汉字的复杂和文化的渊深,汉语的传播尤其需要高新技术的支持。所以,尽管从整体来看,虚拟现实技术还是发展中的技术,它的广泛应用将是 21 世纪的事情,但现在就应着手进行研究探讨,并且由简单到复杂,逐步加以应用。

典型的虚拟现实技术应用于对外汉语教学的实例现在还没有。这其中最大的障碍是技术上的不成熟,如非特定人的语音识别、自然语言理解的水平都还比较低,更不要说姿态语言和表情的识别了。因此,相关的基础研究,如上面提到的非特定人的语音识别、自然语言理解、姿态语言的识别等,不能迟缓。

VR 技术已经发展了 30 多年,在有些方面已经成熟并且被广泛应用,比如使用 3D 交互式图形技术构造虚拟场景。几年前,国内就已经有人用 VR 工具做旅游方面的项目。现在,工具和设备都有了新的发展,完全可以用来改进语言教学方面的多媒体产品,特别是涉及功能教学、语言环境等方面的产品。另外,我们可以利用游戏、旅游等方面的虚拟技术成果为语言教学服务。在因特网上,各类严肃的 MUD[①],MOO[②] 站点被列为教育资源,实际上是由一种采用了虚拟技术的多用户游戏演变而来的。现在,我国基于 MUD 技术的中文游戏站点已有许多家,有的站点注册"玩家"上万,如"笑傲江湖"、"侠客"、"西游记"、"三国"等。但是,大部分不是外国学生所能涉足的。所以,应当根据外国学生的情况,开发适合他们的游戏,而且内容也要概括中国文化的各个侧面。

目前,因特网上已经开设了许多的中文论坛、沙龙、聊天室,但是对于大多数学习汉语的外国学生来说也是难于参与的。其中的一个原因是所使用的语言文字非常不规范。这对缺乏鉴别能力的外国学生来说,有很大的副作用。因此,有必要建立以外国学生为对象的虚拟社团、沙龙以及论坛等,并且逐步提高他们利用中文网络资源促进汉语学习的能力。

贰 多媒体语言教学光盘与语感能力[③]

"多媒体语言教学光盘与语感能力"这个论题的提出有两点

---

① MUD 曾经是一种因特网上的多用户地牢游戏(Multi-User Dungeons),现在,泛指各种基于文本的多用户空间(Multi-User Dimensions)。
② MOO 面向对象的 MUD(MUD,Object Oriented)。
③ 本节摘自张普《多媒体语言教学光盘与语感能力》,《世界汉语教学》1999年第2期。

背景必须说明:

背景一:关于计算机辅助教学的讨论

无论是现代远程语言教学(网络)还是多媒体(光盘)语言教学都是语言教学,是一种新型的语言教学活动。所用的教材,无论是网络版,还是光盘版,都是电子版,都可以发挥计算机的辅助作用,所以都属于计算机辅助语言教学。对于计算机辅助语言教学,国内外都存在不同的看法,这些不同看法有的来自语言教师,有的来自学生,有的就来自计算机辅助语言教学研究者本身。归纳起来主要有如下几方面:

1. 语言是人类的重要交际工具,只有跟人学才能获得交际能力。跟着机器能学会吗?能学好吗?

2. 以学习汉语而言,千里迢迢来到中国,就是为了跟着老师,在中文环境中学习。如果跟着机器学,何必到中国来?

3. 买机器、买光盘、买网络是否比交学费便宜?

4. 现有的语言教学软件,都是原来的书本教学模式,或者就是书本的翻版,看不出与传统的教学有什么本质的不同。

5. 真正能生成针对性教材的因材施教的电子版,虚拟交际环境的光盘版甚至网络版还有许多理论和技术难题,离实用还早得很。

6. 是否将原来的教材配上语音、图片、照片甚至视频,就是声图文并茂的多媒体光盘教材了?多媒体确实可以提高语言学习的效率而不是花架子吗?

7. 现代化的教学手段是辅助教师还是取代教师?

总之,就是使用现代化的教育技术进行语言教学究竟是不是省时、省事、省力、省钱,同时又能大大提高教学质量。也就是说,现代化的语言教学手段能否被用户接受,就看是否真的能够提高学习效率。我们的多媒体语言教学光盘的研究与开发必须在这方面多下工夫。

目前,多媒体语言教学光盘所面临的研究目标已经不是有没有声音、图像、视频的问题,也不是声音、图像、视频多少的问题,而是要研究如何恰当地利用多媒体的优势,如何创造性地使用超文本、超媒体的手段,如何充分发挥计算机的交互能力和网络的互联能力,以形成一种基于全新介质的新的语言教材,创立一种基于越来越人性化的计算机的新的语言教学法,使下一个世纪的学员在学会一种自然语言的时候,同时获得两种交际方式:人——人交际、人——机对话。

背景二:关于语感和语感能力的讨论

语感是语言学界耳熟能详、用得很多但却众说纷纭、莫衷一是的术语。语感看不见、摸不着,只可意会,不可言传。出乎意外又在情理之中的是《辞海》、《现代汉语词典》、《语言与语言学词典》都没有收录"语感"或"语感能力"这样使用频率很高的条目。

最近一二十年,哲学、思维科学、认知科学、信息科学、语言学等领域都有人对语感、语感能力发生浓厚兴趣。特别是语言学界,心理语言学、社会语言学、计算语言学、应用语言学、生成语言学等都从不同角度对语感、语感能力进行了界定、分类、描述等研究。尤其是语言教学领域(包括对外汉语教学),对于语感的性质,语感能力的训练,语感能力和听、说、读、写等语言能力的关系以及语感在语言(文)教学中的地位等一系列的问题都有探讨。无论围绕着语感和语感能力有多少争论,但在下述方面应该说已经有了比较一致的看法：

1. 语感是操某一种语言的人在语言实践中形成的对于这种语言的运用的正误、优劣、常殊的直觉(intuition)能力。

2. 语感是一种综合的语言直觉能力。它包括对语音、语法、语义、语用等许多方面的敏感的直觉能力。

3. 由于个人的文化素质、生活环境、交际范围等各不相同，人们的语感能力千差万别，但是操同一语言的民族总有共同的语感和语感能力，否则就无法进行交际。

4. 语感能力也是一种语言能力，广义的语言能力可以也必须包括语感能力。听、说、读、写是最基本的语言能力，而语感能力是听、说、读、写能力的基础和前提，对听、说、读、写进行指导和监督。语感能力是对听、说、读、写这种语言运用(performance)起监控作用的一种语言审析能力。

5. 语感是在长期的语言实践中自然形成的，语感可以通过语言教学实践来培养和训练。传统的语文教学中有许多宝贵的培养和训练语感的经验与方法(例如"涵泳")，"书读百遍，其义自见"，"读书破万卷，下笔如有神"，"熟读唐诗三百首，不会吟诗也会诌"都有语感的道理在其中。

总之，语言教学实际上主要是语言能力的培养和训练，这种语言能力包括听、说、读、写语言运用能力和正误、优劣、常殊等感的语言监控能力。过去对听、说、读、写等语言运用能力较为重视，而对语感这种语言监控能力研究不够。现在新技术提供了新手段，我们在多媒体语言教学光盘方面的研究重点应该是——如何调用新技术改造旧方式、创造新方式，来培养训练听、说、读、写语言运用能力，特别是语感能力，并且和传统的培养训练方式进行对比实验,提高教学效率,以认定一些新的教学模式,形成计算机辅助语言教学法。

我个人认为多媒体语言教学光盘可以对以下三方面给以较多关注。

一 多媒体手段的调用

(一) 为两种模式、四种能力的培养训练服务

语言交际是双方的行为,一方表达,一方理解,"表达—理解"是交际的公式。"听—说"是最初的常见语言交际行为,是口头的交际方式。写作是一种特殊的表达方式,阅读是一种特殊的理解方式,"读—写"是一种后起的特殊交际行为,是文本的交际方式。"听—说"、"读—写"构成语言交际的两种不同模式。多媒体手段的调用要为这两种模式、四种能力的培养和训练服务,要在寻找如何服务的方式方法上下工夫,现在的工夫还下得很不够,比如很重要的训练部分多媒体手段调用还很少。

(二) 为创造真实交际环境服务

语言交际所传递的信息本来就是多媒体信息。一切声音、图像、照片、视频等的运用,都是为了满足语言交际的表达和理解的需要,为了创造一个相对真实的交际环境。逼真的交际环境有利于语感的形成,从而也最终有利于听、说、读、写语言运用能力的提高。真实是非常重要的,真实了,才有用,才有趣,才有吸引力。

(三) 为交际内容服务

教材不能无的放矢,不能自言自语,不能闭门造车,教材要培养语言的交际能力。而交际总是有目的、有内容的,总是具有

一定功能的。多媒体的设计要为目的服务,为内容服务,为功能服务,不能搞形式主义,不能为多媒体而多媒体,那样就会成为多媒体的花架子。写作时要将可有可无的字句删去,创作多媒体的作品,也要舍得割爱,一切赘疣的多媒体都要坚决删去。

二 超文本、超媒体手段的调用

(一) 提高听、说、读、写训练的效率

超文本和超媒体要在不同文本和不同媒体之间实现超级链接,可以在需要查询和转换之处设置热键,实现即时跳转,这是提高听、说、读、写训练的效率的非常有效的手段,是传统的教材和教法中不具备的,需要认真挖掘。

以对外汉语教学而言,无论是教材中的阅读还是课外的阅读,真正读懂是很不容易的,常常会花费大量的时间去查字词典和其他工具书,去翻检注释和语法书,这样一方面影响了阅读速度,降低了阅读量,一方面由于时断时续也不利于语感的形成和巩固。如果还有许多疑难留下来等待问老师,那效果就更加不理想。好的多媒体电子版语言教材或课外读物应该也能够以阅读对象为核心,与相应的字词典、工具书、语法书、解释库、注释库配套,在多数读者可能有查询需要的地方,都事先链接,设置热键,点到即转。没有热键的地方,也要创立方便的电子查询方法,点到即查。这样就会大大减少翻查时间,提高单位时间的阅读质量和数量,增加学员或读者的阅读兴趣和阅读信心,积极推进阅读的深度。坚持下去,阅读效率将会发生明显变化,语感会在早读、多读、熟读中得到强化。"读"是如此,"听、说、写"能力的训练也是如此。要充分挖掘超文本、超媒体的功能,使用户感

到多媒体光盘版语言教材用起来确实比使用纸版读物外加上一大堆工具书、专业书要省时、省事、省力、省心。

(二) 提高语感强化的效率

对应交际的公式"表达—理解"来分析,"说、写"是表达,是传讯,"听、读"是理解,是受讯。这里都有语感的问题,对于"听、读"方,有语感,语感强,就可以听懂、读懂,就可以正确理解,不会误会,不会出错;对于"说、写"方,有语感,语感强,就可以说对、写对,就可以正确表达、恰当表达,不会生硬,不会闹笑话。可见是否有了语感,语感强不强,要看是否听懂、看懂、说对、写对。而是否听懂、看懂了,是否说对、写对了,是需要交际的对方或第三方来告诉的。对于"阅读—写作"这种特殊的交际方式,常常不容易找到对方询问,只能由第三方(常常是老师)来告诉。这就决定了传统的教学模式在语感训练和强化方面有着先天的不足,老师能检查告诉每一个学生是否听懂、看懂、说对、写对的机会和频率是极其有限的,所以语言培训班、强化班强调一个班最好10人左右,原因之一是要增加学员个人得到训练和纠正的机会。一些外国留学生常常个人出钱请"辅导",主要也是要增加这样的机会。计算机辅助教学正好可以弥补课堂教学在语感培育和训练方面的不足,做得好的多媒体光盘语言教学软件,应该使计算机成为一个诲人不倦、百问不厌的语言教师。随着汉语信息处理技术在语音识别、汉语理解方面的推进,可做的工作越来越多。超文本、超媒体的使用在语感强化训练方面要向这样的方向努力:让学员随时了解自己是否听懂、看懂了,是否说对、写对了,随时知道为什么理解错了,表达错了,错在什么地方。这样,新技术才会在提高语感强化效率方面发挥威力。

(三) 超文本、超媒体运用的人本原则

超文本和超媒体链接的使用,都是为了人的方便。就语言教学而言,用得好可大大提高语言学习的效率,处理不当,多次链接、多重链接之后,学员可能在链接中"迷途"、"走失",欲速则不达,反而误事。但是多次、多重的链接并不是绝对的不好,我们平时学习中的一次次"追问""打破砂锅璺(问)到底""知其然,还要知其所以然",常常就是在进行多次、多重的链接,因此,我们又不可以因噎废食,在这方面的努力方向就是又要方便地实现多次、多重即时跳转,又不要让用户特别是不要让新用户迷失路途。这就要想办法,要研究连接中的主从关系的表示方法,研究多次、多重跳转的表示方法,研究并逐步形成一套计算机辅助语言学习中的"路标",这些"路标"要进一步人性化、规范化。

三 计算机交互手段的调用

电影、电视、录像也是多媒体,这些技术手段也早已用于语言教学,但是,它们只是一种演播技术,而多媒体光盘(CD-ROM)是一种基于计算机的多媒体,是具有交互功能的多媒体,这早已为人们熟知。我要强调的是交互也可以认为就是人—机之间的"交际",这对于作为交际工具的语言的教学有着格外重要的意义。

(一) 交互有利于主动学习

在使用电影、电视、录像作为教学手段时,学员只是作为听众、观众被动接受,选择权利有限,而 CD-ROM 的交互功能却使学员得到主动学习的自由。人的语言能力(包括语言运用能

力、语感能力)本来就是千差万别的,多媒体语言教学光盘的设计要在学员选择权方面下功夫,学员要在语言能力的各种角度可选、易选。可以放弃、跳过、重复、放慢、加快、简化、繁化、转化等等。

(二) 交互有利于"人—机对话"

在多媒体的环境中,通过人—机的"对话",语言教学中的学员可以进入逼真的交际环境,得到孜孜不倦和你对练的良师益友。计算机可以既是你的交际伙伴,也是给你随时纠错的老师。把传统的教材和练习配上多媒体或者改造后配上多媒体,做成电子版,这是最开始的一步,现在的问题是要创造人—机对话模式的新教材、新练习,要让交互功能在语言交际训练方面的特殊功效得到最充分的发挥,多媒体语言教学光盘的制作和设计要在这方面出新,要探讨人—机对话式的计算机辅助语言教学法。

(三) 交互有利于语感的培育

独自生活在孤岛或山洞里的人,在狼群中长大的"狼孩",失去了语言环境,没有了语感,变得不会说话。语感要在交际中形成和强化,在外国的环境中学习外语,比在自己的国家学习外语效果要好得多,但是人虽在外国却常常和本族人聚在一起讲自己的母语,那学习效果又比不上生活在外国人中不讲母语的学生。所以,有没有目的语的学习环境、有没有目的语的交际对象,能不能经常用目的语进行交际,交际中的错误能否得到即时纠正,这是语感培育和强化的一系列重要条件,在传统的语言教学,尤其是第二语言教学中,这些条件并不是那么容易创造和得到的。交互功能恰恰可以创造这些条件,我们应该努力发挥交互的作用,以语感的培育为目标,创建新模式,探索多媒体的电子版新教材。

叁 关于"虚拟词语空间"[①]

制作一个多媒体汉语词典,的确是一件极其烦琐和辛苦的事情。当回顾这段经历的时候,我们都感到了疲劳,但同时又感到成果远没有达到令人满意的程度。在这个过程中,我们考察和分析了其他的同类作品,也觉得离一种比较理想的多媒体汉语词典相差甚远。目前,大家所做的工作仅仅是在传统词典上增加了若干多媒体的效果,没有质的改变。那么,多媒体汉语词典应当怎样发展呢?

毫无疑问,词典的编纂技术既受着信息技术发展水平的制约,也受着语言学研究水平的限制。许慎先生的确是一个了不起的人物,他在差不多两千年前编纂了《说文解字》,他把当时的技术条件发挥到了极点,开创了汉语言文字研究的新阶段。从《说文解字》到《康熙字典》,直到今天形形色色的辞书,都沿袭着词条的线性表结构,这在主要以纸张为信息载体的时代是无法超越的局限。传统技术在表达词语之间的复杂关系方面尤其显得困难,所以人们研究的成果表现为一本又一本的专用词典,如同义词典、反义词典、搭配词典,等等。然而,现在的技术条件已经大大地改变了:多媒体技术,带来了词典的声情并茂;超文本

[①] 本节摘自郑艳群《浅谈"虚拟词语空间"——多媒体汉语词典的发展设想》,《第六届国际汉语教学讨论会论文选》北京大学出版社 2000 年版,第 696 页。

语言,尤其是正在开发中的 XML(Extensible Markup Language——可扩充的标记语言),可以直接地表达任何复杂的网络关系;人工智能,可以使词典变成有灵性的活物;覆盖全球的网络,使词典的大小、编纂人员、使用的范围都没有局限。总之,信息时代的词典,应当是集成化的、具有多层次的网络关系和一定人工智能的词汇体系。

基于上述的认识和工作的经验,我们打算设计一个比较理想的多媒体汉语词典,希望能给汉语教学、交际使用、信息处理带来更多的方便。我们给这个规划命名为"虚拟词语空间"(The Virtual Chinese Words Cyber),简称"VCWC"。本文从三个方面阐述 VCWC 的构想:

1. 关于"虚拟词语空间"的概念;
2. VCWC 的结构、功能;
3. 关于 VCWC 的实现。

一 关于"虚拟词语空间"的概念

为了比较准确、形象地说明问题,我们在这里引入一个"词语空间"的概念。在我国历史上,曾经有过"词林"这种给人以形象感觉的说法。一般说来,"词语空间"可以被认为是"词汇"的同义词,但它所强调的,是词语系统的整体性、内部复杂的关系以及动态特征。词语空间是一个活的世界,而"词汇"给普通人的感觉就是罗列在辞书里的那一堆词条。"词汇"和传统的词典相联系,构造"虚拟词语空间",则是现代词典编纂技术追求的目标。

"词语空间"在本质上是按照语法、语义、语用等规则构造的建筑,它既包含概念和词汇,也包含规则和应用实例,实际上就是语言体系本身。因此,"词语空间",也可以说是"语言空间"。

严格地说,一种"词语空间",客观上应当是使用某种语言进行交际的词语总和。从宏观上考察,词语空间表现为下细上粗的树型结构,它有着时代分段、地域区间、行业和学术的分支,并且和其他的语言词汇空间存在着渗透和交错关系。在微观上,构成空间的基本元素概念、词语、形体、语音等,都具有多方面的属性和纵横交错的关系。语言是文化的载体,如果继续扩展这个系统,自然就由"词语空间"进入"文化空间"。我们认为,"词语空间"的概念不仅对多媒体词典的发展有益,而且对于汉语教学有着特别的好处。

全面、准确地构造这样一个体系几乎是不可能的。但是人们仍然可以尽可能地去模拟、记录它。如果把"词语空间"看做是一片活的森林,传统词典等于是从森林中采来的许多木料,按照一定的顺序堆放,每个木料上面标记着用途、出处等;而目前的大多数多媒体词典,则如同采来的一棵一棵带枝带叶的树木,也堆放在那里。我们构想的"虚拟词语空间",则是把采来的树木按照原来的模样摆放起来,照样枝杈交错,盘根错节。因为使用现在的数据处理工具和编程技术,特别是人工智能和虚拟现实技术,逼真地模拟语言体系已经具备了技术上的可能。同时,近年来汉语界运用"三个平面"等理论进行的语法研究以及关于词汇、概念网络的研究等,为构造"虚拟词语空间"提供了许多理论依据。如果说过去的种种汉语辞书给汉语画了素描、侧面像的话,现在能够把这些形象集合起来,构成一个立体的、彩色的塑像了。

"虚拟词语空间"将是一种集成的词汇系统,它具有多方面的优点:

首先,无论对于汉语的教学还是科研,人们不需要查看一本又一本的辞书,有这样一个系统就够了。这个系统的内部结构体现着语言系统本身的复杂性,但在外部表达上,又可以体现出很大的灵活性。它既能够按照使用者所需要的条件查找词条,也可以按照所设定的顺序进行浏览。它的智能化设计还能够对使用者提供建议和帮助。

其次,人们不是孤立地学习某一个词,而是可以看到它的左邻右舍,可以体察到这个词在语言体系中的位置。特别是在外国人学习汉语的时候,能够更好地进行语言之间的比较。

第三,这样的词语系统,实际上也是中文信息处理所必须的。它能更好地支持概念查询、自动分词、模式识别,直到自然语言理解等功能。

第四,作为汉语研究的工具,它可以帮助研究者对其他语料进行分析。其实,语言如同天气海浪,每天都在变化着,语言趋势是社会变化的一种标志。如果在此基础上设计一个程序,对语言变化的趋势进行分析的话,那么所得到的结构不仅对语言学有益,而且还可以从中得到对社会现实状况的启示。

二 VCWC(虚拟词语空间)的结构、功能

下面,我们简略地概述 VCWC 的大体构思。构成"虚拟词语空间"的基本元素是概念和词语,我们习惯上把它们称作节点。因为汉语的词汇量很大,所以在开始阶段我们打算把处理的范围限定在"常用词汇"之内。"常用词汇"是汉语体系的基础

词汇,关系也最复杂。处理好这个核心部分之后,其他的部分,诸如习惯用语、专业词汇等,再添加上去将会比较容易。

(一) 多重网络结构

"虚拟词语空间"在结构上体现为三个层次的网络:概念网络层、词语网络层和表达形态网络层。

第一个层次是概念网络。这是整个系统的基础,每一个概念表示为一个节点,概念之间的层次、属性、衍生、类等关系通过节点间的连接表示,形成多重连接的网络。例如"时间"概念,它既和物质、运动、空间等基本概念相连接,又和具体的时间度量、时间记录、人们的时间感觉等概念相关联,形成复杂的时间概念系统。

为了更准确地表达概念,为了使操作简便,我们在系统内部不使用通常的汉语词汇表达概念,而通过特定的形式语言来记录。在显示的时候,可以用汉语词条表示,但是要加以标注。

第二个层次是词语网络层,每一个词条体现为网络中的节点,层内节点之间的关联是语法关系的体现,如搭配关系、修饰关系等。词语是概念的表达,一个概念可以有多种表达方式,常规的、感情的、委婉的、历史的、地域的等等,因此,一个概念往往和一个词群建立连接。一个常用词条也通常有多个义项,与一组概念相连接。这样,概念层和词汇层之间的关系是非常复杂的,"一对一"、"一对多"、"多对一"等情形都存在,而且相当多的概念需要多个词语的组合才能表达。比如,"农历一月份",在概念层只是一个节点,但是和词语层的"正月、岁首、端月、新正"等多个节点相连;在词语层的"头"节点,则映射到"头部"、"领导人"等概念层节点。

第三个层次是词语的表达形态层。词语通过语言和书写两种形态表达,表达形态层的连接体现了词语之间语音、书写符号之间的关系。这种关系,如按照音或者按照字形排序,在传统的词典早已采用了,但现在的技术会做得更科学。由于一词多音和一词多体(简体、繁体、正体、异体等)的情况都存在,在词语层和表达层之间节点的连接也是相当复杂的。

上述三个层次的结构看起来复杂,其实所包含内容大都在目前的词典中蕴藏着,只是缺乏表达的直观性和系统性。我们设计的目标就是希望由浅入深,由表及里,层层展示词语系统的内在联系,把抽象系统形象化。在数据结构的设计中,我们既把节点(词条、概念等)当作"对象(Object),"也把关系(从属关系、衍生关系、修饰/被修饰关系等)当作对象来处理,这样就可以使关系的数目、关系的类型不受限制。当然,那些次要的联系也是必须忽略的。在外部表达上,可以用图形来形象地体现复杂的关系。

(二) 基本操作和使用功能

查询和浏览是该系统的基本操作。浏览分为层内浏览和跨层浏览两种。层内浏览可以查看本层内节点的概貌;跨层浏览,无论从概念层出发或从表达层出发,都是很有实际意义的。因此,从使用的角度来看,它可以被看做是一部集多种汉语辞书为一体的具有强大功能的工具。它可以根据用户的需要,按照拼音、字形进行浏览,当作普通词典来使用;也可以当作同义、近义、反义和搭配关系等专用词典来查看。检索的关键字不但可以是词条或者概念类,还可以是关系或者关系的组合。例如,可以查找"表达'红色'概念的形容词"、"与'结果'一词相关的所有词条",等等。其功能与其他词典不同之处是,它能够将某个词条的属性和周围的关系用彩色立体图形形象地表达出来,从而给人以清晰、鲜明的印象。

(三) 智能特色

语言体系是一个变化的系统,新的词语会不断增加,词语和概念之间的关系也在不断地变化,因此"虚拟词语空间"将通过人工智能模拟这些特点。该系统将具有自我调节和维护功能、自学习功能等。与此同时,它还将扮演"汉语教师"的角色,回答学生关于汉语语法、词汇等方面的问题,检查中文文本的构词和语法的正确性等。

三 "虚拟词语空间"的实现

根据我们以往工作的体会,编纂词典是一项非常艰苦的劳动。特别是构造如上所说的结构复杂、功能强大的词汇系统,其工作之繁难是可想而知的。正如现在的许多工程都必须由计算机的辅助才能完成一样,构造"虚拟词语空间"的工程也必须依赖计算机提供的各种技术。

(一) 利用"数据挖掘"(data mining)技术准备数据

"数据挖掘"是一项在庞大数据中寻找有用信息的技术,使用这种技术的软件能够帮助我们从现有的词典数据中挖掘、分析出需要的原型数据。例如,按照本文提出的设计,构造一个一万条词语的系统,所涉及的各种关系至少在二十万个以上,如果靠传统的人工分析来确定这些关系,工作量将是非常大的。而这些关系已经或明或暗,或直接或间接地隐含在各类辞书之中。

通过分析这些已有的资料,大部分的关系都可以被确定下来。当然,最后也还是需要经过专家的检查和校正。

对于词条语音符号和书写符号的处理,包括词条之间的联系,诸多多媒体词典,包括我们所做的《多媒体汉字字典》都已经做到了。由于语义关系、语法关系在语言学界往往存在着分歧,我们的处理原则大体是:

1. 反映目前汉语界具有共识的主要关系;

2. 对不明确的关系,保留使用者自定义其关系类型的功能;

3. 不能确定的关系暂时不作处理。

(二)计算机辅助的构造过程

普通词典编纂,一般都要首先确立纲目、框架,然后再逐步充实条目。但是,对于多层次的网络词汇系统来说,确定框架本身就很不容易。所以,我们不想采取自顶向下的设计过程,而采用自下而上、从无到有的自我繁衍的过程。这里,首要的问题是利用人工智能原理,设计出词汇系统的构造程序。

构造程序的设计建立在对汉语词汇系统研究的基础之上。程序的功能将体现语言的规律和规则。但规则也不可能一下子全部确定。规则本身也是一个逐步扩充和繁衍的过程。实际上,只要有最基本的规则,系统的生成过程就可以开始了。词条,作为系统的"原子",是构造系统的基本单位,它可以随机地输入,并且在输入过程中回答计算机提出的问题。系统根据输入的数据,自动处理连接、顺序、索引等方面的问题。当然,也应当允许以文件的格式提供批量的数据块,从而快速生成。毫无疑问,构造程序也应当能执行节点、属性、关系的插入、删除、修改等编辑功能。

词汇系统的质量取决于素材的质量。使用这样一种构造程序,一个普通的学生,也可以构造出自己的系统。在最差的情况下,系统退化为一张简单的词表。如果能够提供足够多的资料,那将是一个内容丰富的、有声有色的体系。当然,就我们的计划不仅提供一个构造程序,也准备提供一个包含相当数量词语的实际应用系统。

(三) 通过因特网合作进行

完成基本的程序构造程序和构造规则后,系统本身可以分散完成,然后自动进行整合。

以上简单介绍了关于进一步发展多媒体汉语词典的一种构想,带有一点理想化的成分,但绝非空想。计算机技术的发展,特别是软件技术的发展已经提供了技术上的可行性,尤其是Windows环境下的不少"帮助"程序做得很好,是可以借鉴的范例。另外,据我们所知,L&H公司已经推出了多语种概念词典(IntelliScope Multilingual ConceptNet)。

我们所设想的词典可能是一个规模浩大的工程,但是它对汉语的教学和研究有着重要的意义。在此,我们希望得到世界各国同行的理解和支持。我们计划在工作进行到一定程度以后,将设立专门的Web站点,征集汉语专家们的意见和建议,也希望大家共同参与这个系统的创建活动。

第四节 现代教育技术应用于汉语教学的发展及前景

壹 网络汉语教学的三种模式[①]

一 网络教学的三种模式

美国伊利诺大学在1999年有一个报告,研究和分析网上教学的问题。其中对一些大学进行的网上课程作了分析。报告指出了目前网上课程大致有三种模式。

(一)

用作传统课堂的辅助和补充手段,提高学生学习兴趣,扩大学生视野,增加接触中文的机会,提供多媒体的学习资料,加强师生间以及学生之间的交流。目前大部分的学校都采用这种模式。根据教师自己的能力编制网页,设计各种练习,为学生课堂学习提供更多的学习机会和资源。例如长堤加州州立大学建立了三个网页。一是全面介绍学习中文的资源(http://www.csulb.edu/~txie/online.htm),包括语音、词汇、语法等方面的资源,学生可以从中找到有关的内容。二是根据使用的教材建

---

① 本节摘自谢天蔚《网上教学的三种模式:各尽所能通力合作共享成果》,《E-Learning 与对外汉语教学》清华大学出版社 2002 年版,第 1 页。

立一个与课本有关的网页(http//www.csulb.edu/~txie/pcr.html),包括课文、生词及阅读的录音,动画汉字,语法练习,学习指导和课外作业。三是将这些内容综合在学校提供的课程管理软体 Beachboard 中,注册学生随时可以通过这一系统看到上课的内容,即便有人缺课也知道某一天教了什么,作业是什么。学生可以通过电子邮件跟教师沟通,交作业。美国大部分的大学中文专业都有网页,它们各有特色,有许许多多精彩的教学材料可供选择。有兴趣的老师可以从 http://www.csulb.edu/~txie/programs.htm 找到一些链接。

(二)

部分网上教学,与传统教学手段混合使用(减少传统课堂教学时间,将减少的课堂教学时间改用于网上活动。可解决因学生人数急剧增加教室不敷应用的困难)。例如伊利诺大学的数学系一位老师大部分时间是网上授课,一学期只与学生见面几次。化学系有机化学的一门课每周与学生见面一次进行讨论。(Report of the University of Illinois Teaching at an Internet Distance Seminar. December, 1999.)[1]长堤加州州立大学有一种混合课(Hybrid course)将课堂面授时间减少 50%。在同样的时间内两位教授可轮流使用同一个教室。学生在课堂上与教师见面,听讲课,在另一半时间进行网上活动。宾州 CMU 一项研究将每周四天的法语和德语课分成两部分,三天在传统的课堂内上课,另一天由学生自己进行网上学习。结果学生的学

---

[1] 参见 Illinois Report. *Teaching at an Internet Distance:The Pedagogy of Online Teaching and Learning*. The report of 1998-1999 University of Illinois Faculty Seminar, 1999. (http://www.vpaa.uillinois.edu/tid/report/toc.htm)

习成绩和传统的四天上课模式没有实质性的差别（Green and Youngs,2001）①。在上面所说的三个例子中，课堂教学时间和网上活动时间的比例不完全相同。

（三）

完全网上教学（用于远程教育）。如澳大利亚 La Trobe University 的中文课程（Flex，2001，p. 212，http：//chinese. bendigo. latrobe. edu. au）②，University of Hawaii（http：// nflrc. hawaii. edu/project/399info. html）高级中文阅读课程，中国的四个网校（北京语言文化大学，http：//www. eblcu. net；国家汉办委托华东师大办的汉语远程学院，http：//www. hanyu. com. cn；中国上网，http：//www. chineseon. net；学中文网，http：//www. speakingchinese. com）。这些学校都需要注册交费，按照规定修完课程。其中华东师范大学和北京语言文化大学两个网校是专业的汉语教学单位。此外还有一些是语言和文化结合的课，如澳大利亚墨尔本大学的课程"中文之桥" （Bridges to China）(Orton,2001，http：//www2. meu. unime-lb. edu. au/b2c/)③。虽然有的网上课程已经正式授课多时，不过大多数的语言网上教学尚处于起步阶段，因此我们很难找到评估的资料或研究报告，对其教学成果和实用性作出全面的评估。

---

① 参见 Green,Anne and Bonnie Earnest Youngs. "Using the Web in Elementary French and German Courses: Quantitative and Qualitative Study Results." In *CALICO Jouranl*，Vol. 19. No. 1. pp. 89，2001。

② 参见 Flex, Uschi. *Beyond Babel: Language Learning Online*. Melbourne: Language Australia Ltd, 2001。

③ 参见 Orton,Jane. 2001. Building"Bridges":Design Issues for a Web-based Chinese Course. In Flex, 2001.

二 选择哪一种模式完全取决于实际需要,而不是随大流,赶时髦

(一)

如果考虑选择第三种模式,希望建立完全的网上课程,那么你至少先要考虑你的课程与别人相比是否有很强的竞争力。因为从长远的观点来看,每个领域或专题只有一至三个课程能够在竞争中得胜(Draves,2000)[①]。当然这并不是说别人已经开设的课程你就不能再开,但是必须有你自己的特色,否则就与别人雷同,失去竞争力。另一个非常重要的考虑因素是在你的领域内是否真正需要提供远程教学。在全世界范围内,能够提供中文教学的学校不计其数,有能力提供网上教学的学校也越来越多。但是学生学中文也总是希望面对教师,以便有及时的交流。

(二)

在考虑第二种模式的时候要看你的学校是否真正需要减少课堂时间,是否有足够的技术力量保证部分网上教学的进行。

(三)

你如果希望采用第一种模式,即向学生提供辅助性的教学资源并保持传统的课堂教学,那么首先要作一番研究,看其他学校和老师是否已经有了类似的网站和网页。看这些现有的网页是否能符合你的需要,还要补充哪些内容,而不必自己全部从头再来。这样可以节约很多时间和精力,充分利用网络资源的共

---

① 参见 Draves, William A. *Teaching Online*. River Falls: LERN Books, 2000.

享性。你可以为自己的学生建立一个网页,将已有的材料链接起来,并且制作和加入一些别人没有涉及的内容。

(四)

此外要考虑的是教师自己是否有足够的能力、时间和资源来学习和进行网上教学。学生是否对网上教学有兴趣,有设备和能力进行网上学习。电脑和网络在有的学校使用已经非常普遍,有的学校要求每个学生都备有手提电脑,所有的课程在网络上都可以找到相关资料。但是也有一部分学校和学生使用电脑和网络没有那么普及。在我们学校甚至有学生家里没有电脑,也没有上网的习惯。

(五)

学校行政方面是否真正重视提供网上教学,鼓励教师利用网路,并在升等评级、技术支援设备购置等方面给予支持。没有行政方面的支持,教师很难得到理解和开展工作。目前说来反对使用电脑和网络的人已经不多了,但是一遇到实际问题,如购置设备、教师培训等具体问题恐怕还有一些难处。

三 网上教学的特点和需要注意的问题

应当认识到网上教学不是简单地将传统教学内容一成不变地搬到网上,网上教学不是简单地把老师的讲稿放到网络上,然后给一些练习就算是上网教学了。Draves 指出:"网上学习与在传统课堂里面对面学习有很大不同。网上学习涉及的是完全不同的教学期盼,能力和行为。"(Draves,2000)[①]我们要懂得网

[①] 参见 Draves, William A. *Teaching Online*. River Falls:LERN Books,2000。

上教学的特点,并根据其特点进行教学、设计新的教学活动。

(一)学生特点

目前并非所有人都适合在网上学习。学生必须有主动的学习态度,对电脑比较熟悉,美国卡内基梅隆大学网上法语和西班牙语课在一开始就要求注册网上上课的学生做到三条:1. 必须是主动学习者(self-starter);2. 对电脑技术得心应手(comfortable with technology);3. 有学习外语的强烈动机（desire to learn the language）（Language Online@CMU）①。因为网上课程并非简单的传统课程的替代,不容易拿到学分,甚至比普通课程还要难一些。实际上,在我们的网上教学实践中也发现两个特点,退课率高,有时达 50%。学生常常落在预定的进度后。有的学生由于一开始对网上课程没有充分的认识,注册了网上课程却发现很多地方与想象的不一样,因而出现退课现象。

即使是辅助性的网上教学,学生的主动性也是一个很大的问题。有的时候老师有良好的愿望,花了很大的气力来制作网上材料,可是学生并没有经常去看、充分利用。因此教师必须把网上的活动,如作网上语法练习或者听录音等活动变成课外作业或者课堂练习的一部分,使之成为不是可有可无的,而是一种必须进行的学习活动。其次对于某些不太喜欢电脑或不熟悉在电脑上学习中文的学生要进行必要的辅导。至少在一开始便要有使用电脑学习中文的辅导课。

(二)教师特点

从教师方面来看,教师从知识和技能的传授者变成教学材

---

① 参见 CMU. Language Online @CMU：Who should learn language online? (http://mlonline.hss.cmu.edu/online/online.html)

料制作者,教学活动的组织者和执行监督者、学生的辅导者。与传统的课堂教学不同的是,教师现在不仅要准备教学内容和教法,而且要制作新的网络材料,指导学生主动学习并提供帮助。这就对教师提出了更高的要求。教师必须除了对所教语言有专业的知识,还要对电脑和网络有基本的了解和掌握基本的技能。[1] 教师要能得到技术人员的帮助但不能依赖技术人员,要自己动手制作教材和学习材料,亲自参加网上的全部教学活动。必须花大量的时间学习和不断更新电脑网络知识,随时注意网上资源的变化。教师还是活动监督执行者。在完全网上教学课程中必须随时注意学生学习情况,加强师生交流,保持学习进度,防止学生半途而废。需要有管理学生学习进度和情况的软件,提醒学生何时作练习,何时交作业,何时参加讨论,何时考试。在学生出现缺课或者不交作业、偏离学习计划时及时提醒学生。

(三) 授课特点

教学内容的传授方式不同。教师在网上授课面对的是看不见的学生。一切的交流都依赖网页或者电子邮件(文字和语音)。大部分的教学活动是非共时的(asynchronous)。有的教师对于见不到学生非常困惑,至少与面对面授课相当不同,很难建立融洽的师生关系。网上学生则要懂得,通过网上学习他们应当积极主动去得到知识,而不是等待老师在课堂上讲授。在辅助性的网络教学中,教师不仅提供资源,而且要向学生提出具

---

[1] 参见 Xie, Tianwei《e 世代的中文教师如何面临挑战》, in *Journal of CLTA*, Vol. 36:3, 2001。

体的要求。例如将学生带到电脑教室,当场演示如何在电脑上听录音,如何作语法练习,并且要求学生在电脑教室内完成一定的活动。课外的网络活动更需要教师明确地要求,而不是模糊地说"请你们去看某一个网页"。例如告诉学生在某一天前必须到某一个网站看某一个内容,并且要求学生在下一堂课作报告。或者要求学生完成某一项网上练习,并且用电子邮件交给老师。学生要主动,教师的要求应具体。

(四) 网上课程的结构

一般网上课程不论是辅助性的或者完全上网都可以包括以下几个主要方面:

1. 课程和教师情况介绍;
2. 课程大纲和学习单元(内容),包括文字讲稿或有声课程、阅读资料、练习和作业;
3. 讨论(非共时或共时讨论)和电子邮件;
4. 与本课程有关的链接。

我们在此只列出这几项重点。由于这些部分涉及具体的技术问题,需要对每项作详细地讨论,故不在本文论述的范围。但必须指出的是,对语言教学来说,语音部分是至关紧要的。在语言教学中,无论是讲课,讨论,练习乃至测验考试,语音都是不可缺少的一个部分。目前语音传送技术已经越来越成熟,学生不仅可以听到教师的声音,也可以用声音进行讨论,发送有声电子邮件。因此在网络教学中应当充分重视有声部分,而电视录像由于目前宽频技术还不普遍,录像的传送受到频宽的限制,因此在非不可缺录像的情况下可以使用。(请参考长堤加州州立大学一年级中文课程网页, http://www.csulb.edu/~txie/

101)。

四 结语

必须指出,在这三种模式的格局下,美国和中国都在中文教学方面有了不少网页和项目。但是我们通过仔细观察可以发现这些网页有很大的不同。美国的大部分网页和项目是个人行为,即在第一线教课的教授和教师们制作的。因此一般来说没有太多的经费和时间,所开发的项目多数短小精悍、实用性强。采用的模式多数是第一种辅助型的。由于制作是独立进行的,因此出现一些重复,但是总的来说,即使同一类型的内容,如汉语拼音教学,也各有各的特色。因此如果把这些老师制作的内容串连在一起,就形成了一个不可忽视的中文教学网上资源网络,对于教师和学生来说都非常有益。中国的一些项目则是国家和企业行为,不动则已,一动就是一个制作群,一个大项目。很少见到在中文教学第一线的教师制作的网页。采用的模式多是第三种完全的网上远程教育。用一个不恰当的比喻来说,在美国中文老师好像是打的"游击战"、"麻雀战",而在中国是大兵团作战。我们无意在此评判哪一种模式比较有效,因为这最终要由实践来检验。对于大多数的教师来说,第一种模式应当是比较切合实际的。完全的网上远程教学应该由教学和技术力量都比较强、有充沛资金的学校或者单位来实现。换言之,目前比较现实的是重点和普及结合。有条件的学校可以发展完全网上课程,没有条件的可以采用部分上网或将网络作为补充手段。在 21 世纪,50％的学习和教育将在网上进行。在这样一个 e 时代,中文教师如何应对高科技的挑战将是一个重要的课题。我们应当各尽所能、通力合作、共享成果,才能适应新的挑战。

贰　现代教育技术在汉语教学中的应用①

在探索新的课堂教学模式问题上,有几点主导思想和认识是有必要加以强调的,总的来说可以概括为三句话:观念要更新,态度要积极,步子要稳妥。

一　观念要更新

采用现代教育技术改进我们的课堂教学,绝不仅仅是简单地用计算机和投影仪代替粉笔和黑板,就是说,绝不能只体现在教学手段的更新。须知,教育教学是在一定教学和学习理论指导下,从教育目标和教学内容出发从事的一项系统工程,课堂教学只是其中的一个子系统或者说是教育思想、大纲设计、教学安排、教学方法等等诸多方面的具体体现。因此,课堂教学的优化,必须以科学的教育教学理论指导为前提。现代教育技术是伴随着信息时代的到来、全新教育理念的形成和学习理论研究成果的获得而产生的。课堂教学手段的现代化,要求我们首先更新观念,把新的教育思想体现在教学总体设计和具体的课堂教学过程中,所以"教学模式的改革是比较深层次的改革,其意义比一般的教学内容、教学手段、教学方法的改革要重要得多,当然也困难得多"。教学改革和现代化,必须从大处着眼。

---

①　本节摘自刘杰《积极稳妥探索课堂教学新模式——现代教育技术用于对外汉语教学的宏观思考》,《E-Learning 与对外汉语教学》清华大学出版社 2002 年版,第 25 页。

在更新教育教学观念的问题上,有三点值得我们认真思考:

首先,现代教育思想强调,教育的根本目标不仅是要单纯地传授知识,更要使学生"学会认知,学会做事,学会共同生活和学会生存"。联合国"国际21世纪教育委员会"提出的教育的这四大支柱在我们的对外汉语教育中如何体现?

其次,皮亚杰、维果斯基等提出的建构主义学习理论认为,学习是一个意义建构的过程,是学习者通过新旧经验相互作用来形成、丰富和调整自己的经验结构的过程,教学并不是把知识经验从外部装到学生的头脑中,而是要引导学生从原有的经验出发,生长(建构)起新的经验。"学习是个体建构自己的知识的过程,这意味着学习是主动的,学习者不是被动的刺激接受者,他要对外部信息作主动的选择和加工"。怎样看待这个理论?

与此相关联的问题还有:"双主模式",即既能充分发挥教师的教学主导作用,又能充分发挥学生的认知主体作用的新型教学模式在对外汉语课堂教学上如何体现?传统的,以"教"为中心的教学设计模式要不要改变?

另外,现代教育思想认为,现代社会教师的角色应该转变,教师应成为课堂教学的组织者、指导者,学生建构意义的帮助者、促进者,而不是知识的灌输者和课堂的主宰。这一点在我们的教学中如何体现?怎样有效地贯彻学生自主学习的策略?怎样把交互式学习、选择性学习、分组式学习的方法和组织形式运用于课堂教学实践?

我们认为,尽管我们所从事的不是旨在全面素质培养的基础教育,但以上这些教育主导思想和基础理论原则上仍然是适用的,教育教学改革新思路的关键归根结底,就是要创造条件,最大限度地发挥和培养学生的学习的积极性、主动性和创造性。一方面，我们可以利用信息压缩、网络传输和多媒体技术给学习者提供大量的、系统的、丰富的、生动的课外和课内教学知识资源；另一方面，从课程设置、教学内容安排、教学组织和编班到具体的教学环节设计、课件制作甚至课堂操练中语言交际情境的设置、练习的编排、提问的角度都可以贯穿从学生的认知规律和实际需要出发，有利于激发他们的学习潜能，帮助他们自主地构建知识和技能，启发和培养他们自主学习能力的思想。

二　态度要积极

现代社会是实力竞争的社会，无论在哪一方面哪个领域固步自封或抱残守缺，落后于形势，都要被时代所抛弃。教学改革的根本目的是充分利用现代教育技术和手段，最大幅度地提高教学效率，改善教学效果，早出人才，快出人才。随着中国加入世界贸易组织和2008年奥运会的申办成功，外国人和海外华人子女学习汉语的新一轮热潮即将到来。因此对于我们来说，对外汉语教学现代化的任务不仅是责无旁贷的，繁重的，更是迫切的。这种迫切性不但要求我们从事这项事业的全体教育工作者迅速转变观念，更新知识，掌握现代教育技术和操作技能，而且要即知即行，勇于探索，在实践中不断总结经验，以只争朝夕的精神积极探索和构筑全新的教学模式。

过去的几年，北京语言文化大学和不少兄弟院校的有关研究部门和教师克服了重重困难，在硬件和软件资源都相对不足的条件下进行了多媒体技术应用于课堂教学的大量试验，取得了一些成果。由教育部授权成立的"教育技术培训中心"已经成功培训了两批100多名对外汉语教师和教育行政人员,为对外汉语教学现代化改革奠定了良好的基础。尽管总的来说,规划性还不强,试验的面还不够广,宣传和号召的力度还不够,很多经验和不足需要总结,试验的实际效果还需要进行科学的评估,但是经过了多年的探索和试验,应该说确定基本课堂教学模式的时机已经成熟。我们建议进一步加强领导,组织专门的班子奋力攻关,首先研究和确定课堂教学模式这个关系到全局和长远规划的问题,同时大张旗鼓地鼓励和组织教学科研部门和广大教师进行多方面的科学研究和大胆的试验创新,群策群力,共同研讨,争取尽快地取得阶段性成果。

三 步子要稳妥

运用现代教育技术改革对外汉语课堂教学是一种全新的尝试,我们在提倡加快步伐,大胆创新,积极探索的同时也应注意不要操之过急,盲目地一哄而上,一味地求新异,赶时髦,课件制作得越花哨越"先进",课堂上多媒体演示得越长越"现代"。要尊重科学,讲求实效,以提高教学效果作为教学改革的出发点和最终的归宿。笔者认为以下几点应该强调:

(一) 尊重第二语言教学的特点和规律,正确认识课堂教学和教师的作用

语言教学不同于物理、化学、生物等知识性学科的教学,它的基本目标是培养和训练运用语言获得和传达信息,进行社会交际的能力。对外汉语教学不但要重视语言知识包括语言群体相关文化知识的传授,更着力于训练学生运用汉语听、说、读、写的熟巧。语言教学也不同于医学临床技术、飞行、驾驶等实用技

术和能力的培训,因为语言能力需要适用和面对的是人类社会生活的各个方面和几乎所有领域。语言教师课上的教学活动、课间和课下与学生的联系和交流本身就是在进行生动的示范和训练,就是教学内容的一部分。这种教学的学科特点决定了课堂面授这种形式不会被其他形式取代,同时也决定了教师在教学设计和具体课堂教学活动、在各项技能训练组织中的无可替代的核心作用。就整体教育思想和大部分教育教学学科内容而言,建构主义的教学和学习模式无疑是可以吸收和借鉴的,但很难想象学生能通过内省式的知识意义的自我建构而不是通过大量精心设计的操练和及时的纠正指点能学到一口流利得体的汉语。语言是交际的工具,人们正是在交际中学会自己的母语的,学习第二语言也同样离不开交际环境,人们可以通过电脑同单人或多人对话交流信息,获得所需的知识,也可以利用虚拟现实技术进入和应对某个交际场景,但很难想象学生面对一台电脑,只靠机械的操练,而不是同教师,同其他学习者,同目的语社会群体各种交际对象的面对面交际而能掌握用汉语听、说、读、写的本领,适应纷繁复杂的社会生活。

多媒体和网络技术的运用,是服务于教学的,语言能力的习得绝不能把嘴(指口头操练)放在一边,而只靠眼睛、耳朵和手指去感知和"心领神会"。"课堂教学中技术因素的量和度,必须针对教学需求得到适当的控制,否则会效果不佳,甚至会出现负面效应"。(郑艳群,2001)[1]

---

[1] 参见郑艳群《课堂上的网络和网络上的课堂——从现代教育技术看对外汉语教学的发展》,《世界汉语教学》2001年第4期。

(二）吸收和继承传统教学原则和方法的成功经验

对外汉语教学经过几十年的摸索和实践，已经积累了一套比较成熟的普遍适用的成功经验。在探索新的课堂教学模式中，很多经验是应当继承而不能抛弃的。比如"精讲多练"的原则，"实践为主，交际第一"的原则，语言点安排上的"由浅入深，循序渐进"的原则，语法教学上的"结构—功能相结合"的方法，课堂操练的"情景化"、"启发式"教法，预测和纠正偏误时的对比分析法和针对性原则，教材编写的"趣味性"原则等等，这些经过实践检验的成功经验在教学改革中只能利用现代的教学技术手段进一步付诸实施，发扬光大。又比如现代教育方法提倡的"交互式"、"协作式"教学，其实在对外汉语课堂教学中早已实践了多年，师生的会话、问答、教师的现场纠错和评价以及课堂上一切有声和无声（表情、身势）语言的交流、学生在教师指导下的分组练习、自由会话、专题讨论、语言实践活动不正是这些教学方式的具体运用吗？扬长补短，才能使我们的改革少走弯路，沿着正确的轨道前进。

(三）考虑到教育机构现实的资源和技术条件

现代教育手段和技术运用的理想教学环境和条件是：学生课下和课堂上都是人手一台电脑，而且这些电脑都起码要实现局域连网，做到信息提取和反馈自如；学习者要能熟练掌握计算机和互联网的操作技术，汉语学习者还要学会至少一种中文输入法的操作技能，此外还需要互联网储备有丰富的中文信息资源，或起码教学机构的局域网上备有足够的能自由提取的课程参考资料信息。然而目前可以说国内所有的对外汉语教学机构都不具备这样的硬件和软件条件，对来自世界各地的汉语学习者更不能提出这样高的要求。脱离现有教学条件和资源的一切教学模式的设计都是不现实的。

后　记

　　本书中的篇目均选自曾在中国大陆公开出版的杂志、文集、书籍等，以近十年来发表的为主。在此，我们要特别感谢各位作者。

　　本书在选编过程中，根据整体的需要和统一的体例，对一些文章作了删节，请作者见谅，也请读者在需要的时候参考原文。编排中，为了协调一致，目录中的"中文"一律称作汉语，"电脑"一律称作计算机，等等，而文章内部未作更改。由于原稿来源不同，我们在处理时难以保证体例一致，个别选文中没有参考文献或参考文献标注不详，虽多方查证仍难免遗漏，敬请读者谅解。

　　感谢我的几位研究生张君博、孙永梅、李芳和刘亚菲，他们帮助我整理了许多资料。

　　感谢责任编辑叶军在书稿的编辑过程中付出了很多的心血。

　　由于编者水平有限，时间仓促，遗漏和不妥之处敬请各位专家同行批评指正。

编　者
2006 年 3 月